Rafał Dębski

Kamienne Twarze, Marmurowe Serca

Dom Wydawniczy REBIS

Redaktor
Elżbieta Bandel

Projekt i opracowanie graficzne okładki
Izabella Marcinowska

Ilustracje na okładce
© Stephen Mulcahey/Arcangel Images
© Stock Montage/Archive/Getty Images

prawolubni

Książka, którą nabyłeś, jest dziełem twórcy i wydawcy. Prosimy, abyś przestrzegał praw, jakie im przysługują. Jej zawartość możesz udostępnić nieodpłatnie osobom bli... ...nie publiku... jej w ...necie. Jeśli cytujesz jej ... ...niecznie zaz... ...z, czyje to dzie... ...ej część, lub to tradycyjn... ...tyrek ... ...sty.

ISBN 978-83-7818-564-2

Dom Wydawniczy REBIS Sp. z o.o.
ul. Żmigrodzka 41/49, 60-171 Poznań
tel. 61-867-47-08, 61-867-81-40; fax 61-867-37-74
e-mail: rebis@rebis.com.pl
www.rebis.com.pl
DTP: *Akapit*, Poznań, 61 879 38 88
Druk i oprawa: WZDZ - Drukarnia „LEGA"

Joli za wsparcie i za to,
że dzięki niej życie zwyciężyło

1

Było mu zimno. Potwornie zimno. Brnął przez zaspy po-
śród nocy monotonną równiną, zalaną sinym światłem
księżyca. W taki czas ponoć wypełzają z leśnych komyszy prze-
różne strzygonie i biesy, wykopują się z grobów upiory, senne
mary nawiedzają ludzi o nieczystych sumieniach i podłych
intencjach. Ale spotkanie z najgorszą choćby poczwarą było-
by lepsze niż to okrutne zimno i lepki śnieg, wciągający stopy
niczym bezlitosne bagno.

Niefortunny wędrowiec szedł ciężko, czując łomotanie
w skroniach. Lśniący krąg nad głową szczerzył poczerniałe
zęby w wykrzywionej złością twarzy. „Idź, człowieczku, prze-
dzieraj się przez lodową pustynię, na końcu i tak czeka moja
siostra, Pani Śmierć".

Tak, śmierć! Mężczyzna spojrzał w górę, pokazał srebrzy-
stemu prześmiewcy zaciśniętą pięść. Śmierć... Ona zawsze cze-
ka na końcu drogi... Śmierć... Ale może jeszcze nie dzisiaj,
nie jutro nawet! Chociaż, kto wie? A nuż za chwilę z ciem-
ności wyskoczy wygłodniałe stado wilków podążające śladem
nieświadomego niebezpieczeństwa człowieka?

Zatrzymał się na chwilę, otarł zroszone potem czoło. To nie
jest zwyczajna rzecz, że poci się, a jednak odczuwa tak dojmu-
jące zimno... Ruszył dalej, z uporem godnym owada toczącego
swą kulkę gnoju niby los — owada skazanego na zagładę, na

rozgniecenie podeszwą podróżnego nie patrzącego pod nogi. Owada czyniącego jednak bez wahania, co do niego należy. Szedł z determinacją Syzyfa, który pcha pod górę ciężki głaz, choć wie, że za chwilę brzemię potoczy się po zboczu i trzeba będzie podjąć je na nowo. W uszach zabrzmiały nagle słowa czastuszki o żołnierzyku, co szukał ukochanej nad rzeką, by zdjąć jej wianek, choć powinien jej poszukać w lesie, aby się przekonać, iż ubiegł go pewien jegier. W niczym ta piosenka nie pasowała do położenia, a jednak uparcie dźwięczała w głowie, słyszał każdy głos z wiejskiego chóru z osobna. Gdyby kazano mu zaśpiewać, nie wydobyłby ani jednego czystego dźwięku, ale umysł przechowywał pamięć o melodii i o... o czym? O kim? Myśli splątały się w wielki, ciężki kłąb, jakby chciały ulec przemianie w kamień nieszczęsnego Syzyfa albo w kulkę gnoju, toczoną przez wytrwałego owada.

Wycie zmroziło krew w żyłach. Pytanie tylko – wilczy to był zew czy też upiory upominają się o daninę gorącej ludzkiej krwi?

Przyspieszył kroku, ale ledwie to zrobił, upadł. Nie da się iść szybciej. Nie ucieknie przeznaczeniu...

Znowu wycie, a zaraz potem następne i jeszcze jedno. Wilki. Na pewno wilki. Upiory nie polują stadami.

Blisko.

Bardzo blisko.

Tuż-tuż!

Migają w poświacie srebrnoszare cienie. Nie boją się. To przecież tylko jeden człowiek, bezbronny, osłabiony, cuchnący strachem.

Znów upadł. Słyszał już powarkiwanie i szybkie oddechy drapieżników, lekkie skrzypienie śniegu pod łapami. Za chwilę poczuje na karku mordercze szczęki.

W ostatnim przebłysku świadomości widzi jeszcze tę twarz... Błękitne, a właściwie szafirowe oczy w ciemnej opra-

wie rzęs i brwi, jasną cerę, pełne wargi, delikatny podbródek.
Taką ją zapamiętał, ale przecież nie do niej zmierzał, nie ona
powinna teraz przyjść na myśl. Czyżby…

Zwycięskie wycie tuż nad głową.

Żegnaj…

* * *

– Panie kapitanie, panie kapitanie!

Obudziło go mocne szarpnięcie. Otworzył oczy.
W niepewnym blasku świecy zobaczył zatroskaną, czerstwą twarz.

– Rusłan. – Odetchnął z ulgą. – To ty.

– A kto miałby być? Jeno dwóch nas na kwaterze, a pan
się trzęsie jak w febrze.

– Zimno mi. Rozpal ogień w kominku. Tylko porządnie.

– Kiedy i bez tego ciepło jest, panie kapitanie, duchota
taka, że cały się pan spocił. Tęgo wieczorem dołożyłem do
pieców, jeszcze gorącość trzymają.

Rusłan mówił po polsku z zabawnym akcentem, charakterystycznym dla mieszkańców Kaukazu. Po rosyjsku
też zresztą mówił nie do końca czysto.

– Powiadam ci, że mi zimno!

Ordynans się nie spierał. Ordynans… Obaj stosowali
i lubili to określenie, chociaż w przypadku byłego już przecież kapitana także byłego wachmistrza powinno się nazywać raczej towarzyszem. A może nawet przyjacielem?
Jednak zostali przy dawnych zwyczajach. Stary też wolał
nazywać Wołłkowicza kapitanem niż panem hrabią.

Tytuły, tytuły. Cóż warte są dla człowieka bez ojczyzny
i bez majątku? Dla kogoś, kto został wygnany z własnej
ziemi, poznał los ściganej zwierzyny i wie, co to głód przyprawiony potwornym pragnieniem? I… zimno. Kapitan,

9

oddychając głęboko i miarowo, patrzył na krzątającego się ordynansa. Przeklęty sen, za każdym razem taki sam, wydawał się równie rzeczywisty jak przedmioty wokół. Zresztą, jakże mogło być inaczej? Tamte wilki...

– Panie kapitanie – rozmyślania przerwał szorstki, zdarty od wydawania komend głos Rusłana. Stary Czerkies nie zawsze był ordynansem. Zanim stracił lewą dłoń, służył jako wachmistrz w doborowej kompanii lansjerów, dowodzonej właśnie przez kapitana Wołłkowicza. Nie chciał opuszczać szeregów, choć sam generał major Kocz chciał mu dać godną odprawę i solidną rentę. Wybrał los oficerskiego sługi, żeby tylko nie gnić gdzieś na prowincji w cywilnym szynelu, byle pozostać „w cuglach", jak zwykł mawiać. Zresztą wielką rolę odgrywało tu przywiązanie, jakie żywił do kapitana. Z wzajemnością zresztą.

A teraz rozpalał ogień, sprawnie przytrzymując pudełko zapałek między kikutem a niskim stołkiem. Nie lubił, by mu ktoś pomagał w tak prostych czynnościach.

– Słucham, stary, co tam znowu?

– Powinien pan wreszcie pójść do dobrego lekarza. Te konowały, które badały pana, nie powinny dotykać nawet zdechłego kota, żeby mu nie zaszkodzić.

– Na dobrego lekarza trzeba mieć dobre pieniądze, a nasze fundusze idą w całości na czynsz i jedzenie.

– Zamęczy się pan. Zimno i zimno... Coraz gorzej jest. Ta gorączka pana zniszczy.

– Wiesz, że niebawem przejdzie samo. Choroba nie tkwi wszak tylko w ciele. Mam ją w głowie, w duszy. Mróz jest jak upiór: kiedy raz wyssie z człowieka krew, dręczyć go będzie po kres dni. Nie da się go wyegzorcyzmować.

Rusłan nie odpowiedział. Dmuchnął kilka razy w płomień, dołożył suchych szczap, potem dorzucił większy kloc drewna.

– Taki młody człowiek – mruczał pod nosem. – Szkoda życie marnować, siedząc w tej norze. Wyszedłby pan na świat, poznał kogo…

– Nie marudź, stary. – Wołłkowicz zaśmiał się z przymusem.

Młody człowiek. Tak, miał dopiero trzydzieści dwa lata, ale czuł, jakby los wrzucił mu ich na barki dwakroć tyle, albo i więcej. Młodość to określenie bardzo względne. Widywał starców, którym wigoru mógłby pozazdrościć niejeden dwudziestolatek, ale widział też chłopców o spojrzeniach tak zmęczonych, jakby mieli najzupełniej dość życia. Może czas wcale nie płynie tak samo dla każdego? Na pewno nie. Wszak jednemu i temu samemu człowiekowi zdaje się niekiedy, że Parki przędą nić jego żywota tak szybko, aż żal, bo chciałoby się zachować na dłużej każdą sekundę, a niekiedy wrzeciona bezdusznych bogiń stają w miejscu na tak długo, że bierze ochota, aby popędzić je nahajką. W życiu byłego kapitana tych drugich chwil bywało ostatnio o wiele więcej. Wachmistrza nazywał starym, a przecież wcale wiekiem aż tak od siebie nie odbiegali, Rusłan dopiero dochodził czterdziestki. Ale w oddziale na podoficera zwykło się mówić właśnie „stary" i tak już to określenie do niego przylgnęło.

– A bo tak – mruczał Rusłan. – Postawę i twarz ma pan jak trzeba, uczciwie mówiąc, piękny z pana mężczyzna.

Wołłkowicz odruchowo dotknął palcem długiej blizny, biegnącej od skroni do podbródka. Ordynans zauważył gest.

– To nic – rzekł – to głupstwo. A nawet lepiej, bo kobiety lubią, jak chłop nie jest gładki niby dziewka na wydaniu. Zakręciłby się pan koło której, co ma wpływy wśród waszych, co tu osiedli. A i krewniacy jacyś by się może znaleźli w ostatku…

– Daj spokój – uciął ostro były oficer. – Nie będę się wieszał pańskiej klamki, a tym bardziej wykorzystywał do tego kobiet. A rodzina jest, i owszem, wcale liczna, dobrze o tym wiesz. Ale jakoś nie miał się kto upomnieć i zadbać o moje siostry, kiedy gniłem na Sybirze! O mnie też nie stali. U wrogów na zesłaniu znalazłem bodaj więcej serca niż u swoich!

Rusłan nadstawił ciekawie uszu. Może tym razem pan wyrzuci wreszcie z siebie to, co go tak dręczyło. Nigdy nie chciał powiedzieć, co zaszło w osiedlu zesłańców pod Amarskiem, że musiał stamtąd uciekać w samym środku zimy.

Ale kapitan zamilkł. Przysunął się bliżej ognia, oparł stopy na podmurówce kominka, wyciągnął przed siebie ręce.

– Powiadam ci, stary – wymamrotał po chwili. – Moskale więcej serca miewają niż rodacy…

Rusłan spojrzał z niepokojem w twarz Wołłkowicza. Czyżby znowu dopadała go zimna febra? Ale nie, oficer twarz miał spokojną, spojrzenie zamyślone. Patrzył w ogień, a przed oczami przelatywały mu wspomnienia chciane i niechciane.

Lekko skośne oczy generała patrzyły zimno na stojącego przed nim człowieka w nienagannie skrojonym i odprasowanym mundurze. Pod tym spojrzeniem major kulił się wewnętrznie, starał się jednak nie okazywać niepokoju. Wezwanie zastało go w gronie przyjaciół, pośród zabawy. Jednak gdy tylko adiutant szepnął mu na ucho, kto chce go widzieć o tak niezwykłej porze, oficer w jednej chwili wytrzeźwiał. Z żalem zostawił wesołe towarzystwo, lecz cóż – służba nie drużba.

12

– Michaile Antonowiczu, proszę, niechże pan usiądzie, nie jesteśmy na paradzie – rzekł generał Kriabin konfidencjonalnie.

– Tak jest, panie generale!

Major rozejrzał się w poszukiwaniu krzesła, ale ponieważ nie znalazł żadnego, stał dalej, czując się coraz bardziej głupio. Generał pozował na świętej pamięci wielkiego księcia Konstantego, który także znany był z niewybrednego poczucia humoru, lubił upokarzać podwładnych, a szczególnie tych oficerów, o których wiedział, że są bardziej utalentowani od niego. Czyli prawie wszystkich. Byli tacy, którzy z tego powodu popełnili nawet samobójstwo. Z drugiej strony, carski brat mimo wszystko cenił sobie inteligencję, a po pewnym wypadku rzadko odważał się szkodzić żołnierzom czymś więcej niż drobnymi wstrętami. Jak powiadano, zdarzało mu się znieważać oficerów i następnie dawać im możliwość zmazania zniewagi w pojedynku. Mawiał formalnie: „Jeśli chce pan satysfakcji, oczywiście jestem do dyspozycji". Książę Konstanty mógł być jednak spokojny o życie i zdrowie, albowiem nie spodziewał się spotkać szaleńca, który by się odważył krzyżować szpadę czy też strzelać z bratem jego cesarskiej mości. Wybierali hańbę lub – częściej – śmierć z własnej ręki. Aż razu pewnego trafiła kosa na kamień. Konstanty obraził polskiego ułana i swoim zwyczajem rzucił uwagę, iż chętnie udzieli mu satysfakcji. Na to przeklęty Polak odparł, że nie godzi się odrzucać tak zaszczytnej propozycji. Oczywiście książę do walki nie stanął. Zasłonił się urodzeniem, które nie pozwalało mu pojedynkować się z byle żołnierzem, w którym nie płynęła równa mu książęca krew, a także wydanym przez cara zakazem pojedynków. Ale właśnie od tamtego czasu wielki książę traktował podwładnych bardziej oględnie. Iwan Piotrowicz Kriabin nie był może dokładną kopią Konstantego, ale potrafił być równie dokuczliwy, podobieństwo zaś do duchowego patrona było tym większe, że po przodkach także odziedziczył dzikie, azjatyckie rysy.

– Czemu pan nie siada? – spytał Kriabin z krzywym uśmieszkiem. – Ach, nie ma na czym? Natrę ja uszu adiutantom, oj, natrę! Trudno zatem, na razie będzie pan rozmawiał ze mną tak, jak okoliczności pozwalają.

– Słucham, panie generale!

– Mam tutaj pismo od gubernatora Jaszyna. – Dowódca rzucił na stół papier. – Zgłosił już jakiś czas temu formalnie ucieczkę pewnego zesłańca i zwrócił się z prośbą o pomoc w jego odnalezieniu, ale papier dotarł do mnie dopiero teraz.

– Czy to ktoś ważny?

– Dla Jaszyna, zdaje się, nieszczególnie, bo wygląda to na zwykłą formalność, jakiej musiał dopełnić. Dla nas w zasadzie też nie bardzo.

Major kiwnął głową. To „w zasadzie” mogło oznaczać dwie rzeczy: albo należy rzecz załatwić spokojnie, wręcz flegmatycznie, nie zważając na ewentualne monity gubernatora i policji, albo…

– Rozumiem, że sprawa ma najwyższy priorytet – powiedział.

– Majorze Rokicki – rzekł generał, mrużąc oczy – proszę powiedzieć, skąd to panu przyszło do głowy?

– Po pierwsze, panie generale, wezwał mnie pan w trybie natychmiastowym, w środku nocy, a to niechybnie oznacza pilną pracę.

– Która wcale nie musi dotyczyć właśnie tego. – Kriabin popchnął palcem list.

– Nie musi – zgodził się major – ale przypuszczam, że dotyczy. Nie widzę innych dokumentów na stole. Po drugie, jeśli zdążyłem dobrze poznać metody działania pana generała, zanim zdecydował się pan pokazać mi to pismo, rozpoznał pan rzecz jak można najdogłębniej.

To nie był czczy komplement. Właśnie ta cecha odróżniała Kriabina bardzo wyraźnie od jego ulubionego księcia Konstantego – miał bystry, żywy umysł, niewiele szczegółów potrafiło umknąć kałmuckim oczom.

– I co dalej? – spytał generał.

– I stwierdził pan, że z jakiegoś powodu należy się tym zająć.

– Z jakiegoś powodu – uśmiechnął się Kriabin. – Tak, zgadza się. A domyśla się, pan, jaki to powód?

– Mogę tylko snuć mgliste przypuszczenia...

– Zaraz! – Generał przerwał majorowi gestem, potrząsnął dzwonkiem i poczekał, aż wejdzie adiutant. – Przyniesiesz mi tu zaraz herbaty z konfiturami – rozkazał – a przedtem krzesło dla pana majora.

Rokicki zaczekał, aż za jego plecami znajdzie się mebel, po czym usiadł na brzeżku.

– Śmiało, majorze – zachęcił go Kriabin – niech pan się wygodniej usadowi. Czeka nas długa rozmowa. A zatem, jakie są te mgliste przypuszczenia?

– Ten, o którego chodzi Jaszynowi, z pewnością nie jest ważną postacią, ale w trakcie rozpoznawania sprawy musiało wyjść na jaw coś, co sprawiło, iż doszedł pan do wniosku, że można to jakoś wykorzystać. Na przykład obecność tego człowieka w miejscu, w którym się teraz znajduje, albo obecność kogoś z jego otoczenia. Albo ten ktoś posiada wiadomości niezwykle dla nas istotne.

– Tak jest, majorze, mniej więcej się zgadza. I co jeszcze? Proszę mówić bez skrępowania. Jesteśmy tu tylko we dwóch, żadne słowo nie może wypłynąć poza gabinet.

– Przypuszczam – ciągnął major ostrożnie – że zechce pan także wykorzystać samego zainteresowanego gubernatora.

15

– Brawo! – Kriabin przerwał, bo właśnie wszedł adiutant z herbatą. Poczekał, aż młody porucznik postawi na stole tacę, a potem odesłał go niecierpliwym machnięciem ręki. – Sam sobie poradzę. Idź już spać. A pan – zwrócił się do Rokickiego – naprawdę potrafi myśleć. Z tym że nie wie pan wszystkiego. Człowiek, o którego chodzi, jest związany z pewną tajemnicą. Wie o niej bardzo niewielu, można ich policzyć na palcach jednej ręki. Zresztą dlatego pozostaje tajemnicą, a jest ona ponoć na tyle ważna, że parę znaczących person nie może spać spokojnie. W dodatku nasz ptaszek zdołał uciec z zesłania w środku zimy mimo nie najlepszego zdrowia.

– Silny musi być z niego chłop.

– Właśnie niezupełnie, podobno całkiem zwyczajny. Ale dokonał tego wyczynu, a ja chcę wiedzieć, skąd w nim taka determinacja. Najważniejsze jednak jest to, że interesuje się nim pewna bardzo wysoko postawiona osoba. Ważniejsza jeszcze od tych innych, o których wspominałem.

– Z przyczyn państwowych?

– Państwowych czy osobistych, to bez różnicy – odparł dość ostro generał. – Na wyższych szczeblach władzy prywatne sprawy są nierozłącznie związane z racją stanu. Mam nadzieję, że to jasne?

Major milczał, wiedząc, że to nie pytanie, ale wstęp do rozmowy. Czekał, aż przełożony zbierze myśli i wyłuszczy sprawę.

Siedziała przed lustrem, patrząc na odbicie swojej zapłakanej twarzy. Pełgający płomyk kaganka kładł się cieniami na policzkach, wydobywał z mroku dwie błyszczące strużki łez. Wstydziła się słabości. Ojciec zawsze powtarzał, że córce gubernatora nie przystoi płacz, nie powinna się zdradzać z uczuciami, nawet przed samą sobą. Łatwo mu było mówić. Sam twardy i nieskory do wzruszeń mógł się szczycić wspaniałą postawą tak wobec przeciwności losu, jak i chwil szczęścia, na wzór starożytnych stoików. Ale mateczka była zupełnie inna. Nastia pamiętała miękki dotyk szczupłych palców na policzku, kiedy ta piękna istota układała ją do snu. Przypominała anioła nie tylko dobrocią serca, ale i jasną twarzą o alabastrowej cerze, okoloną aureolą cudownie złotych loków. Na jawie dziewczyna pamiętała ją jak przez mgłę, ale czasem przychodziła w snach, aby popatrzeć na dorastającą córkę, i były to najszczęśliwsze chwile w życiu Nastii. Niestety, potem nastawał poranek i twarz mateczki rozmywała się, postać ginęła w świetle dnia.

A poza tym bardzo wcześnie zjawiała się stara niania, aby obudzić dziewczynę. Ojciec nieodmiennie życzył sobie, aby córka spożywała z nim śniadanie, chyba że wyjeżdżał albo właśnie miał ważnych gości, z którymi musiał omówić poufne sprawy. Tak właśnie miało być nazajutrz. Po południu przyjechali jacyś dwaj oficerowie. Ojciec najpierw ucieszył się z tej wizyty, lecz rozmowa, którą odbył z nimi przed kolacją, wprowadziła go w podły nastrój. Ofuknął Nastię, pragnącą się dowiedzieć, jak ma się przebrać do wieczornego posiłku i jutrzejszego śniadania, oznajmił, że będzie jadła u siebie i w ogóle ma przez cały dzień siedzieć w pokoju, nie pokazywać się gościom na oczy. Widziała ich więc tylko przy powitaniu. Jeden z mężczyzn był dość niski, a może nie tyle niski, ile tak gruby, że zdawał się mniejszy niż w rzeczywistości, drugi zaś wysoki, smukły, o ciemnych, żywych oczach, którymi spoglądał taksująco na córkę gospodarza. Zrobiło jej się nieswojo, pomyślała, że takie oczy mógłby mieć ktoś, kto trudni się profesją katowską. Przystojna twarz mężczyzny i pozornie jasny uśmiech nie były w stanie złagodzić srogości spojrzenia.

Teraz, rozczesując włosy, przypomniała sobie te badawcze źrenice, a jednocześnie wspomniała inne, miękkie i dobre, które chyba nigdy nie potrafiłyby tak na kogoś popatrzeć. Łzy... Który to już raz płakała, myśląc, czy kiedyś go jeszcze zobaczy. Nie, nie zobaczy! Nawet jeśli żyje gdzieś tam, daleko, nie spotkają się chyba nigdy. A może jednak. Nadzieja przecież umiera ostatnia. Jeśli tylko Jerzy żyje... Miała nadzieję, że tak, czuła całą duszą, że gorące uczucie nie wygasło, że bije dla niej jego wielkie serce. Lecz może to było tylko życzenie? Może spróbować zapytać mateczkę, kiedy znowu pojawi się we śnie? A nuż odpowie.

Uśmiechnęła się lekko, wspominając pierwszy nieśmiały dotyk, kiedy z wdzięcznością ujął jej dłoń i przycisnął do ust. Uciekła wtedy, spłoniona, pozostawiając go w przekonaniu, że odważył się na zbyt wiele. Unikał jej przez kilka tygodni, nie patrzył w oczy, aż wreszcie, gdy pewnego dnia ich spojrzenia się spotkały, Nastia zrozumiała, że są sobie przeznaczeni.

Przeznaczeni?

Być może.

Ale świat bywa dla kochanków niesłychanie okrutny. Szczególnie wtedy, gdy stoją po przeciwnych stronach barykady wzniesionej przez dzieje narodów i pożogi wojenne. Niania nieraz snuła opowieści o wielkiej miłości, która przezwycięża wszystko. Nastia słuchała tych historii z wypiekami na policzkach, przeżywała gorycz rozstań ich bohaterów i słodycz ponownych spotkań. Czytała romanse, wzruszała się i radowała przygodami postaci, które je zaludniały, próbowała zapomnieć o szarości życia. W opowieściach wszystko może skończyć się dobrze, bo to zależy tylko od tego, kto je stworzył, w rzeczywistości zaś... Kilka tygodni temu przyjechał w swaty stryj właściciela ziemskiego, niejakiego Rostowskiego. Z początku myślała, że stary chce małżeństwa dla syna, porucznika gwardii, przebywającego z oddziałem gdzieś na Krymie, ale okazało się, że to samemu staremu grzybowi zachciało się młodej żonki. Ojciec odmówił grzecznie, napomykając, że Nastii czas jeszcze do ołtarza, ale wieczorem oznajmił jej zimno, że gdy tylko zjawi się z propozycją ożenku ktoś godny, nie zawaha się ani chwili. Starczy tych babskich fanaberii i opłakiwania jakiegoś polskiego zesłańca, którego kości może już ogryzły zwierzęta.

Uciekła wtedy z płaczem do sypialni, nie jedząc kolacji, zgnębiona, przestraszona. Nie sercem będzie wybierać męża... Z tym jako córka gubernatora musiała się liczyć. Gubernia Amarska nie była może najbogatszą częścią kraju i najbardziej łakomym kąskiem, ale co gubernator, to gubernator, przez małżeństwo zaś ojciec mógł zyskać korzystne koligacje, zapewnić przyszłość wnukom, skoro synów nie było dane mu doczekać. Na sobie mu przecież nie zależało.

Westchnęła ciężko, odłożyła grzebień, przeżegnała się przed ikoną, po czym weszła do łóżka. Zanim zasnęła, słyszała jeszcze dochodzące z dołu, przytłumione i niewyraźne głosy. Usypiały ją, nieświadomą, że oto być może ważą się jej losy.

Paryski salon promieniał blaskiem świec i mnogością wspaniałych kreacji. Damy i panowie konwersowali w niewielkich grupkach, tu i ówdzie dał się słyszeć perlisty śmiech rozbawionej kobiety, która bądź to doceniła celny dowcip rozmówcy, bądź chciała pokryć zmieszanie usłyszanym komplementem. W jednej z takich grup stał niezbyt wysoki, krępy mężczyzna o bujnej fryzurze i takichże bokobrodach.

– Och, piszę, księżno, oczywiście, że piszę. Tak już świat został urządzony, że poeta, nie tworząc, odczuwa większe męki niźli głodny nędzarz umierający na mrozie.

– Czekamy zatem z niecierpliwością, panie Adamie – odpowiedziała zażywna mniej więcej sześćdziesięcioletnia kobieta. – Córki moje wprost nie mogą spać, jeśli ich nie zapewnię, że mistrz niebawem wyda nowy tom lub skończy wspaniały poemat.

Mickiewicz przełknął gładko piękne słówka. Był przyzwyczajony do hołdów, aczkolwiek zdawał też sobie sprawę, że przynajmniej połowa osób wygłaszających peany nie czytała ani jednej strofki utworów, o których rozmawia. Rzecz jasna, znajdowali się też tacy, którzy umieli na pamięć całe *Ballady i romanse*, a jeden z oficerów, przybyłych kilka lat po upadku powstania listopadowego, zadziwił wieszcza dokładną znajomością zarówno *Pana Tadeusza*, jak i *Dziadów*.

– Możesz pani zapewnić córki, iż już niebawem z oficyny drukarskiej wyjdzie na świat tom moich niegodnych ich oczu utworów.

Chciał powiedzieć coś jeszcze, ale przerwał mu głośny śmiech dochodzący gdzieś z tyłu. Odwrócił się ze zmarszczoną brwią sprawdzić, czy aby nie z niego się naigrawają. Ale nie, młodzi ludzie byli zajęci sobą bez reszty. Mars z czoła Mickiewicza nie zniknął jednak, gdyż dostrzegł tam konkurenta. Jedna z młodziutkich panien prosiła go właśnie:

– Zadeklamuj coś, Juliuszu.

Słowacki wzbraniał się z uśmiechem, ale dziewczyna była nieustępliwa, a do jej próśb dołączyli także inni.

– Zaimprowizuj, mistrzu – odezwał się głośno głębokim basem niski, krępy mężczyzna.

– Zaimprowizuj – podchwycili inni.

W sali przycichły rozmowy, wszystkie oczy skierowały się na hałaśliwą kompanię. Słowacki zarumienił się lekko, przymknął oczy, nabrał powietrza i zaczął:

Niechaj nikt się nie sprasza o łez moich garstkę
Lecz w niebo podniesie wzrok
I uczyni pierwszy krok
W serce wleje goryczy naparstek
Niech za słońcem wytrwale podąża myślami
Z oczu jasnych wśród nocy zrywając aksamit.

Kły upiora na duszę z nocną spadły porą
I nie dają ni spać, ni jeść,
Ni ciała martwego grześć,
Za to w bramy piekielne mnie biorą.
Więc niech pomsta na wrogach już dziś się dokona
Diabłów o nią uproszę...
Ubłagam ich, zanim skonam.

Mickiewicz zacisnął zęby. Mniej obznajomieni z poezją i wtajemniczeni słuchacze mogli nie dostrzec drwiny w zgrabnych – tak, zgrabnych, niestety! – strofach, ale dla niego było jasne, że ten chorowity wierszokleta kpi w żywe oczy z najlepszych utworów mistrza Adama. I z wierszy romantycznych, i ze wspaniałych *Dziadów*, a szczególnie z zawartego w nich obrzędu kojenia dusz. A ta pierwsza fraza, będąca szyderstwem ze słynnego „Niechaj mnie Zosia o wiersze nie prosi", oraz ostatni dwuwiersz wyśmiewający będące niegdyś na ustach wszystkich „Ach, pomsta, pomsta, pomsta na wroga, z Bogiem lub choćby mimo Boga". I diabły, które przychodziły do Nowosilcowa... Ulubiony Mickiewiczowski trzynastozgłoskowiec skrzyżował wiecznie kaszlący Juliusz z metrum godnym inwencji wiejskiego parobka, ale i tutaj popisał się kunsztem, bo do topornego wersu składającego się z ośmiu sylab dorzucił prawie niepostrzeżenie siedem, nie zakłócając przy tym rytmu. Jednocześnie zaś całość ozdobił po swojemu, nie stracił własnego stylu, naśladując cudzy. Złość zmieszała się w sercu poety z mimowolnym podziwem.

Ci ze zgromadzonych, którzy dostrzegli, że pozornie niewinne wiersze dotykają wielkiego twórcy, zwrócili oczy na Mickiewicza. Ten uśmiechnął się z przymusem i po chwili namysłu odpowiedział:

> *Lecz diabły tańczą na duszy krawędzi*
> *I sięgnąć serca nie są jeszcze w stanie*
> *Ich szpony płoną zimnym blaskiem rtęci*
> *Drąc wściekłym szałem piekielne bezdroże*
> *I słyszą smutne piosenki wołanie*
> *I powtarzają: oszczędź, Panie Boże*
>
> *Nie wzlecę w niebo niby ów kometa*
> *Co wieszczy królom, cesarzom zagładę*
> *Ale nie udam się również do piekła*
> *Bo człekiem jestem i człekiem ostanę.*

Słowacki skinął z uznaniem głową. Odpowiedź była godna mistrza i choć może pod względem formy nie tak przemyślana jak zaczepka, za to treścią nadrabiała pewne niedociągnięcia. No i to nawiązanie do *Smutno mi, Boże*, lekko niedopowiedziane, ale wyraźnie widoczne. Mickiewicz niecierpliwym gestem uciszył rodzące się oklaski.

– Jeśli oczekujecie dalszych zmagań – oznajmił – to ich nie będzie. Nie dziś. Nie czas na wielkie pojedynki tytanów słów, albowiem muszą oni wpierw porozmawiać o ważnych sprawach. Pozwolisz, panie Juliuszu, że odbiorę cię na chwilę miłemu towarzystwu?

Prawda wyglądała częściowo tak, że mistrz Adam nie miał dziś dobrego dnia na improwizowanie, był zbyt zmęczony po szaleństwach ostatniej nocy, którą spędził z młodziutką wielbicielką swego talentu. Ale była to tylko, jako się rzekło, część prawdy. Mickiewicz w istocie rzeczy miał bowiem do konkurenta pewną całkiem ważną sprawę.

– Słucham, panie Adamie. – Słowacki pozwolił się ująć pod łokieć i odprowadzić na stronę. Nie lubił takich bliskich rozmów z Mickiewiczem, gdyż od Litwina zawsze zalatywało cygarami i niedomytym ciałem, Juliusz zaś miał wrażliwy węch, spotęgowany w dodatku dręczącą go chorobą.

– Rozmawiałem wczoraj z księżną Czartoryską – powiedział starszy z wieszczów konfidencjonalnym tonem.

„To nie nowina, od lat zwykłeś wszak wieszać się magnackiej klamki" – chciał już odpowiedzieć młodszy, ale się powstrzymał. Najwyraźniej Mickiewicz naprawdę miał mu coś do zakomunikowania.

– Otóż do księżnej dotarły pogłoski, jakoby w Paryżu pojawił się jakiś twój krewniak – ciągnął Adam.

– Pierwsze słyszę.

– Znasz niejakiego Jerzego Wołłkowicza? Ponoć był porucznikiem szwoleżerów w nieszczęsnym powstaniu listopadowym, dostał się do niewoli, został zesłany na Sybir. Ułaskawiony wstąpił następnie do carskiej armii, odbył kampanię gdzieś na Kaukazie, skąd znów trafił na zsyłkę za jakieś przewiny. Ponoć szykował spisek wraz z gruzińskimi buntownikami. Jak się znalazł w Paryżu, nikt nie potrafi powiedzieć. Dosłużył się u Rosjan stopnia kapitana, który mu potem, rzecz jasna, odebrano wraz z oficerską szpadą.

Niesłychanie tajemniczy człek, trzeba powiedzieć. I skrywa pewną tajemnicę z tego, co do nas doszło.

– Jerzy Wołłkowicz – powtórzył Juliusz w zamyśleniu. – Wołłkowicze to istotnie nasi krewniacy, jeśli mowa o tych samych, o których myślę. O tym Jerzym nigdy nie słyszałem. Matka mówiła coś kiedyś o Michale, odznaczonym przez Naczelnika Kościuszkę podczas insurekcji, ale może to był wuj jakiś czy nawet ojciec tego, który przybył do Francji, jak powiadasz, panie Adamie. – Spojrzał nagle bystro na rozmówcę. – Dużo pan wie – zauważył czujnie. – Czy to wszystko przekazała księżna?

– Nie inaczej. – Mickiewicz zmrużył oczy. – Jest w związku z tym pewna prośba do ciebie. Oczywiście nie ode mnie jedynie, ale od ludzi, którym może to być użyteczne.

– Chyba nawet wiem, co to za prośba – rzekł chłodno Słowacki.

– Tym lepiej, nie trzeba będzie za dużo mówić, a spójrz, panie Juliuszu, damy i panowie już zerkają ciekawie w naszą stronę, że tak długo konwersujemy.

2

Oficerowie koniecznie chcieli rozmawiać z Nastią. Gubernator sprzeciwiał się z całych sił, jednak nazwisko generała Kriabina oraz autorytet samego ojczulka cara musiały przeważyć. Dziewczyna została wezwana do gabinetu ojca w samo południe.

Wysoki, szczupły major Michaił Antonowicz Rokicki siedział za biurkiem, pod oknem stał ten niski i gruby, Fiodor Aleksiejewicz Manuchin, gubernator zaś zajął miejsce przy kominku. Twarz miał zaciętą, w oczach płynny ołów. Nie potrafił okazywać córce tyle uczucia, ile by chciał, nie mógł nawet, gdyż nie licowałoby to z jego godnością, ale na myśl, że zaraz będą tutaj dręczyć jego dziecko, zaciskał pięści.

– Wiesz, panienko, o czym, a raczej o kim chcemy porozmawiać?

Nastia utkwiła w Rokickim jasne spojrzenie niewinnych oczu i powoli pokręciła głową.

– Proszę nie udawać, panienko – odezwał się spod okna korpulentny jegomość. – Nie będziemy teraz wymieniać jego nazwiska, ale wszak wiesz, o kim mowa.

Dziewczyna przeniosła spojrzenie na Manuchina, a jej loki znów zawirowały w przeczącym geście.

– Panie gubernatorze. – Rokicki postanowił odwołać się

do ojcowskiego autorytetu. – Pan zwrócił się przecież o pomoc w odnalezieniu zbiega, więc udział z pana strony...

– Już o tym rozmawialiśmy – przerwał mu Jaszyn. – Ja wysłałem tylko raport o ucieczce zesłańca znajdującego się pod wzmożonym nadzorem. Wysłałem go do policji i Ochrany, a że wasz przełożony otrzymał zadanie do wykonania i co na ten temat powiedział, to rzecz osobna.

– Bardzo proszę, panie gubernatorze, nie czynić takich uwag, szczególnie w obecności osób postronnych. – Major wskazał ruchem brody Nastię. – Zażądał pan ścigania tego zbiega wszelkimi środkami.

– Taki jest mój obowiązek.

– Mam rozumieć, że chętnie by pan go nie wykonał? – Rokicki uśmiechnął się krzywo.

– Proszę nie łapać mnie za słówka. Ma pan rozumieć, że robię, co do mnie należy, i nie przed panem będę się z tego tłumaczył! – odparł ostro Jaszyn.

– Romanie Fiodorowiczu – wtrącił się Manuchin. – Nie trzeba się tak od razu unosić.

Wyglądało na to, że ma odgrywać rolę dobrego wujaszka próbującego okiełznać srogość drugiego oficera. Gubernator dobrze znał tę grę, ale patrzył z niepokojem na córkę. Oby nie powiedziała czegoś, czego będzie potem żałować. Czego oboje będą żałować.

Manuchin zwrócił się do Nastii:

– Przebywał na zesłaniu niejaki Jerzy Wołłkowicz, syn Michała. Znała go panienka?

Nastia zmarszczyła brwi, jakby usiłowała sobie coś przypomnieć. Rokicki obserwował ją uważnie.

– Był chyba taki – powiedziała w końcu. – Papa z pewnością znał go lepiej, bo nieraz mówił, że na Polaków trzeba uważać, a na takich jak ten Wołł... Wołłkowicz, tak? Na takich trzeba bardzo uważać. I bywał u nich.

Zdawało się, że major zgrzytnął zębami.

– I nie rozmawiała z nim nigdy panienka?

– Nie wiem, może i rozmawiałam. Czasem z nianią nosiłyśmy zesłańcom gościńce na Boże Narodzenie czy Wielkanoc, to i się zamieniło słowo z tym czy owym...

Rokicki uderzył pięścią w stół. Dziewczyna drgnęła i spojrzała na niego oczami przerażonej łani.

– Dość tego – warknął oficer. – Uważa nas panienka za głupców?!

– Ależ skąd, panie majorze. Po prostu pyta pan o kogoś, kogo nie znam.

– Oj, w cyrkule inaczej by nam panienka zaśpiewała!

– Tym razem ja mówię dość tego! – zawołał gubernator. – Poprosiliście o rozmowę z moją córką, zgodziłem się. Ale jeśli chcecie prowadzić śledztwo, żądam odpowiedniego rozkazu z kancelarii jego wysokości! Może i jestem tutaj bardziej strażnikiem więziennym niż prawdziwym gubernatorem, ale nie pozwolę na to, by i moje mieszkanie zamieniać w areszt śledczy.

Manuchin oderwał się od okna, podszedł bliżej, stanął przy koledze.

– Naprawdę nie trzeba się unosić. Michaile Antonowiczu, skoro panienka mówi, że słabo znała zbiega, czy też zgoła wcale, musimy jej wierzyć. Przecież taka bogobojna, dobrze wychowana osóbka nie posunęłaby się do kłamstwa, prawda?

Spojrzał na Nastię ciemnymi oczami, tonącymi w czarnej oprawie brwi i niesłychanie długich jak na mężczyznę rzęs. Dziewczyna zadrżała. Te ciemne oczy, na pozór patrzące łagodnie i życzliwie, przy bliższym przyjrzeniu okazały się zimne, by nie rzec – puste.

– Może panienka odejść – mruknął Rokicki. – A z panem, gubernatorze, musimy ustalić dokładne okoliczności ucieczki tego Polaka. Proszę rozkazać, aby na jutro stawili się wszyscy, którzy mieli z nim styczność. Wszyscy! – powtórzył z naciskiem. Kiedy zostali sami, zwrócił się do Jaszyna: – Niby taka eteryczna panienka z pańskiej córeczki, Romanie Fiodorowiczu, a w istocie twarda jak kamień.

– Twarda? – Gubernator uniósł brwi ze zdziwieniem. – Toż doprowadziliście ją do płaczu.

– Łzy kobiety są jak deszcz majowy, łatwo spadają i niewiele znaczą, wysychają w jednej chwili. Wiemy przecież, co łączyło pannę z tym uciekinierem – powiedział sentencjonalnie Manuchin.

– A cóż ich miało łączyć?! – warknął Jaszyn. – Nastia ma dobre serce i teraz musi za nie płacić.

– Dobre serce – powtórzył w zamyśleniu Rokicki. – Dziwna ta sprawa. Meldunek o ucieczce dotarł do władz prawie trzy tygodnie *post factum*.

– Wiecie doskonale, panowie, że zimą osobliwie trudno się dostać przez kopny śnieg do osiedli zesłańców, nawet jeśli leżą w pobliżu, tak jak tutaj. Oni zaś niechętnie zgłaszają takie rzeczy... A potem zerwała się tygodniowa zawierucha i pocztylioni, miast gnać z listami, musieli szukać schronienia.

– Piękne wytłumaczenie. – Major wyszczerzył zęby z udawaną drwiną. Widać było, że myśli intensywnie. – W dodatku rzecz nie do sprawdzenia. Natomiast możemy podejrzewać, że ktoś mu pomógł. Ktoś z zesłańców oczywiście, ale może też osoba z pańskiego otoczenia.

Patrzył badawczo na gubernatora. Nie, ten urzędnik z pewnością nie maczał palców w ucieczce Wołłkowicza. Nazbyt mu zależało na stanowisku, miał zbyt wiele do stracenia. Nie uczyniłby tego nawet dla córki.

– Podejrzewam, że ten człowiek zginął w drodze. W środku zimy miał doprawdy niewielkie szanse...

– Proszę posłuchać – przerwał Jaszynowi Manuchin. – Z początku sądziliśmy, że Wołłkowicz zbiegł, przebrnął przy tęgim mrozie wielkie połacie równin i gór. Mieliśmy też wieści, jakoby zginął. Potem się jednak okazało, że ktoś mu pomógł. – Machnął niecierpliwie ręką, nie dając gubernatorowi dojść do słowa. – Bez obaw, nie chodzi mi teraz o pańską córkę! Ktoś na niego czekał po drodze. Jakiś człowiek. Jak ustaliliśmy, mógł to być jego były ordynans, niejaki wachmistrz Rusłan Kałajew, inwalida. Ale żeby Kałajew wiedział o ucieczce i znał miejsce, w którym powinien oczekiwać zbiega, musiał się z nim jakoś porozumiewać. Dodać coś jeszcze czy sam pan się domyśli reszty?

Gubernatorowi zakręciło się lekko w głowie. Listy zesłańców i zwykłych obywateli poddawane były ścisłej kontroli, nie mieli żadnej możliwości przesłać wiadomości bez wiedzy władz. Natomiast ktoś z oficerów, urzędników albo nawet kupców z Amarska mógłby się pokusić…

– To mogło uczynić przynajmniej stu ludzi – powiedział niepewnie.

Rokicki zaśmiał się krótko.

– Jest jeszcze jedna rzecz. Nasz bohater musiał także dostać jakieś pieniądze. W zaśnieżonych stepach nie są one potrzebne, ale potem, wśród ludzi… Zna pan kogoś na tyle zamożnego i na dobitkę skłonnego pomóc zesłańcowi?

Jaszyn znów poczuł, jakby pętla zaciskała mu się na szyi.

– Przecież tego nie wiadomo. Jeśli ten człowiek zginął…

– Właśnie nie zginął! Jeszcze się pan nie domyślił? Po co prowadzilibyśmy śledztwo w sprawie kolejnego zamarzniętego katorżnika? – Major wstał gwałtownie, po raz kolejny walnął pięścią w stół. – Wypłynął, gubernatorze Jaszyn! Ten frant wypłynął, powtarzam, i to w Paryżu! Rozumie pan?! To oznacza, że musiał mieć środki, aby tam dotrzeć. Jego sługa zaś był goły jak święty turecki, o czym doskonale

29

wiemy, bo po zesłaniu tutaj kapitana Wołłkowicza został wydalony z armii bez prawa do renty, bez grosza! Zaczyna do pana wreszcie to wszystko docierać?!

– Uspokój się, Michale – powiedział spokojnie Manuchin. – Pan gubernator to mądry człowiek, wszystko rozumie, prawda? Rozumie, że powinien teraz ukarać zarówno zesłańców, którzy pomogli zbiec towarzyszowi, jak i gnuśne straże, a także porozmawiać bardzo poważnie z córką. Dobrze mówię, Romanie Fiodorowiczu?

Jaszyn bladł i czerwieniał na przemian. Czuł, jakby grunt usuwał mu się spod stóp. Ci dwaj osaczali go. Tylko w jakim celu? Domyślał się przecież uczuć córki do tego przeklętego Polaka, ba, pewien był nawet, iż dziewczyna zakochała się w tajemniczym zesłańcu, który został osadzony pod Amarskiem za jakieś przewiny popełnione podczas służby na Kaukazie. Oficjalnie zesłano go za niewykonanie rozkazu, ale co się tam zdarzyło naprawdę, nikt nie wiedział, a cała sprawa była dosyć dziwna, gdyż wraz z Wołłkowiczem nadszedł list od naczelnika tajnej policji, nakazujący wzmożoną obserwację Polaka. Gubernator widział kilka razy tego człowieka i musiał przyznać, że miał on w sobie coś, jakąś wewnętrzną godność, dziwny żar, nie ten właściwy różnym wartogłowom porywającym się z motyką na słońce, lecz spokojny, równo palący się płomień, którego nie zdołały ugasić ani mróz, ani śnieg. Piękną twarz szpeciła blizna, ale gubernator był pewien, że ta skaza to ostatnia rzecz, która mogłaby przeszkadzać jego córce.

– Dobrze mówię? – powtórzył z naciskiem Manuchin.

– Tak, Fiodorze Aleksiejewiczu – odparł niewyraźnie gubernator. – Postaram się jak najstaranniej wyjaśnić tę sprawę.

– Znakomicie. – Gruby oficer zatarł ręce. – To chciałem usłyszeć. Ale nie musi pan nic wyjaśniać. Mleko już się rozlało, a pan ma nauczkę na przyszłość. Jego cesarska wysokość jest człowiekiem wyrozumiałym, z całą pewnością wybaczy panu to drobne uchybienie.

– Ale na pana miejscu – dodał Rokicki – przykróciłbym cugli panience. Za mąż by ją trzeba wydać, wówczas wywietrzeją dziewczynie z głowy romantyczne farmazony.

– Wybaczy pan to drobne uchybienie – powtórzył Manuchin – ale powinien pan jednak w jakiś sposób odkupić winę.

Jaszyn poczuł, jak złe przeczucia ogarniają go ciemną, lodowatą chmurą.

– Ktoś do pana – powiedział Rusłan, wchodząc do pokoju i szerokimi plecami zastawiając drzwi.

– Nie chcę nikogo widzieć – odparł z niechęcią Jerzy. Lecz zanim Czerkies się odwrócił, by odprawić intruza, powstrzymał go, unosząc dłoń, westchnął ciężko i zapytał: – Nazywa się jakoś?

– Przedstawił się jako Juliusz Słowacki, ponoć pański daleki krewny.

Kapitan zaśmiał się zgrzytliwie.

– Słowacki, powiadasz? Tak, to krewniacy. Noszą herb Leliwa. Tak, mój stary, wiem, że dla ciebie niewiele to znaczy, w twoich stronach nie herby się liczą, lecz to, by umieć zadbać o siebie i szablą obracać. Ale u nas szlachta bardzo jest przywiązana do splendorów. I ja gdzieś tam w moim hrabiowskim herbarzu rodzinnym mógłbym wygrzebać w którejś linii znak Leliwów, tylko po co?

– Czyli mam go odprawić?

Wołłkowicz miał wielką ochotę wydać wiernemu słudze właśnie takie polecenie, lecz się zawahał. Nie może przecież wciąż żyć jak ten ciećwierz, sam dla siebie, z dala od wszystkich. Uciekł wszak z zesłania, aby uniknąć niebezpieczeństwa, pewnie nawet śmierci, a teraz zachowuje się, jakby chciał umrzeć. Tak, ale wtedy zdawało się, że ma dla kogo żyć, dokąd wracać, choćby tylko na chwilę. Zostawił za sobą miłość, lecz wówczas był pewien, że potrafi się o nią upomnieć. Teraz zdawał już sobie sprawę, że zamiast miłości podarował ukochanej istocie tylko krzywdę… Nie wiedział już nic, niczego nie był pewien.

– Proś – powiedział z pewnym trudem, wbrew sobie.

Rusłan zniknął za drzwiami, a po chwili do ciemnego pokoju wszedł szczupły mężczyzna. Rozejrzał się przelotnie po nagich, brudnych ścianach, niewapnowanych od przynajmniej dziesięciu lat, zatrzymał wzrok na siedzącym przy kominku Wołłkowiczu.

– Co pana do mnie sprowadza? – Kapitan podniósł się i chłodno skinął głową nieproszonemu gościowi.

– Juliusz Słowacki. – Mężczyzna wyciągnął rękę.

Jerzy uścisnął szczupłą, ale nadspodziewanie silną i twardą dłoń.

– Jerzy Wołłkowicz.

– Jerzy hrabia Wołłkowicz – rzekł poeta z uśmiechem.

– Jerzy Wołłkowicz – powtórzył z naciskiem kapitan. – Hrabią był mój ojciec, ja nie miałem możliwości odziedziczyć tytułu, zanim car odebrał mojemu rodowi ziemie i tytuły.

– Rozkazy cara nie obowiązują w wolnym świecie. Pan w Paryżu od niedawna, prawda?

– Miesiąc z niewielkim okładem.

– To piękne miasto.

– Tak powiadają. – Jerzego zaczynała męczyć ta jałowa konwersacja. – Byłem tu kilka miesięcy jako młody chłopak, poznałem stolicę Francji, ale mnie nie zachwyciła. Są tu rzeczywiście widoki urzekające, te wszystkie Wersale, parki, bulwary i wspaniałe budowle, ale w większości miejsc można znaleźć jeno smród i biedę. Jak wszędzie.

– Jak wszędzie – zgodził się Słowacki. – Nim przybyłem do Francji, mieszkałem w Londynie. I do dziś tęsknię za tym zamglonym grodem, za jego sztywną tradycją. Tamtejszy klimat jednak zupełnie mi nie służy. Z początku i mnie Paryż rozczarował, przy Londynie to zwykły rynsztok, ale... – Zawiesił głos, zanim podjął, zmieniając nieco ton: – Wiesz pan, przebywałem też kilka lat w Szwajcarii. Powietrze tam lepsze dla zdrowia i ludzie całkiem inni...

– Ale wrócił pan.

Wołłkowicz zdał sobie nagle sprawę, że sytuacja stała się nieco niezręczna. Stali naprzeciwko siebie, prowadząc niezobowiązującą rozmowę, gość wciąż w drzwiach, on tak blisko, jakby chciał go zaraz wypchnąć. Tak, chciał, pragnął zostać sam, zyskać nieco spokoju, ale przecież nie wypadało.

– Proszę siadać. – Wskazał swój fotel przy kominku, sobie przyciągnął twarde krzesło. Słowacki chciał zaprotestować, posadzić gospodarza na miękkim meblu, ale Jerzy stanowczym gestem uciął wszelkie dyskusje. – Biednie tu u mnie, nie poczęstuję pana ani godnym posiłkiem, ani napitkiem, niechże więc ma pan choć tyle wygody, na ile mnie jeszcze stać.

– O czym to mówiliśmy? – Poeta usiadł ostrożnie, jakby się obawiał, że fotel może nie wytrzymać jego niewielkiego ciężaru. – Ach, tak, wróciłem do Francji. Potem podróżowałem jeszcze, zwiedziłem Rzym, Grecję, Palestynę, Syrię, ale w końcu przyjechałem znów do Paryża. Ma pan słuszność, jest tu i bogactwo ze splendorem, i brud z nędzą, można znaleźć miłość i nienawiść, ludzi uczciwych i oszustów oraz takich, którzy prezentują wszelkie odcienie zawarte między szlachetnością i łajdactwem, jednakowoż to miasto coś w sobie ma. Jeśli raz złapie człowieka za serce, trudno się uwolnić.

Wołłkowicz uważnie obserwował gościa. Nawet w półmroku, rozjaśnionym jedynie słabym poblaskiem dogorywającego ognia, oczy Słowackiego lśniły gorączką, lecz nie tą, jaka staje się udziałem człowieka za przyczyną chorób, ale ogniem ducha, wiecznie poszukującego wyzwań z jednej strony, a zawsze też pragnącego ukojenia z drugiej. Niewiele słyszał o kuzynie Juliuszu. Tyle może, że pokazuje się gdzieś w salonach Europy, że jest wielkim poetą, jednak jeśli coś już znano na Sybirze, były to raczej strofy z Mickiewicza. Nieraz zesłańcy krzepili się zapamiętanymi z dawnych czasów wierszami, zachwycali się urodą brzmienia, czuli wspólnotę duchową z wielkim twórcą. *Sonety krymskie*, które chorowity, ale nieodmiennie pełen radości życia Mikołaj Pawiński znał w całości, rozgrzewały zmarznięte dusze, pomagały przetrwać najcięższy czas lutych mrozów i wiecznych zawiei. Ale i ten tutaj musiał otrzymać w darze iskrę bożą, albowiem mówił z żarem i pięknie dobierał słowa. Słuchało się go, jakby toczył nie zwyczajną rozmowę, lecz odczytywał poemat. Może właśnie to sprawiło, że Jerzy przestał pragnąć, aby jak najprędzej pozbyć się tego człowieka.

— Najpierw trzeba mieć serce, jeśli coś ma za nie chwycić.

— Pan nie ma? — Juliusz uniósł brwi. — Tak, nieraz to słyszałem od ludzi, którzy przybyli do Francji lata już po powstaniu, ze zsyłki. Knut tyrana przeorał im nie jeno skórę na plecach, ale i pokaleczył duszę. Straszna to rzecz stracić dom i bliskich, a jeśli nawet ich nie stracić w zupełności, bo żyją, to tak jakby umarli oni dla nas, a my dla nich. Może to nawet jeszcze gorzej.

— Nie, nie gorzej! — zawołał Wołłkowicz zapalczywie. — Dopóki w kim kołacze się życie, dopóty człek może mieć nadzieję! Lecz gdy krew wsiąknie w ziemię, a ciało stoczą robaki, wówczas umiera wszystko, nawet ta osławiona zbereźna i sprzedajna dziewka imieniem nadzieja!

Słowacki milczał przez chwilę, zaskoczony nieoczekiwanym wybuchem. W głosie rozmówcy było coś więcej niż zwykła rozpacz. Dało się w nim słyszeć głuche nuty... czego? Beznadziei właśnie, bólu, który stał się tak wielki, że cierpiący przestał go zauważać, aby nie oszaleć, ale przywyknąć doń wciąż nie potrafił.

– Co się stało? – wyszeptał poeta.

Wołłkowicz patrzył na niego bardzo długo, zanim odpowiedział:

– Może cierpi człowiek, gdy mu obca przemoc wydrze, co miał najcenniejszego i najukochańszego. Może budzi się w środku nocy z krzykiem, wzywając imienia Pana i sił piekielnych na przemian. Tak jako pan rzekłeś, knut tyrana potrafi wychłostać także, a może przede wszystkim, duszę. Jednak rozedrzeć ją na cząstki umieją tylko własne ręce.

Zamilkł, dysząc ciężko, na jego czole zaperlił się pot.

– Własne? – spytał Słowacki.

– Rodaków. Tych, z którymi poczuwamy się do wspólnoty krwi, myśli i czynów!

Słowacki przeczuwał straszną tajemnicę. Wiedział, że jeśli ją usłyszy, nie zaśnie tej nocy spokojnie, ale jeżeli nie wysłucha tego nieszczęśnika, kto wie, do czego zrozpaczony może się posunąć?

– Doznał pan krzywdy od swoich? Nie tylko od Moskali?

Jerzy opanował się już, odetchnął głęboko, spojrzał w kominek, dorzucił drew. Słowacki miał wrażenie, że za chwilę rozpłynie się z gorąca, ale gospodarzowi ono najwyraźniej nie tylko nie przeszkadzało, ale zdawało się niezbędne.

– Doznałem krzywdy od wszystkich, panie Słowacki. Moskale zabrali mi ojczyznę, pozbawili dziedzictwa, dwakroć skazali na zesłanie i wielekroć wysyłali na śmierć. Ale to wszystko można przeżyć. Serce z piersi wyrwali mi swoi. Nie miał kto zadbać o moich bliskich, gdy byli w potrzebie. Nie miał kto podać pomocnej dłoni umierającym kobietom, bo zaborca by na to krzywo patrzył. Za to na zsyłce znalazł się ktoś, kto mi dosypał trutki do jadła czy napoju, sam nie wiem, kto podrzucił mi do łóżka jadowitą żmiję. W ogniu bitwy, wiedząc, iż mam dookoła wiernych towarzyszy broni, czułem się bezpieczniejszy niż pośród swoich...

Poeta czekał, aż Wołłkowicz jeszcze coś powie, ten jednak zamilkł na dobre. Cisza przeciągała się, stawała męcząca, trzeba ją było jakoś przerwać.

– A zatem... – zaczął Słowacki.

– A zatem dowiedział się pan o mnie już dosyć – wpadł mu w słowo Jerzy. – Może pan przekazać tym, co pana przysłali, żem ani ruski szpieg, ani nowy towarzysz uczt, balów i wyrzekań, użalania się na tęsknotę za ojczyzną.

Juliusz zesztywniał. Mimo przejmującego bólu duszy ten człowiek zachował trzeźwy, przenikliwy umysł.

– Skąd przypuszczenie, że zostałem przez kogoś przysłany?

Kapitan zaśmiał się krótko, bez śladu radości, ale i bez drwiny nawet:

– Boś pan nawet nie zapytał, skąd przybywam i kim jestem. Wiedziałeś to od początku, panie Słowacki, a to oznacza, iż miałeś odpowiednie wiadomości. Skąd, jeśli nie od tych, którzy mogli zasięgnąć języka tu i ówdzie? Obcy wszak jestem, niedawno przybyłem. I oni nie wiedzą o mnie wszystkiego, cząstki nawet drobnej, ale z pewnością więcej niż pan, choć niby łączy nas pokrewieństwo.

– Czy ów związek krwi nie wystarczy za wytłumaczenie mojej wizyty?

Tym razem śmiech gospodarza był zgrzytliwy i nieprzyjemny.

– Nie kpij, panie poeto! Gdzie byli moi możni krewni,
gdym gnił na Sybirze? W którą spoglądali stronę, kiedy
krzywda działa się niewinnym kobietom? Nie, panie Słowacki, nie mamy dłużej o czym rozmawiać. Pójdź pan w swoją
stronę i nie nachodź mnie więcej. Rusłan! – zawołał.

Poeta wstał. Nie czuł gniewu, choć został spostpono-
wany przez obcego człowieka. Odczuwał raczej współczu-
cie, nieomal litość. Łatwo byłoby się teraz obrazić, wyjść
i nie wracać, nazbyt nawet łatwo. I stanowiłoby to dowód
wielkiego tchórzostwa.

– Zostań w pokoju, krewniaku – powiedział cicho. –
Ale odwiedzę cię jeszcze, jeśli pozwolisz. Nie z czyjegoś
polecenia czy na jakąś prośbę, ale z własnej woli. Jak człek
do człeka zajdę.

Spodziewał się kolejnego wybuchu goryczy i zgrzytli-
wego śmiechu, lecz zamiast tego napotkał uważne spojrzenie. Kapitan oceniał go tak, jak się ocenia przeciwnika przed pojedynkiem, szukając mocnych i słabych stron,
obserwując ruchy, sposób chodzenia, próbując przeniknąć
w głąb umysłu.

– Idź w pokoju – padła cicha odpowiedź. – I nie bądź
na mnie gniewny. Zapiekła się we mnie złość, dlatego ką-
sam. Nie do ludzi mi teraz. Nie przychodź już tutaj, jeśli nie
chcesz znaleźć goryczy i zgliszcz miast wdzięczności i odrobiny serca. – Nie dając dojść do słowa gościowi, ponownie
zawołał Rusłana, a kiedy ordynans stanął w drzwiach, polecił: – Odprowadź pana Słowackiego, stary.

Rusłan odsunął się, przepuścił Juliusza przodem i starannie zamknął drzwi.

– Źle z twoim panem – mruknął Słowacki.

– Ano źle – odparł cicho wachmistrz. – I nie chce być lepiej. Myślałem, że jak tu przyjedziemy i spotka rodaków… – Machnął kikutem ręki. Szkoda gadać.

Poeta kiwnął głową, sięgnął do kieszeni, wcisnął w zdrową rękę starego żołnierza kilka złotych monet.

– Bierz, chłopie – syknął, widząc, że Rusłan zamierza oddać pieniądze. – To nie jałmużna ani datek. Krewnym trzeba pomagać, a jeśli samemu jest się w biedzie, oczekiwać też pomocy od nich. Jerzemu nie musisz nic mówić.

– Dzięki, panie – rzekł z wdzięcznością ordynans. – Zełgałbym, mówiąc, że nam to niepotrzebne…

Mickiewicz siedział w gabinecie, marszcząc czoło nad zapisaną kartą. Nie szły mu dzisiaj wiersze, rymy nie zamierzały posłusznie układać się w barwną całość. Coś niepokoiło, zaprzątało umysł, coś nieokreślonego, a może po prostu tylko na razie niedającego się określić. Rozstroiła go rozmowa ze Słowackim. Młody konkurent przyszedł przed południem, jak zawsze w rozpiętym prowokująco kołnierzyku, z wyrazem niesmaku na twarzy. Widać było, że wizyta u Wołłkowicza wytrąciła go z równowagi. Zresztą zapewne konieczność przyjścia do wielkiego Adama też mu była nie w smak.

Tak, nie lubili się. Trudno o nić porozumienia między ludźmi, którzy mają pretensje do bycia mistrzami w tym samym rzemiośle.

Tak, Mickiewicz czynił wszystko, aby nie dać się rozwinąć temu złotemu pędowi, który dziesięć lat wcześniej znienacka wyrósł mu pod stopami i zaczął się piąć ku słońcu.

Tak, obaj byli utalentowani, ale głupcem by trzeba być, aby pozwolić pretendentowi zyskać rozgłos i sławę, jeśli można temu zapobiec, szczególnie gdy samemu zdążyło się ugruntować własną pozycję.

Tak, miał go za co znielubić Słowacki, ale i nie pozostawał dłużny koledze poecie, na każdym kroku prawiąc złośliwości i udowadniając, że nie ustępuje mu zdolnościami, a może nawet przewyższa.

Nie powód to jednak, aby rzucić komuś w twarz grubym i ciężkim słowem. Gdyby rzecz odbywała się między wojskowymi albo chociażby przy świadkach, musiałaby się skończyć pojedynkiem. Lecz Słowacki nie przyszedł prowokować walki. Był wzburzony i dał temu wyraz, nie oczekując wcale, że Mickiewicz uniesie się honorem.

Nie to jednak było powodem niepokoju wieszcza. W każdym razie niezupełnie to. Mickiewicza złościło, że sam poczuł się użyty jako narzędzie w czyichś rękach. Dwa dni wcześniej przybył zaufany człowiek księcia Czartoryskiego z wieścią, jakoby ostatnio w Paryżu bawił ktoś, kto może posiadać bardzo ważne informacje, mogące zaważyć na losach Europy, i trzeba go rozszyfrować. Jednym z podejrzanych był właśnie Wołłkowicz, może nawet głównym podejrzanym. Niewiele o nim wiadomo, tyle tylko, że uszedł z zesłania, a przedtem służył w carskiej armii. Kto wie, do czego zdołano go tam nakłonić? Ale Słowacki nie miał wątpliwości co do roli przybysza, a co gorsza, znów zarzucił Mickiewiczowi nadmierne politykowanie. „Loża masońska to nie miejsce dla prawdziwego poety" – tak ośmielił się rzec! Znów sugerował, jakoby mistrz Adam nie miał czystych rąk!

Tak, chyba właśnie to był największy powód niepokoju – sam Mickiewicz miewał wątpliwości, czy dobrze czyni, przebywając tak blisko wolnomularstwa, które uległo licznym przemianom od czasu, kiedy do niego przystąpił. Jednak to właśnie masoni mieli wpływy, to w Wielkiej

Loży Wschodu mogli się spotykać zajadli przeciwnicy, aby ustalić to czy owo, dojść do porozumienia, przynajmniej częściowo i na jakiś czas, uratować kilka ludzkich istnień.

Ech, Juliuszu, gdybyś ty wiedział, ilu Polaków dzięki konszachtom twego konkurenta zdołano ocalić! Gdybyś zdawał sobie sprawę, jak wiele kosztuje to tego, którego masz za wroga!

Może i tak – odezwało się w poecie sumienie. Może czynisz to dla dobra kraju, Adamie, ale czy też nie łechce cię mile fakt, iż możesz mieć styczność z tymi, którzy wywierają wpływ na losy świata? Ile w tym jest patriotyzmu, a ile próżności? Ile pokory sługi bożego, a ile arogancji szatana pragnącego stać się carem świata? Czy nie zawidzisz Juliuszowi, że w czasie, gdyś ty siedział wygodnie jako gość w wielkopolskim majątku, on pracował w kancelarii powstańczego rządu?

Dosyć!

– Wincenty! – krzyknął Mickiewicz, a kiedy służący wszedł, rozkazał: – Przynieś wina i jakąś przekąskę. Tylko wina ma być dużo, hultaju! Nie jak ostatnio, gdyś postawił na stole jedną nędzną butelczynę!

Szedł ulicami Paryża, wdychając świeże powietrze nadchodzącej wiosny. Musiał w końcu opuścić ciemną klitkę, zobaczyć niebo i słońce. Czuł, że siedząc wiecznie przed kominkiem, coraz bardziej zatruwa własną duszę, żegna się ze światem, jeszcze kilka dni, a wyjmie z komody pistolet, naładuje go starannie i włoży lufę w usta.

Zatrzymał się pod katedrą Notre-Dame, zadarł głowę, sięgając wzrokiem szczytu słynnych wież. Na tle szarego nieba odcinały się nieoczekiwanie ostro, jakby zostały oświetlone mocnymi promieniami słońca. Panie Boże, pomyślał Jerzy, powiadają, żeś ukarał ludzi pomieszaniem języków za budowanie wieży Babel. A przecież człowiek wciąż i wciąż pnie się w górę, jakby za wszelką cenę pragnął dotknąć Twoich stóp. Po co? Wznosi wspaniałe budowle, utrzymując, iż czyni to na Twoją chwałę, a tak naprawdę chce tylko pokazać własną potęgę.

Przez chwilę czuł przemożną chęć, by wstąpić do świątyni, pomodlić się, lecz zaraz zrezygnował. Jakże mają mu przejść przez usta, albo choćby tylko przez głowę, słowa „i odpuść nam nasze winy, jako i my odpuszczamy naszym winowajcom"? Aby się modlić w ten sposób, trzeba nosić w sercu miłość do bliźniego i chęć przebaczenia. Inaczej jest to zwyczajne oszustwo. A pominąć najważniejszą modlitwę byłoby niegodnym wybiegiem. Przymknął na chwilę oczy, odetchnął głęboko. Jakże ciepłe i wilgotne zdawało się tutejsze powietrze w porównaniu z ostrym, suchym powiewem płynącym znad lodowatej Syberii.

Co robić ze sobą? Dokąd teraz pójść? Myśl o poznawaniu urokliwych zakątków słynnego miasta nie cieszyła. Może usiąść w jakiejś kawiarence, wziąć do ręki gazetę i spróbować zapomnieć o wszystkim? Rusłanowi dał wychodne, a ordynans chętnie z tego skorzystał. Z półsłówek rzucanych podczas luźnych rozmów Wołłkowicz wywnioskował, że weteran znalazł sobie w okolicy jakąś wdówkę, do której smali cholewki. I dobrze, niechże on ma coś z życia, skoro już związał los z człowiekiem skazanym na porażkę i zagładę.

Z zamyślenia wyrwał go kobiecy głos:

– Pan Jerzy Wołłkowicz?

Wymówiła jego nazwisko śmiesznie, z francuska: Ieszy Wollkowisz. Odwrócił się i zobaczył młodą kobietę… Chociaż nie, sprawiała tylko wrażenie młodej. Ładna, okrągła buzia została już naznaczona bezlitosnym piętnem czasu, ale wciąż mogła się podobać i budzić zainteresowanie. Sylwetka szczupła, o wyraźnie zarysowanych piersiach i krągłych biodrach była jeszcze nieco dziewczęca, choć zarazem emanowała dojrzałym wyzwaniem.

– Pan Jerzy Wołłkowicz? – powtórzyła pytanie.

– Zgadza się. Z kim mam przyjemność?

– To nieważne. – Na twarzy kobiety zagościł lekki uśmiech. – Jest ktoś, kto bardzo pragnie z panem porozmawiać.

Kapitan żachnął się w duchu, ale nie okazał zniecierpliwienia. Ledwie przed paroma dniami chciał z nim konwersować Słowacki, dzisiaj znowu ktoś.

– Kto?

– Na razie nie mogę tego wyjawić. Jeśli pójdzie pan ze mną, wszystkiego się pan dowie.

Zastanawiał się przez dłuższą chwilę, patrząc w ciemne, żywe oczy niespodziewanej rozmówczyni. Były szczere, głębokie i ciepłe. Skinął powoli głową.

– Niech pani prowadzi. Mam nadzieję, że to niezbyt daleko.

– Och, na pewno nie.

Ruszyła w stronę katedry, minęła ją. Jerzy szedł obok kobiety, a właściwie tuż za nią, pół kroku, pozwalając się wieść i zapamiętując drogę. Z tyłu budowla wyglądała mniej okazale, ale wciąż robiła wrażenie. Tajemnicza przewodniczka przyśpieszyła nieco, podążyła w stronę krętych ulic, cuchnących moczem i rozkładającymi się odpadkami. Niektórzy paryżanie wciąż jeszcze wylewali nieczystości prosto na ulicę, mimo iż pod miastem wybudowany został wspaniały system kanałów i przynajmniej w centrum można było z niego bez trudu korzystać. Szli już ładne dziesięć minut, Wołłkowicz zaczął się zastanawiać, czy jeśli kobieta zniknie, zdoła znaleźć drogę powrotną.

– Stój! – powiedział wreszcie, zatrzymując się. – To znaczy, proszę stanąć. Miało być niedaleko. Nie mam ochoty na przechadzkę śmierdzącymi zaułkami.

– Jesteśmy prawie na miejscu, to dosłownie dwa kroki. – Odwróciła się i znów spojrzała mu prosto w oczy. – Odrobinę cierpliwości.

– Mam nadzieję, że mnie pani nie zwodzi. Cierpliwość nie jest cnotą, którą posiadałbym w nadmiarze.

Poszedł posłusznie za nią. Skręciła za róg, oczom kapitana ukazała się odrapana fasada zaniedbanej kamienicy po prawej stronie i wysoki mur po lewej. Zaułek zamykała ściana z desek. Kobieta wskazała wejście do budynku.

– To tam. Pierwsze piętro, drzwi na wprost schodów. Zapuka pan trzy razy wolno i dwa szybko.

Skrzywił się lekko. Nie lubił takiej konspiracji. Może dziesięć lat temu z okładem podobna gra bawiłaby go i podniecała, teraz powodowała jedynie zniecierpliwienie.

Podszedł do bramy, zajrzał. Wydawało się, że sień jest zupełnie ciemna, choć z pewnością docierało tam światło i panował zaledwie półmrok, ale z zewnątrz wyglądało, jakby miał wejść do nieskończonego tunelu. Postąpił krok, już zamierzał przekroczyć żelazny próg, kiedy jakiś dziwny odgłos sprawił, że znieruchomiał. Dokładnie rzecz ujmując, odgłos ten w istocie nie był dziwny, a co więcej, doskonale kapitanowi znany, ale nieoczekiwany w tym akurat miejscu. Tak brzmi szczęk klingi, uwalnianej powoli i ostrożnie z pochwy. Zwykły człowiek może nie zwrócić na coś takiego uwagi, ale żołnierz, doświadczony w bitwach, a przede wszystkim w górskich zasadzkach, z niczym nie może go pomylić.

Jerzy się cofnął, sięgnął w zanadrze, spojrzał na kobietę. Stała parę kroków dalej, pod zaplutym murem, uśmiechając się krzywo. Z jej oczu znikły ciepło i szczerość, zobaczył tylko złośliwą radość. Różowy język oblizał nerwowo pełne wargi. Wyglądała, jakby szykowała się na od dawna wyczekiwane widowisko. Wołłkowicz wiedział, że są kobiety, które podnieca widok i zapach krwi, dla których największym afrodyzjakiem jest widok okrutnej przemocy, ale nigdy jeszcze takiej nie spotkał, a przynajmniej nic o tym nie wiedział.

Z bramy wyszło trzech ludzi z obnażonymi szpadami. Jerzy cofnął się jeszcze dwa kroki, wyjął jednostrzałowy pistolet i ruszył tyłem w stronę wylotu zaułka. W tym samym momencie zza rogu wyszli jeszcze czterej mężczyźni, odcinając mu drogę ucieczki.

– Co, przybłędo – powiedział jeden z tych, którzy czekali w sieni. – Wolisz iść do nieba czy podniesiesz rączki i pójdziesz z nami do tego, kto chce cię widzieć?

Mówił paskudnym, ledwie zrozumiałym dla obcokrajowca rynsztokowym francuskim. Jerzy z ulgą wypuścił powietrze, opuścił lufę pistoletu i uśmiechnął się do mówiącego.

– Myślałem, że chcecie mnie zabić.

– Skądże znowu! My tu tylko na straży stoim.

Jerzy podszedł dwa kroki do przemawiającego i jego kompanów, wciąż uśmiechając się przyjaźnie, a kiedy znalazł się dość blisko, błyskawicznie uniósł pistolet i wypalił prosto w twarz opryszka. Następnie z miejsca rzucił bezużyteczną bronią w głowę drugiego, który znieruchomiał z zaskoczenia. Solidna drewniana kolba z głuchym stukiem uderzyła w czaszkę, zbir rozłożył ręce i poleciał do tyłu, znikając z powrotem w ciemności bramy. Trzeci zachował jednak zimną krew. Szybkim wypadem spróbował przebić Jerzego szpadą, wyszarpując jednocześnie zza pasa pistolet. Polak zrobił krok w lewo, przepuścił klingę o włos od piersi, błyskawicznie uderzył łokciem z góry w przedra-

44

mię napastnika, chwycił go pod pachę i skręcił w kierunku przeciwnym do wykonywanego przez rzezimieszka ruchu. Chrupnął wyłamywany staw, rozległo się wycie. Wołłkowicz przejął szpadę wypadającą z ręki przeciwnika, lewą ręką sięgnął po jego pistolet. Usłyszał wtedy strzał, miał wrażenie, że kula otarła się o skroń. Wiedział, że musiała przejść dobre pół metra obok, jednak nigdy nie zdołał się w pełni przyzwyczaić do świstu blisko przelatujących pocisków. W ferworze bitwy nie zwracał na to uwagi, ale przy drobnych potyczkach nieodmiennie wydawało mu się, że każdy kawałek wystrzelonego ołowiu musi w niego trafić.

Chwycił osuwającego się rzezimieszka pod ramiona, odwrócił go w stronę wejścia do zaułku. Poczuł dwa mocne szarpnięcia, kiedy kule utkwiły w ciele biedaka. Krzyk ucichł. Ten trafiony kolbą wytoczył się z bramy, Jerzy krótkim cięciem rozpłatał mu gardło, a potem wystrzelił na oślep w stronę pozostałych napastników. Korzystając z tego, że chmura dymu prochowego utrudniła im widoczność, skoczył na nich. Jeśli się nie mylił, pozostał im tylko jeden naładowany pistolet… Oczywiście jeśli nie nosili po dwie sztuki broni albo któryś nie posiadał nowoczesnego rewolweru. Czy jednak takich bandziorów byłoby stać na coś tak kosztownego? Mogli nawet nie słyszeć jeszcze o amerykańskiej konstrukcji. Tak czy inaczej, musiał liczyć na łut szczęścia i kiepskie oko ostatniego strzelca.

Trzech ludzi stało z wysuniętymi do przodu klingami, pistolety leżały obok, odrzucone, czwarty siłował się z zamkiem. Widać proch zawilgł albo sprężyna osłabła i mechanizm nie chciał zadziałać. Widząc zbliżającego się Polaka, cisnął weń bezużyteczną bronią. Jerzy nie musiał się nawet uchylać – rzut był najzupełniej niecelny. Opryszek wyjął szpadę.

– Poddaj się – zawołał ten stojący na skraju po prawej ręce Wołłkowicza. – Nie dasz nam rady!

Jerzy uśmiechnął się w duchu. Zapewne nie da. Trudno poradzić sobie z czterema uzbrojonymi przeciwnikami, nawet jeśli przewyższa się ich kunsztem szermierczym. Co innego zaszlachtować z zaskoczenia dwóch czy nawet trzech, a co innego mieć sprawę z przygotowanymi do walki. Lecz perspektywa rychłej śmierci nie przerażała go. Po raz pierwszy od długiego czasu poczuł coś na kształt ulgi. Nic już nie zależało od niego, mógł się poddać biegowi spraw. Kiedyś walkę lubił, jak to młody człowiek, potem do niej przywykł, była częścią jego życia, ale dziś znów wydawała się sprawiać taką samą przyjemność jak za kadeckich czasów.

– To się jeszcze okaże – odparł zuchwale. – Może was na mnie nie starczyć, panienki!

Zbir stojący obok tego, który mówił przedtem, zaklął paskudnie i już miał skoczyć na kapitana, kiedy powstrzymało go ramię kamrata.

– Nie tak, razem!

Jerzy liczył, że zdoła sprowokować napastników do rozproszenia się, prób pojedynczych ataków, ale okazali się zbyt zdyscyplinowani. To pewnie też byli dawni żołnierze, przyzwyczajeni do wykonywania poleceń, niezapalający się zanadto w walce. Wołłkowicz musiał ich jakoś rozdzielić, jeśli chciał zyskać szansę przeżycia. Między murem a kamienicą miejsca było akurat tyle, żeby tych czterech mogło skutecznie zasłaniać drogę i nie przeszkadzać sobie wzajemnie. Jeśli zdoła wyłuskać jednego i przejść za plecy pozostałym, być może pojawi się możliwość ucieczki. Pod warunkiem że gdzieś za rogiem nie czyha kolejny strzelec.

Rzucił się nagle w stronę tego z prawej, najpewniej przywódcy. Napastnik stanął w pozycji wyjściowej, wraz z nim uczynili to pozostali. Jerzy błyskawicznie dokonał oceny.

Najmniej wprawnie trzymał szpadę drugi od lewej. Polak znienacka skoczył w bok i na niego właśnie skierował atak. Mężczyzna zdołał się zasłonić, ale szybki sztych przeważył klingę, wbił się w ramię. Jerzy natychmiast odskoczył, unikając dzięki temu trzech pchnięć naraz, najgłębsze, zadane przez znajdującego się najbliżej po lewej, odbił wierzchem dłoni, błogosławiąc się za to, że włożył skórzane rękawiczki. Kontuzjowany bandzior klął paskudnie, ale rana była na tyle powierzchowna, że szpada nie wypadła mu z ręki, mógł działać dalej. Wołłkowicz żałował, że nie ma szabli. Zachodnich lekkich rożnów nie lubił, choć potrafił nimi fechtować, za to zakrzywiona głownia była jego żywiołem. Inaczej by to teraz wyglądało, a ranny zbierałby pewnie odciętą dłoń, a nie tamował lewą ręką niewielki upływ krwi.

– Koniec z tobą! – wychrypiał przywódca.

Z nastawionymi sztychami zgodnie postąpili krok do przodu. Komuś patrzącemu z boku mogłoby się to wydać nawet zabawne, jakby grali w sztuce teatralnej, a nie zamierzali dokonać morderstwa, ale w istocie rzeczy taka taktyka była najskuteczniejsza. Zaraz przyprą ofiarę do muru i nawet jeśli Jerzy raz czy drugi zdoła odeprzeć wycelowane weń ostrza, któreś prędzej czy później trafi. Jeśli nie uczynią jeszcze czegoś innego… Ledwie ta myśl przeleciała Jerzemu przez głowę, przywódca krzyknął:

– Gaston!

Pierwszy z lewej bandyta skoczył, ale nie próbował zaatakować Wołłkowicza, lecz pobiegł łukiem tak, aby znaleźć się za jego plecami. Jerzy ruszył w tył drobnym, szybkim kroczkiem, nie pozwalając przeciwnikowi zająć dogodnej pozycji, przerzucił szpadę do lewej ręki i wyprowadził krótkie cięcie, które zmusiło wroga do powrotu na poprzednie miejsce.

– Dobry jesteś – rzekł z uznaniem przywódca. – Poddaj się, bo szkoda cię będzie.

Jerzy zdawał sobie sprawę, że jeszcze tylko parę kroków, a oprze się plecami o drewniane przepierzenie. Cóż, jakoś trzeba umrzeć...

Bandyci zbliżali się nieśpiesznie, wciąż w szyku. Śmierć była coraz bliżej. Przywódca otworzył usta, żeby wydać ostatni rozkaz, ale właśnie wtedy niespodziewanie huknął strzał. Raniony przedtem bandyta rozłożył ręce, padając bezwładnie na twarz. Rozległ się tupot kroków, napastnicy musieli teraz podzielić jakoś siły. Od strony wejścia do zaułku nadbiegał szpakowaty mężczyzna w rozwianym płaszczu. Właśnie odrzucił dymiący jeszcze pistolet i podjął z ziemi szpadę leżącą przy trupie pierwszego zabitego.

– Rusłan! – zawołał Jerzy.

Stary wojak był już przy nich. Przywódca opryszków, zanim zdążył krzyknąć na swoich, padł przebity ostrzem. Szpada uwięzła między żebrami, tak że Rusłan musiał zaprzeć się nogą, aby ją wyrwać. Kompan zabitego chciał skorzystać okazji, ciął starego na odlew przez twarz, ale zanim cios dosięgnął celu, zadzwonił o podstawioną klingę kapitana, a potężne uderzenie prosto w nos posłało zbira na kamienie. Ostatni rzucił się do ucieczki, ale zanim zrobił dwa kroki, upadł. W jego plecach tkwiło ostrze rzuconej z wielką siłą szpady.

Ten z rozbitym nosem poderwał się, ale ból ćmił mu wzrok, a ciekąca krew przeszkadzała oddychać. Jerzy bez trudu odebrał mu broń, chwycił za wyłogi wytartego surduta i potrząsnął mocno.

– Kto was nasłał? Mów! Wtedy śmierć będziesz miał lekką. Chcesz, żeby Rusłan cię rozpytał? On zna sposoby na otwarcie gęby!

Nie wiadomo, czy opryszek wiedział coś ważnego, a jeśli nawet wiedział, czy zdołaliby to z niego wydobyć, bo rozległ się strzał i pojmany zwisł bezwładnie. Jerzy spojrzał nad jego ramieniem, czekając na następny atak, ale zobaczył tylko chmurę dymu i rąbek spódnicy znikający za rogiem. Rusłan rzucił się w pościg, ale kapitan powstrzymał go:

– Zostaw! Ona zna tutaj każdy kamień i każdą norę! Nie dopadniesz jej, za to możesz stracić głowę.

Patrzył na pobojowisko. Ile czasu mogło upłynąć? Dwie, trzy minuty? Na bruku walało się siedem trupów.

– Polują na pana, kapitanie – stwierdził Rusłan. – Polowali w Rosji, a teraz tutaj. Różnica taka jeno, że tu jest cieplej.

– Tam przynajmniej dokładnie wiedziałem kto – mruknął Wołłkowicz.

– Dowiemy się tego z całą pewnością. Może to ci sami, kto wie.

Jerzy pokręcił głową, spojrzał trzeźwo na Rusłana.

– A ty miałeś być u swojej wdówki, stary. Czegoś za mną polazł? Jak dziecka mnie pilnujesz?

– Wdówka nie ucieknie, jeszcze do niej dzisiaj zdążę, a pan nie powinien sam tak łazić po mieście.

– Skoroś tak chciał mnie przypilnować, dlaczego nie wmieszałeś się szybciej w bójkę?

Rusłan uśmiechnął się drapieżnie.

– A bo najpierw musiałem po cichu zarżnąć jeszcze takich dwóch, co się czaili za węgłem.

Jerzy pokiwał głową.

– Dzięki ci, stary. – Nasłuchiwał przez chwilę. – Ale nie wiem, czy dzisiaj zdążysz do swojej bogdanki. Mamy już następnych gości.

Rozległ się tupot nóg. Do zaułka wpadło dobrze ponad dziesięciu umundurowanych ludzi. Zatrzymali się, patrząc uważnie na Jerzego i Rusłana, i leżące u ich stóp ciała. Polak z Czerkiesem zgodnie rzucili szpady i podnieśli ręce.

3

Ojciec wszedł do pokoju bez pukania. Twarz miał chmurną i zaciętą, a zarazem dziwnie smutną. W tej chwili Nastia nie miała złudzeń co do jego uczuć. O ile czułości nie potrafił okazać w całej pełni, o tyle karcenie i konsekwencja w nim były dlań aż nazbyt łatwe. Tylko ten nieoczekiwany smutek… Stanęła obok łóżka ze spuszczonymi oczami, śledząc spod oka każdy ruch rodzica. Usłyszała ciężkie westchnienie. Zaskoczyło ją to, spodziewała się raczej wybuchu złości, wyrzutów, gróźb, a nawet aresztu domowego. Była gotowa znieść wszystko z podniesionym czołem, tyle w niej było radości. Kiedy stała w napięciu pod drzwiami gabinetu, z uchem przytkniętym do dziurki od klucza, i czekała na ważne dla siebie słowa, oczyma duszy widziała już tę dzisiejszą scenę. Ale w tamtej wizji ojciec był groźny, krzyczał, podnosił zaciśniętą pięść. A potem i o tym zapomniała, kiedy osunęła się z ulgą na podłogę i poczuła, że jest jej wszystko jedno. Nic już nie było ważne.

– A zatem żyje – mruknął ojciec, wciąż stojąc w progu. Postąpił krok naprzód, zatrzasnął drzwi. – Ale o tym zapewne już wiesz, bo podsłuchiwałaś. A jeśli nawet nie ty, to z pewnością Agafia.

Nie odpowiedziała. Gubernator Jaszyn otrzymał urząd nie dzięki wysokiemu urodzeniu czy doskonałym koneksjom, ale wszystkiego dobił się sam. Pomogło mu z pewnością małżeństwo z córką tajnego radcy dworu jego cesarskiej mości, ale i w ten związek nie wstąpił wyłącznie z wyrachowania. Wiedział, czym jest miłość i prawdziwe uczucie, jednak zdawał sobie doskonale sprawę, jak zgubne bywają skutki nierozsądnego zauroczenia.

– Oczywiście wiesz, Anastazjo, że ten Polak cię nie kocha, prawda?

Milczała przez długą chwilę, a kiedy ojciec czekał z uniesionymi brwiami, odważyła się odpowiedzieć:

– Kocha mnie, tatku. Jestem tego pewna! A przy tym jest taki... Taki...

– Nieszczęśliwy, wiem – westchnął Jaszyn. – Kobiety lubią bohaterów rodem z romantycznych opowieści. Zawrócili wam w głowie tacy jak Goethe, Puszkin czy Schiller albo ten polski Mickiewicz. Bzdury, bzdury, bzdury! – Podniósł nagle głos, tak że dziewczyna aż się skuliła. Jednak ojciec znów mówił spokojnie. – Miłość według nich to cierpienie, a największym szczęściem jest cierpienie owo w duszy celebrować i przeżywać wciąż na nowo. To może imponować niedoświadczonym pannom i nieopierzonym młodzieńcom, ale nie człowiekowi wchodzącemu w siłę wieku, posiadającemu gorzkie doświadczenia, takiemu jak ten Polak. Wiesz, co chcę powiedzieć?

Wiedziała doskonale. Była bardzo młoda, ale z pewnością nie głupia. Jej wymarzony Jerzy był bez mała dwakroć od niej starszy, ale cóż to znaczyło? Szesnastoletnie dziewczęta wydawano nierzadko za mąż za mężczyzn dobrze już osiwiałych, niezdolnych do porywów miłości. A Wołłkowicz? Było w nim coś magnetycznego, wręcz mesmerycznego, chwilami zdawał się przybyszem z innego świata.

– Miłość to coś więcej niż piękne oblicze i gorące serce –

ciągnął ojciec. – Miłość, taka prawdziwa, a nie szaleńcze zakochanie, to także rozsądek, córko.

W surowym tonie przebijały miękkie tony, jakby zamyślenia, zatopienia się we własnej duszy.

– Ten człowiek, ten twój Polak, nie jest zdolny do miłości. Powinnaś to zrozumieć.

Podniosła głowę, spojrzała prosto w ojcowskie oczy. Były twarde jak zawsze, ale zniknął z nich wyraz groźnej przenikliwości. W tej chwili gubernator Jaszyn nie musiał niczego udawać, zważać na słowa, pilnować każdej myśli, jak to się działo podczas rozmów z oficerami wywiadu.

– Powiedział, ojcze... Wiem, że mnie kocha – odparła cicho, prawie szeptem. – Ale wiem też, że ja...

– Nie kończ! – przerwał jej. – Nie chcę tego słyszeć! Pamiętaj, że jestem nie tylko twoim ojcem, ale także wysokim urzędnikiem państwowym! Dość już głupstw przez ciebie narobiłem. Posłuchałem twojej prośby, by nie składać raportu do stolicy, kiedy Wołłkowicz uciekł po raz pierwszy, i szybko go znaleźli. Uległem twoim łzom. Nie myśl sobie, ja też współczuję zesłańcom, ciężki mają los. Ale powinienem już wtedy napisać list do ministra, który tak bardzo interesował się skazańcem. Nie wiem, co mnie powstrzymało.

Wiedział. Oczywiście, że wiedział. A może raczej aż do tej chwili tylko mgliście zdawał sobie z tego sprawę i dopiero to do niego dotarło. Wówczas powiedział sobie, że łaskawość spowodowały łzy córki. Ale przecież ona wstawiała się za każdym zesłańcem, chciała ich chronić, jak troskliwa matka chroni własne dzieci. Całą mocą na wpół dziecinnego jeszcze serca utożsamiała się z ich niedolą, a oni odwdzięczali się jej nieprawdopodobnym wręcz ciepłem. Ci sami ludzie, którzy gotowi byli przy byle okazji wzniecić bunt i nienawidzili każdego Moskala, jak pogardliwie na-

zywali poddanych cara, miękli na widok dziewczęcia z wra-
żego narodu, z rozrzewnieniem słuchali jej cichego głosiku,
a znienawidzony język nie brzmiał w ich uszach jak zgrzyt.
Ale wtedy, gdy przywieźli na saniach byłego kapitana, Jaszyn nie wiedział jeszcze o skrytej miłości Nastii. Potem jakoś tak sobie wmówił, że oszczędził go, bo nie chciał ranić
córki. Znał siebie: gdyby podejrzewał ją o miłość, natychmiast wysłałby Polaka do petersburskiego aresztu i niechby
go tym razem zesłali jak najdalej, najlepiej gdzieś nad Morze Ochockie. Tak, to było coś innego: wtedy ogarnął go
podziw i zdumienie. Podziw dla odwagi człowieka, który
w samym środku zimy podjął próbę ucieczki. To wymagało
wielkiej odwagi, tym większej, że Wołłkowicz był doświad-
czonym żołnierzem, a nie niedowarzonym młokosem, musiał doskonale wiedzieć, czym grozi taka ekspedycja, wiele
spraw rozważył, zanim podjął ryzyko. Ale nawet nie o to
chodziło. Jaszyn do dziś pamiętał przerażone oczy ludzi,
chłopów, którzy znaleźli Polaka, opowiadających o tym,
jak wokół leżącego bez ducha uciekiniera znaleźli wilcze
tropy. Nie ślady jednego zabłąkanego drapieżnika, ale całej watahy. Wołłkowicz leżał pośrodku kręgu wydeptane-
go przez zwierzęta. Sańka z ludu Ewenków, doświadczony
tropiciel, nie potrafił tego wyjaśnić. „Panie – powiedział
Sańka, kręcąc głową z niedowierzaniem – jeszczem w życiu
nie słyszał, żeby w lute mrozy jakiś wilk oszczędził ofiarę.
Jakby osłaniała tego człowieka jakaś siła, jakby duchy tajgi
stanęły nad nim i odegnały złe, zębate pyski". Jak każdy
Ewenk, Sańka wierzył w siły natury. Do cerkwi chodził, bo
mu kazali, ale składał też ofiary bóstwom słońca, wiatru,
wód, uważał tygrysy za święte. Gubernator przymykał na
to oczy, bo jakiż sens miałoby przekonywać przesądnego
tuziemca o czymś, do czego nawet ludzie światli często nie
mieli przekonania? W takim miejscu wszystko powinno

toczyć się swoim rytmem i swoją koleiną. W takim miejscu… Właśnie, sam gubernator zaczynał nasiąkać miejsco-
wymi zwyczajami i wierzeniami, przez chwilę także jemu
tajemnica wilków pozostawiających łup wydała się niesa-
mowita. Lecz zaraz otrząsnął się z tego wrażenia. Musiało
istnieć jakieś racjonalne wytłumaczenie. I bardzo możliwe, że miało ono związek z wielkim zainteresowaniem ze
strony oficerów Ochrany. Co ciekawe, za drugim razem
Wołłkowicz uciekł znów zimą, ledwie nieco wyzdrowiał.
To było szalone, ale też świadczyło o przebiegłości Polaka.
Nikt się nie spodziewał, że zrobi po raz drugi coś równie
nierozsądnego.

– On cię nie kocha. – Jaszyn odpędził wspomnienia. –
Już tego nie potrafi.

W oczach córki zobaczył łzy. To sprawiło, że nagle ogarnął go gniew.

– Pojedziesz do Riazania, do ciotki Nadieżdy! – oznajmił zdecydowanie. – A cioteczka z pewnością zdoła znaleźć dla ciebie odpowiedniego kawalera! Ma w tym wprawę. Kiedy tylko trafi się dobra partia, wydam cię za mąż!

Nastia nie próbowała nawet protestować. Koniec. To
już koniec. Jej ukochany przebywa gdzieś daleko, nigdy
nie wróci, nigdy się nie zobaczą, a ona… Cóż ona? Musi
poddać się woli ojca, pogodzić z nieuchronnym.

– Urodzisz dzieci – mówił dalej ojciec – to przejdą ci te
wszystkie fanaberie.

Odwrócił się na pięcie i wyszedł, mocno trzaskając
drzwiami.

Nastia z płaczem rzuciła się na łóżko.

Jaszyn słyszał to, gdyż zatrzymał się zaraz za progiem.
Przez chwilę miał ochotę wrócić, wyjaśnić córce, że wyjazd
do ciotki to nie tylko kara, przede wszystkim ma na celu
uchronienie jej przed przykrościami, ale zrezygnował. Na

razie dziewczyna nie musi wiedzieć, że wokół gubernatora uczyniło się gęsto i niebezpiecznie. Czuł każdą komórką ciała, że szykuje się coś niedobrego, co zburzy jego dotychczasową spokojną egzystencję. Ci oficerowie nie przyjechali tutaj tylko po to, by przesłuchać jego i Nastię. Nie przysyła się ze stolicy majora i kapitana, aby rozpytywali o okoliczności ucieczki jakiegoś zwykłego skazańca.

– Jesteś idiotą! – warczał mężczyzna w czarnym płaszczu i takimż kapeluszu z szerokim rondem. Tej samej barwy laseczką, zdobioną srebrem, przyciskał do ściany szyję człowieka ubranego w ciemnozielony, podniszczony surdut. Oczy nieszczęśnika wyłaziły z orbit, próbował coś powiedzieć, ale nie był w stanie.

Czarny zorientował się wreszcie, że jeszcze chwila, a jego ofiara zamilknie na wieki, i odstąpił o krok. Obszarpaniec zaczerpnął spazmatycznie powietrza, przez kilka chwil rozcierał szyję, chrząkając i kaszląc. Wreszcie splunął gęsto.

– Czego pan ode mnie chce? Mieliśmy go ująć, ale się nie udało! Tak bywa. Kto mógł przypuścić, że ten kaleka przyjdzie mu z pomocą?

– Kaleka? – Czarno odziany parsknął śmiechem. – Tak nazywasz kogoś, kto zabił trzech albo i czterech twoich ludzi? Kogoś, kto cichaczem potrafił zaskoczyć ubezpieczenie zasadzki? Ale nie o to idzie. Próbowaliście go zwyczajnie zaszlachtować!

– Ależ skąd! Wydałem ludziom jasne instrukcje!

– Milcz! Ta mała dziwka wszystko mi wyśpiewała! Gdyby nie ona, twoi nie dość, że nie zrobiliby tego, co do nich należało, to jeszcze tamci ujęliby twojego człowieka! Przez niego zdołaliby dotrzeć do ciebie, a przez ciebie może i do mnie. Moi mocodawcy nie byliby zachwyceni.

Zielony milczał. Jego czarne, chytre oczka taksowały rozmówcę. Tamten patrzył spokojnie, na jego ustach błąkał się zaskakujący w takich okolicznościach, drwiący uśmieszek.

– Skoro nikt nie pozostał przy życiu, nie będzie kłopotów – powiedział wreszcie bandzior.

Czarny skinął głową.

– Nie będzie. Ale nie dlatego, że wszyscy zginęli. Za cichą zgodą ministra w sprawę został zaangażowany sam Vidocq, choć dla policji bywa solą w oku. Rozumiesz, co to znaczy?

Zielony wyraźnie zbladł. Nazwisko byłego szefa Brigade de la Sûreté zrobiło piorunujące wrażenie.

– A on potrafi wywęszyć bandytę tysiąc stóp pod ziemią – dodał czarny. – Dlatego muszę się lepiej zabezpieczyć, potrzebne są bardzo radykalne rozwiązania.

– Co ma pan na myśli? Mam spróbować jeszcze raz?

– Nie. Już próbowałeś i wystarczy. Teraz sprawa musi przycichnąć. Zresztą wystraszyliście tego Polaka, a przede wszystkim o to chodziło. Lecz cała ta sprawa musi pozostać absolutną tajemnicą. Rozumiesz?

– Rozumiem, oczywiście.

– To znakomicie. W takim razie nie będziesz miał do mnie żalu.

Czarny skoczył nagle, a zielony zwinął się z jękiem, przyciskając obie ręce do brzucha. Spojrzał na prześladowcę, a w jego wzroku widać było zdziwienie i nieme pytanie.

– Zawsze trzeba zachowywać najwyższą czujność, przyjacielu – oznajmił czarny. – Zawsze – podkreślił. – Pomyśl, że umierasz dla ważnej sprawy, będzie ci lżej.

Zielony spojrzał na własne palce, zaciśnięte na rękojeści noża, były czerwone od krwi.

– Niech cię diabli – wychrypiał ostatkiem sił.

Czarny się zaśmiał.

– Nie jesteś pierwszym, który tak do mnie mówi. I z pewnością nie ostatnim – dodał, patrząc na skulone u jego stóp ciało, wstrząsane śmiertelnymi drgawkami.

Kawiarenka była nieduża, urokliwa, a przede wszystkim odwiedzało ją niewiele osób, dzięki czemu w samym centrum ruchliwego i tłocznego miasta panował spokój, jakby to miejsce znajdowało się gdzieś daleko od zgiełku, poza rogatkami. Działo się tak również dlatego, że kawiarnia umieściła się na obszernym podwórzu, zamienionym przez właściciela w coś w rodzaju małego ogródka. Nawet w samym środku zimy, kiedy przychodziły cieplejsze dni, można było tutaj posiedzieć pod barwnymi parasolami, sącząc smolisty, upojnie pachnący napar z najlepszych upraw świata. Jerzy po raz pierwszy od bardzo dawna poczuł się może nie tyle dobrze, ile przynajmniej z grubsza przyzwoicie. Wprawdzie chętnie wszedłby do środka, odczuwał bowiem – jak zwykle – zimno, ale Słowacki wolał zająć miejsce przy klombie wypełnionym wiosennymi kwiatami, wyłożonym dookoła mozaikową glazurą.

Właściciel, typowy Francuz o równo przyciętej, czarnej grzywce, zawadiackim wąsiku i wydatnym nosie, postawił przed gośćmi filiżanki, cukier, śmietankę oraz dwa kremowe ciastka. Juliusz uprzejmym gestem zachęcił Wołłkowicza do jedzenia.

– Są znakomite – powiedział. – Nie wiem, jak żona Charles'a robi to nadzienie, ale takich delicji nie jadł pan nigdy.

– Od czasu mojej młodzieńczej wizyty w Paryżu niewiele miałem okazji próbować francuskich specjałów – odparł Jerzy, nabierając na łyżeczkę delikatnego kremu. Rzeczywiście był bardzo smaczny. Pachniał wanilią, arakiem i kilkoma bądź nawet kilkunastoma innymi przyprawami, ale ich ilość nie była przesadzona, choć gdyby mu je wymieniono po kolei, uznałby zapewne, że za wiele tego dobrego. Zupełnie jak w przypadku symfonii Mozarta lub Beethovena, kiedy to wydaje się, iż nagromadzenie dźwięków oraz różnorakich melodii musi przepełnić czarę estetyki, przelać się za brzeg i pozbawić dzieło uroku, a jednak nuty układają się w przecudowne pasaże, trafiają wprost do serca, jakby słuchało się ich nie tylko uszami, ale całym sobą.

– Domyślam się. – Słowacki uczynił nieokreślony ruch ręką. – Na Syberii jedzenie jest raczej mało urozmaicone.

– A są chwile, kiedy człowiek się cieszy, że w ogóle jest – dorzucił Wołłkowicz.

Był bardzo zdziwiony, kiedy po wyjściu z aresztu stanął twarzą w twarz z poetą. Nie spodziewał się więcej zobaczyć krewniaka, nie po tym, jak go pożegnał. Vidocq kiwnął głową Słowackiemu i mruknął coś w rodzaju: „Przekazuję w dobre ręce, mam nadzieję". Przesłuchanie było długie i uciążliwe. Najpierw francuski komisarz, a potem Vidocq chcieli wyciągnąć od Jerzego i Rusłana jakieś wiadomości, o których obaj nie mieli najmniejszego pojęcia. W przypadku ordynansa było to w ogóle ogromnie utrudnione, gdyż Czerkies udawał, że po francusku mówi słabo, z tak paskudnym akcentem, że chwilami Jerzy musiał pośredniczyć w rozmowie jako tłumacz.

I oficer policji, i Vidocq byli najwyraźniej zaniepokojeni całą sprawą. A pytania o przebieg służby obcokrajowców na Kaukazie w ogóle były dla Wołłkowicza niezrozumiałe. Najwyraźniej Francuzi nie chcieli uwierzyć, że kapitan został wydalony z armii i zesłany za pobicie pułkownika, który rozkazał jego szwadronowi spacyfikować i spalić górskie osiedle, w którym zostały tylko kobiety z dziećmi i kilku starców.

Teraz zastanawiał się, kiedy wypuszczą Rusłana. Przecież on tylko stanął w obronie dawnego dowódcy, nie zrobił nic złego.

– To nie byli zwyczajni bandyci – powiedział w zamyśleniu.

– Słucham? – Słowacki odłożył łyżeczkę, otarł usta serwetką.

Jerzy zdał sobie sprawę, że wypowiedział te słowa naprawdę, nie tylko w głowie. Cóż, można przecież prowadzić rozważania na głos.

– To nie byli zwyczajni bandyci – powtórzył.

– Dlaczego pan tak myśli?

– Widział pan kiedyś rabusiów uzbrojonych w jednakową broń, karnych niczym oddział wojska?

– Wybaczy pan, panie Jerzy, ale ja w ogóle niewielu w życiu widywałem przestępców. Przynajmniej takich, którzy trudnią się zwyczajnym rabunkiem, a nie wyciąganiem ludziom z kieszeni pieniędzy za pomocą pięknych słów.

– Oczywiście. A ja z kolei widziałem ich sporo. I muszę powiedzieć, że nawet dobrze zorganizowane bandy w górach Kaukazu, doskonale uzbrojone i nawykłe do walki, rzadko tak wyglądały. Broń u tych ludzi zawsze się różniła, jeden miał szablę, inny szaszkę, jeszcze inny coś w rodzaju karabeli, pistolety też od Sasa do Lasa. A tutaj siedmiu ludzi z jednakowymi szpadami, każdy z pistoletem... Co ja mówię, siedmiu. Rusłan zabił przecież jeszcze dwóch czających się za rogiem. Dziwne, prawda?

– Paryż jest pełen niespodzianek – powiedział Słowacki. – Z tego, co wiem, miasto, które na co dzień ukazuje się naszym oczom, to nie wszystko. Istnieje jeszcze inny świat, ukryty, do którego wejść mogą tylko wtajemniczeni.

– Przestępcy? Oni są przecież w każdym mieście.

– Nie tylko przestępcy. Są ponoć szaleni naukowcy prowadzący eksperymenty gdzieś w podziemnych kryjówkach, są cechy złodziei i wszelakich rzezimieszków. Nie bandy, nie zwyczajne stowarzyszenia zła, ale prawdziwe cechy. Ci, którzy liznęli choćby powierzchownie tutejszych tajemnic, twierdzą, że niektóre z nich utrzymują prawdziwe armie dla bezpieczeństwa. Może ci, którzy pana napadli, należeli właśnie do takiej formacji?

– Może. I pewnie ich pochodzenie nie jest najważniejsze. Istotne pytanie brzmi, kto ich wynajął.

Słowacki posłodził kawę, odsunął dzbanuszek ze śmietanką, upił maleńki łyczek, delektując się aromatem i smakiem.

– Nie wiem, czy ktoś zdoła na to odpowiedzieć. Może jeden Vidocq.

– Taki jest sprawny?

– Tak mówią.

Zamilkli. Jerzy sięgnął po swoją filiżankę. Nie wrzucił do środka cukru, chciał się przekonać, jak smakuje czysty wywar. Zamoczył język, przymknął oczy, a potem jednym haustem opróżnił naczynko. Czuł, jak gorący napój spływa powoli wzdłuż przełyku i wciąż jeszcze parząc, wpływa do żołądka. Słowacki spojrzał z niedowierzaniem.

– Toż to prawie wrzątek! – wykrzyknął. – Zrobi pan sobie krzywdę.

Jerzy pokręcił głową z lekkim uśmiechem.

– Mnie jest zawsze zimno, panie Juliuszu – powiedział tonem wyjaśnienia. – Zawsze pragnę się rozgrzać tak od zewnątrz, jak i od wewnątrz.

– Dlaczegóż to?

– Nazbyt wymroziło mi kości na Dalekiej Północy. To jest jak choroba, jak wieczna gorączka, która czyha w zakamarkach ciała, bezustannie przepływa przez nie wraz z krwią, w każdej chwili gotowa ukąsić. Zimno, panie Słowacki, wpełza człowiekowi w żyły niczym jad niewidzialnego węża. Jeśli raz dopadnie, nie popuści. Potem nie można się rozgrzać i jedynie bardzo mocne ciepło sprawia, że bestia pozostaje w uśpieniu.

Słowacki zrozumiał teraz, dlaczego w mieszkaniu byłego kapitana panował tak nieznośny zaduch.

– Nigdym takiego mrozu nie doświadczył – rzekł w zamyśleniu poeta. – Głodu zresztą też, ani niewygód. Czasem tak sobie myślę, że mimo moich słabości Bóg zadbał o mnie należycie. Ale też i zastanawiam się, czy nie ma racji Adam, pisząc w drugiej części *Dziadów*, iż kto nie zaznał goryczy ni razu, ten nie zazna słodyczy w niebie.

– Gorycz – prychnął pogardliwie Wołłkowicz. – Gdyby tylko ona wypełniała życie, nie byłoby wcale tak źle. Są znacznie gorsze rzeczy niż gorycz...

– Zapewne – zgodził się Słowacki – ale to ją najłatwiej wyczuć i określić. Smutek, rozpacz, przerażenie, poczucie krzywdy... to z nich i z jeszcze kilku złych uczuć Bóg ulepił gorycz.

– Od razu znać, żeś pan poeta – mruknął kapitan. – Ja bym ani w połowie, ani w ćwierci tak zgrabnie tego nie ujął.

Słowacki upił łyczek kawy, skinął na kelnera, aby przyniósł jego towarzyszowi jeszcze jedną filiżankę. Wołłkowicz nie protestował. To był prawdziwie boski napój, zupełnie inny od lury, którą raczyli się z Rusłanem w ciągnące się jak wieczność popołudnia i wieczory.

– Jeden umie obracać językiem, inny klingą. – Słowacki wzruszył lekko ramionami. – Czasem wolałbym mieć mniej talentu ku wierszom, a więcej zdrowia.

– Zdrowie można stracić, a talent nie przemija – zauważył sentencjonalnie Jerzy.

– Przemija, zapewniam cię, krewniaku – westchnął poeta. – Przemija wraz z człowiekiem.

– Lecz pozostaje po nim ślad. – Wołłkowicz zamilkł, poczekał, aż *garçon* postawi na stoliku nową filiżankę. – Trwalszy niż po najtęższym olbrzymie.

– *Exegi monumentum?* – uśmiechnął się Juliusz. – Ależ każdy z nas buduje sobie jakiś pomnik. Na miarę sił i możliwości... – Zawiesił głos, potrząsnął głową. – Ależ nudzimy. – Roześmiał się nagle. – Naprawdę masz chęć na takie pseudofilozoficzne dysputy, krewniaku?

Wołłkowicz spojrzał bystro na poetę. Dopiero teraz zauważył, jaką ma on przystojną twarz, a kiedy rozjaśniał ją uśmiech, stawała się wręcz piękna. Trudno było nie odpowiedzieć uśmiechem.

– A co masz do zaproponowania, krewniaku? – spytał tak samo lekkim tonem.

– Wizytę u wróżki – odpowiedział Słowacki. Choć miał wciąż uśmiech na twarzy, jego głos nie zabrzmiał kpiną.

– U wróżki? – zdumiał się kapitan.

– Dopij kawę. – Juliusz postanowił najwyraźniej z pełną konsekwencją przejść z Wołłkowiczem na ty. Jerzy nie miał nic przeciwko temu. – Zaprowadzę cię do prawdziwego salonu wróżb, w którym króluje następczyni królowej Saby. Tak przynajmniej o niej mówią.

Zapach wschodnich kadzideł, zmieszany z dymem tytoniowym, najpierw zakręcił w nosie, a potem przyprawił Wołłkowicza o przykry zawrót głowy. Słowacki, przygotowany na taką mieszaninę zapachów, oddychał przez rozchylone usta. Skrzywił się lekko, ale nic nie powiedział, spojrzał tylko porozumiewawczo na towarzysza.

Jerzy poszedł za jego przykładem, zaczął oddychać przez

usta. Zawrót głowy nie ustąpił, ale przynajmniej wonie przestały być aż tak intensywnie odczuwalne. W przedpokoju mały, chuderlawy mężczyzna w nieokreślonym wieku odebrał od gości płaszcze i kapelusze, wskazał gestem sofę i fotel.

– Ktoś u niej jest? – spytał cicho poeta.

– Pewna dama – odparł wysilonym szeptem sługa. – Ale nie powinno to długo potrwać. Przyszła dobrą godzinę temu, pani i tak już poświęciła jej dużo czasu. Musi być ważna sprawa.

Odwiesił płaszcze na wieszak, a potem zniknął w ciemnym pokoju. Zagrzechotały cicho drewniane paciorki sznurkowej zasłony zawieszonej zamiast drzwi.

– Tak – mruknął Słowacki. – Jeśli tam siedzi kobieta, nasza wróżka zaraz się jej pozbędzie. O wiele bardziej ciekawią ją bowiem mężczyźni.

– Ma do nich słabość?

– Twierdzi, że są o wiele bardziej interesujący od kobiet. – Słowacki wyprostował nogi, swobodnie rozparł się na sofie. – Cóż, i ja na jej miejscu pewnie odczuwałbym większą ciekawość do płci przeciwnej, tak jak się to dzieje na co dzień. Chociaż, kto wie? Może karty naprawdę pokazują naszemu rodowi męskiemu więcej tajemnic albo czynią to barwniej? Niewiasty z reguły miewają więcej do ukrycia, ale to my pilniej strzeżemy sekretów, więc dociekanie ich jest w naszym przypadku o wiele bardziej pasjonującym zajęciem.

Wołłkowicz jakoś nie mógł się zdecydować na równie niedbałą pozę, jaką przybrał Juliusz. Dla niego to miejsce było obce i w jakiś sposób niepokojące. Usiadł w fotelu ostrożnie, nie na brzeżku może, jak skromna pensjonarka, ale też nie zagłębił się w miękkie obicie. Zaczął żałować, że dał się skusić na tę wizytę. We wróżby nigdy nie wierzył, widział za to towarzyszy niedoli stawiających sobie kabały i przywiązujących do układów kart wielką wagę. Była to jedna z nielicznych dostępnych rozrywek na zsyłce, ale rozrywka bardzo niebezpieczna. Kiedyś Antoni Burski, były porucznik szwoleżerów i zapalony geograf zarazem, tak się przejął wizją bliskiej śmierci w tajdze, że zupełnie przestał opuszczać osiedle. Uznał, że zdoła odmienić swój los. I rzeczywiście, nie zginął w lesie. Spalił się we własnej chacie, gdy zaprószył ogień. Przy okazji pozbawił dachu nad głową czterech zesłańców, którzy musieli przez pewien czas korzystać z przymusowej gościny u innych skazańców.

– Nie wierzę w przepowiednie – rzekł Jerzy, bardziej po to, żeby przerwać ciszę, niż by poinformować Słowackiego.

– Wszyscy w nie wierzymy – odparł poważnie poeta – bardziej czy mniej, ale wszyscy. Nie potrafimy wyzwolić duszy z więzów zabobonów. W każdym człowieku, choćby nie wiem jak uczonym i cywilizowanym, drzemie przesądny dzikus. Walczymy z nim, tłumimy rozumem wyłażącego z duszy prostaczka, czasami nawet udaje się zapędzić go z powrotem w zaciszny, najdalszy zakamarek, ale nie potrafimy pokonać.

– Może i tak. – Wołłkowicz kiwnął głową. – Ale chyba zbyt wiele widziałem, żeby jeszcze wierzyć w cokolwiek poza złym przeznaczeniem.

– Tylko złym? Przeznaczenie nie może być dobre?

– Źle się wyraziłem. – Jerzy zamyślił się na chwilę. – Przeznaczenie też nie istnieje. Idziemy tylko jakąś ścieżką, na której końcu coś nas czeka. Jeśli nie kres życia, to jakiś mniej lub bardziej ważny wybór. Ale gdy już wybierzemy, jesteśmy skazani na kolejną ścieżkę. I tylko tę drogę, z której zejść już nie można, mógłbym od biedy określić mianem przeznaczenia.

– Bardzo zajmujące – mruknął Słowacki. Jerzy obrzucił go czujnym spojrzeniem, ale poeta był poważny, z całą pewnością nie kpił. – Mów dalej. – Porzucił zupełnie oficjalną formę, a Jerzy nie miał nic przeciwko temu.

– Zatem nie ma jednego przeznaczenia dla jednego człowieka – ciągnął. – Lecz też i wolny wybór to bzdura. Skoro nie można się cofnąć, kończy się i on. A czasem przecież okoliczności znacznie ograniczają możliwość decyzji lub ją wręcz uniemożliwiają. Według mnie całe to gadanie zarówno o fatum, jak i o wolności duszy i życia to zarazem opowieści o fantasmagoriach z jednej strony, lecz i o realnych zjawiskach z drugiej. Z przeznaczeniem mamy do czynienia, wkraczając na drogę bez powrotu, a wolną wolę możemy wykazać, wybierając ścieżkę... – Zamilkł na chwilę. – Chyba zanadto to pogmatwane – rzekł w końcu. – Nie umiem wyrażać myśli tak klarownie jak ty, panie poeto.

Słowacki usiadł na sofie, nie spoczywał już tak swobodnie jak przed chwilą.

– To nie twoje słowa są pogmatwane – powiedział, mrużąc oczy. – To ludzka egzystencja jest bardziej złożona, niżby się mogło wydawać różnym pięknoduchom. Życie ma wiele barw i smaków. Zresztą sam się zaraz przekonasz, że nawet wizyta u wróżki może być wielce pożyteczna. I niekoniecznie tylko o wróżby chodzi.

Wołłkowicz chciał jeszcze coś powiedzieć, wyrazić swój sceptycyzm, ale w tej chwili drzwi gabinetu otwarły się i do salonu weszła kobieta w kapeluszu o szerokim rondzie, z opuszczoną ciemną woalką.

– Dziękuję, madame Rito – powiedziała do jej pleców wróżka, która ukazała się zaraz za klientką. – I polecam się na przyszłość.

Kobieta nie odpowiedziała, w pośpiechu chwyciła płaszcz, podany usłużnie przez staruszka, i zniknęła w sieni. Po chwili rozległo się donośne huknięcie.

– Taka drobna osóbka, a ile w niej siły – zaśmiała się wróżka.

Wbrew obawom Wołłkowicza odziana była całkiem zwyczajnie jak na swoją profesję. Owszem, nosiła suknię wschodniej mody, na jej głowie lśnił orientalny diadem, ale obchodziła się bez turbanów, bufiastych szarawarów i tym podobnych dziwactw.

– Witam, panie Jules! – zawołała z uśmiechem na widok Słowackiego. – Dawno pana nie gościłam. A kogóż to pan przyprowadził? Czyżby kolejny rodak?

Wołłkowicz już miał na końcu języka kąśliwą uwagę, że jeśli jest wróżką i słynną jasnowidzącą, powinna takie rzeczy wiedzieć bez podpowiedzi, ale powstrzymało go ostrzegawcze spojrzenie towarzysza.

– To mój krewniak, niedawno przybyły do Paryża, Jerzy hrabia Wołłkowicz, madame Solange.

– Zapraszam więc panów do gabinetu. – Kobieta uczyniła szeroki gest.

Weszli za wróżką do jej królestwa. Na okrągłym stoliku spoczywała nieśmiertelna szklana kula na czerwonej poduszce, obok niej leżała talia kart tarota. W zaciemnionym pomieszczeniu, którego ściany wyłożono miękkimi kobiercami, unosiła się woń pachnideł tak intensywna, że mogła przyprawić o zawrót głowy.

– Co panów do mnie sprowadza? – spytała madame Solange, siadając przy stoliku. Wskazała mężczyznom miękkie, obite czerwonobrązową materią pufy. – Chodzi o jakąś szczególną wróżbę? Czy na rzeczy jest może piękna panna?

Jerzy znów ugryzł się w język, żeby nie palnąć czegoś zjadliwego. Słowacki traktował kobietę ze zbyt wielkim respektem, żeby psuć mu świetne najwyraźniej stosunki niewczesną złośliwością.

– Nic szczególnego. Mój krewniak chciałby się po prostu czegoś dowiedzieć o swojej przyszłości...

– A zatem i o przeszłości – wróżka wpadła mu w słowo. – Albowiem jedna bez drugiej nie istnieje i nie można nic orzec o tym, co będzie, nie znając tego, co już się wydarzyło.

– Z pewnością pani wie to najlepiej, madame Solange. – Skłonił się Słowacki. – A zatem do dzieła. Kula czy karty?

Kobieta strzepnęła niecierpliwie ręką. Wstała, podeszła do Wołłkowicza, pochyliła się i zajrzała mu w twarz. Jerzy poczuł, jak przechodzi go dreszcz. Miała niesamowite oczy. Jasne, prawie wodniste, w panującym tutaj oświetleniu tęczówki zdawały się rozmywać i łączyć płynnie z białkami. Wrażenie podkreślały czarne jak piekło źrenice wielkości główki od szpilki, mimo iż było przecież mroczno. Jerzy otrząsnął się. Widywał już takie oczy i takie źrenice. Wróżka musiała zażywać sporo opium, a ostatnią porcję przyjęła z pewnością bardzo niedawno.

– Ani kula, ani karty. – Madame Solange wyprostowała się, odetchnęła głęboko. – To nie będzie zwykła wróżba. Zbyt wiele złego cię spotkało, panie Jerzy – wymówiła to z francuskim akcentem „Ieszy", podobnie jak tamta zdrajczyni, która wprowadziła go w zasadzkę. – Nie zamierzam używać dziś swoich zabawek do wspomagania wizji. Jest bowiem zbyt jasna i czytelna, by ją jeszcze wyostrzać. – Przyciągnęła swój puf, usiadła tak, że prawie dotykała kolanami kolan Polaka, przymknęła na chwilę oczy, aby po chwili otworzyć je bardzo szeroko. – Dotknęło pana wielkie nieszczęście, drogi kapitanie.

Wołłkowicz znów drgnął. Czyżby ta kobieta naprawdę widziała więcej niż zwykli ludzie? Przecież Juliusz nawet słowem nie wspomniał o jego dawnym stopniu wojskowym.

– Wielkie nieszczęście – powtórzyła madame Solange. – Wypełnia cię tak ogromna gorycz, że omijają cię szerokim łukiem nawet groźne drapieżniki. Zupełnie jakby płynęła w tobie krew wilka lub tygrysa...

Wróżka westchnęła, a westchnienie przerodziło się w gwałtowny spazm, oczy uciekły jej w głąb czaszki, widać było tylko białka. Wołłkowicz znów się wzdrygnął, ale nie odsunął się, choć chciał znaleźć się jak najdalej od tej dziwnej kobiety. Natomiast Słowacki pochylił się ku niej, spoglądając z ciekawością w ściągniętą przykrym grymasem twarz.

– Skąd przybywasz i dokąd zmierzasz – madame Solange zaczęła mówić niskim, wibrującym głosem, aby już po chwili wznieść się o kilka tonów – to zagadka może dla innych, lecz nie dla mnie. Nim zacznę wieszczyć twoją przyszłość, dzielny przybyszu z krainy śniegów, opowiem o tym, co było...

Nastia nieruchomo wpatrywała się w kremową suknię. Ojciec kupił ją za bajońską sumę od ormiańskiego kupca, aby osłodzić córce gorycz wyjazdu i rozstania. W tej sukni miała wystąpić na debiutanckim balu w Riazaniu. Jeszcze rok wcześniej na myśl o tym czułaby podniecenie graniczące z euforią, dziś w jej duszy był tylko smutek. Ciotkę Nadieżdę lubiła. A w każdym razie tak jej się zdawało, bo lekko zatarte wspomnienia z dzieciństwa mogły się okazać złudne. Pamiętała postawną niewiastę o czarnych włosach i bodaj czarniejszych jeszcze od nich, żywych oczach. Starsza siostra była zupełnie niepodobna do ojca, choć przecież urodziła ich ta sama matka. Może dlatego, że pierwszym mężem szacownej damy był ognisty Gruzin, porucznik petersburskich kawalergardów, i to on był ojcem ciotki

Nadii. Jak to oficer elitarnej jednostki stacjonującej w stolicy, nudził się setnie, pił więc na umór i pojedynkował się namiętnie. Mieszanka temperamentu i zupełnego braku rozsądku musiała poskutkować przedwczesną, gwałtowną śmiercią. Gubernator z kolei był synem statecznego urzędnika, typowego Słowianina. Stąd złote włosy, teraz znacznie przerzedzone, jasne oczy i okrągłe oblicze, które mogłoby się nawet wydawać poczciwe, gdyby nie ostrość spojrzenia.

Po swoim ojcu cioteczka odziedziczyła właśnie ów temperament, a i z rozsądkiem dość często brała rozbrat, co spowodowało, że po pewnym skandalu, w którym uczestniczył sam minister wojny, została nakłoniona do wjazdu z Petersburga. Osiadła w Riazaniu i od tamtej pory nie dawała powodów do plotek znaczniejszych, niż to zazwyczaj bywa. Ojciec śmiał się nieraz, że Nadieżda po prostu nauczyła się nieco ukrywać namiętności, lecz to nie znaczy, iż się całkiem ustatkowała. Musiał jednak być przekonany, że krewka czarnooka piękność przestała hołdować dawnym, dość swobodnym obyczajom, skoro oddawał jej pod opiekę jedynaczkę.

Rozległo się pukanie do drzwi.

– Zbieraj się, córko. – Jaszyn wszedł do pokoju. Nastia wstała. – Sanie już gotują, a ty jeszcze się nie spakowałaś, jak widzę.

Nie był rozgniewany opieszałością Nastii, wydawał się raczej smutny, przygnębiony. Widać i on bardzo przeżywał rozstanie.

– Ojcze – powiedziała cicho, prawie szeptem – czy tobie coś grozi?

Gubernator spojrzał na nią bystro, na jego twarz wrócił wyraz zdecydowania, otworzył usta, jakby chciał zrugać Nastię, ale zaraz z powrotem oklapł, niczym mokry płaszcz, który wzdyma się na wietrze na mgnienie oka, aby zaraz opaść bezwładnie.

– Skąd ci to przyszło do głowy? – spytał zmęczonym głosem.

– Odsyłasz mnie do cioteczki, o której zawsze miałeś niezbyt wysokie mniemanie. Zdaję sobie sprawę, że uważasz to za rzecz w pewnej mierze ryzykowną... – Zamilkła na moment, czekając, czy ojciec coś powie, lecz milczał, wpatrując się w nią uważnie. Po chwili lekkim skinieniem głowy zachęcił ją, by mówiła dalej. Podjęła więc: – A to oznacza, że obawiasz się czegoś o wiele bardziej ryzykownego niż to, że ciotka mogłaby sprowadzić mnie na niewłaściwą drogę.

– Nie ośmieli się! – Tym razem Jaszyn wpadł córce w słowo. – Jesteś jej najbliższą krewną, nie ma wszak własnego potomstwa, zadba o ciebie należycie, nie musisz się obawiać.

– Nie wątpię. – Na ustach dziewczyny zagościł blady uśmiech. – Nie sądzę jednak, żebyś wysyłał mnie do niej bez palącej potrzeby. Powtórzę, tutaj grozi mi coś o wiele gorszego niż pomysły cioteczki.

Gubernator patrzył na córkę długo, ze zmarszczonymi brwiami.

– Jak na tak młodziutką pannę posiadasz niezwykle przenikliwy umysł – rzekł w końcu. – Chyba cię nie doceniałem, córko. Ale tym bardziej pragnę, byś wyjechała do Riazania. Poradzisz sobie i z okolicznościami, i z ludźmi.

Pokiwała głową. Tak, poradzi sobie. A czy ma inne wyjście? Będzie jej brakowało ojca, jego surowości pomieszanej z miłością w rozmaitych proporcjach, w zależności od sytuacji.

– Pakuj się więc czym prędzej – nakazał.

– Jestem już właściwie całkiem spakowana – odpar-

ła z westchnieniem. – Została tylko ta suknia i parę dro-
biazgów.

– To doskonale. Nie ma więc na co czekać.

Jaszyn podszedł z wahaniem do córki, zatrzymał się pół
kroku przed nią. Dziewczyna patrzyła mu prosto w oczy,
nie odwróciła spojrzenia. A przecież wiedział, jak trudno
wytrzymać z nim podobny pojedynek. W jego skołata-
nej duszy zakiełkowała nadzieja. Anastazja to już nie delikatny podlotek. Zaczęła się stawać kobietą w samą porę,
jak się okazało. To z pewnością za sprawą miłości do tego
przeklętego Polaka. W tej chwili nie wiedział, czy jest bardziej Wołłkowiczowi wdzięczny za tę przemianę córki, czy
miałby go ochotę udusić za kłopoty, jakich jej przysporzył.

Nastia czekała w milczeniu, co zrobi ojciec. Pobłogosła-
wi ją przed drogą, udzieli paru napomnień i ostrzeżeń czy
też po prostu odwróci się na pięcie i odejdzie bez słowa?
Wszystko było do niego podobne, lecz nie to, co uczynił.

Uniósł rękę, jakby chciał nakreślić na jej czole krzyż, ale
nagle dłoń zmieniła kierunek i uderzyła ją w policzek, niezbyt mocno, ale jednak boleśnie. Zanim zdumiona Nastia
zdążyła cokolwiek uczynić, ojcowskie ramiona otoczyły ją
niedźwiedzim uściskiem.

– To nie ze złości, maleńka – szepnął jej do ucha. – Obyś
w przyszłości nie otrzymała mocniejszego policzka niż ten
od rodzica. Rozumiesz?

Zrozumiała. Odwzajemniła uścisk. Ostatni raz ojciec
tak ją tulił, kiedy była jeszcze małym dzieckiem.

– Dziękuję, ojcze. Bądź zdrów i nie daj się zgryźć lada
komu.

Zaśmiał się gorzko.

– Nie lada kto chce mnie gryźć, córeczko. Nie wiem,
jak to się skończy, skoro zabrali się do mnie ludzie samego
generała Kriabina. Czuję na karku oddech jego szpiegów,

wiem, że jestem pod stałą obserwacją. Czy ci głupcy sądzą, że dopomogłem zbiec twojemu Jerzemu? Nie wiem. Wiem za to, że na moje miejsce znajdzie się dwudziestu chętnych, niech mi się tylko noga powinie. Jak będzie, tak będzie, byleś ty była bezpieczna.

Nastia poczuła, jak wbrew jej woli oczy stają się mokre, a po policzkach płyną łzy.

– Przepraszam – wyszlochała.

– Nie przepraszaj, maleńka. – Odsunął ją nieco, spojrzał w zapłakaną twarz. – Zbyt długo tutaj gubernatorowałem. Lada rok zostałbym odsunięty nie pod tym, to pod innym pretekstem. Nagle, znienacka, obwiniony o coś, czego nie uczyniłem, albo o coś, czego nie upilnowałem. Jak teraz. Ale łatwiej się bronić, kiedy człowiek wie, skąd spadnie cios. A ja już wiem. Może tak lepiej? Może tak właśnie miało być? Powiem ci prawdę. Wyjeżdżam. Wysyłają mnie z pewną misją, na razie nie wiem dokąd i nie wiem, kiedy wrócę… – Nie dodał już „czy wrócę”, lecz nie musiał. – A ty bądź dzielna.

Nastia wzięła się w garść, otarła łzy.

– Będę dzielna, ojcze – obiecała. – To uderzenie było ostatnim, które puściłam płazem, a te łzy ostatnimi łzami żalu, jakie uroniłam.

Jaszyn znów się zdumiał. Skąd w głowie tego dziewczęcia zalęgły się takie słowa? Zbyt wiele romantycznych lektur? Ale dobrze, niech będzie twarda, nie pokazuje światu swoich uczuć. Tak jest bezpieczniej dla jagnięcia wchodzącego między wilki.

Wołłkowicz wyszedł z mieszkania wróżki na uginających się nogach. Nie miał pojęcia, czy to, co mu przepowiedziała na przyszłość, spełni się w jakimkolwiek stopniu, ale jego pewność co do bezwartościowości wróżb uległa pewnemu zachwianiu.

– Co powiesz o kunszcie madame Solange, drogi kuzynie? – spytał Słowacki.

– Jestem zdruzgotany – wymamrotał Jerzy.

Stanęli w cieniu niewielkich arkad, Wołłkowicz oparł się o ścianę. Znów poczuł przenikający go mróz, zadrżał.

– Co ci, Jerzy? Atak gorączki? – spytał zaniepokojony poeta.

– To nie to. – Pokręcił głową kapitan. – Tak się dzieje, gdy zanadto się zalteruję albo kiedy jestem bardzo zmęczony.

– Ależ cię nastraszyła ta baba – zaśmiał się Słowacki. – Chyba nie uwierzyłeś w te jej brednie?

– W jakie brednie? – zdziwił się Wołłkowicz. – Przecież wiedziała o mojej przeszłości bodaj tyle, ile ja sam! Nawet o miłości do Nastii! Nawet o nocnych rozmowach z towarzyszami niedoli! I o wilkach, które mnie rzekomo oszczędziły. Przecież przyprowadziłeś mnie do niej, bym się przekonał, iż wróżby mogą mieć wartość. A zatem osiągnąłeś swój cel.

Słowacki podprowadził Jerzego do niskiego, szerokiego parapetu pobliskiej piekarni, na którym ludzie śpieszący o poranku do pracy przysiadali, aby w pośpiechu spożyć ciepłą bułeczkę lub croissanta. Wołłkowicz pozwolił się posadzić, odetchnął głęboko.

– Mylisz się, krewniaku – oznajmił Juliusz. – Przyprowadziłem cię do tej sprytnej oszustki, żeby ostatecznie przekonać siebie, ciebie i tych, co ci dobrze życzą, kto w istocie rzeczy może dybać na twoją wolność, a może i życie.

Jerzy podniósł na rozmówcę osłupiałe spojrzenie.

– Co chcesz przez to powiedzieć? Ona nie jest jasnowidzącą?

– Nie bardziej niż ślepy kret czytający przyszłość z blasku

73

księżyca. Madame Solange to rosyjska agentka. A wszystko, co powiedziała o twoich przeszłych dziejach, tylko to potwierdza. Nie zwróciłeś uwagi, iż słowem nie zająknęła się o twym dzieciństwie, losie rodziny czy choćby wydarzeniach poprzedzających pierwszą zsyłkę? Niewiele o tym wiadomo, bo nikt się tobą wówczas nie interesował...

Na twarz Wołłkowicza zaczęły wracać kolory.

– Rosyjska agentka, powiadasz? – Zastanawiał się przez chwilę, czy go ta wiadomość zadziwiła, ale doszedł do wniosku, że jednak nie.

– Ściśle rzecz ujmując, szpieguje na rzecz Rosji, ale też nie ma skrupułów, aby sprzedawać informacje Austriakom, Anglikom, Prusakom i każdemu, kto jest gotów dobrze zapłacić – odparł poeta.

– I carscy rezydenci tolerują takiego szpiega? – spytał z powątpiewaniem Jerzy. – Skoro ty o tym wiesz, tym bardziej oni. Znam metody Moskali, nie widzę możliwości...

– Madame Solange jest zbyt pożyteczna, żeby z niej łatwo zrezygnować. Poza tym cierpi na pewną przypadłość, która nader często dręczy Francuzów. Trzeba ci wiedzieć, że mają oni wielkie poczucie niższości wobec Rosjan. To pokłosie zwycięstw Suworowa, a potem tańca Napoleona z Kutuzowem i upadku cesarza. Kochają swoich pogromców, co w ludzkiej hordzie nader często się zdarza. A zatem nasza wróżka, choćby zdradzała agenturalnie batiuszkę cara na prawo i lewo, ostatecznie pozostanie mu wierna. I wygrzebie dla niego każdą wiadomość, choćby spod ziemi, choćby miała się udać do piekła.

Wołłkowicz wstał, wyglądał już zupełnie dobrze.

– Po co mnie więc do niej zaprowadziłeś? – spytał.

– Żeby się przekonać, czy pozostajesz w kręgu zainteresowania Rosjan, czy też zasadzają się na ciebie również inne siły.

Jerzy zaśmiał się gorzko.

– Do tego nie potrzeba było sprzedajnej wróżki. Niczego nowego się w ten sposób nie dowiedzieliśmy. Że Moskale za mną węszą, to rzecz oczywista.

– Lecz teraz wiemy przynajmniej, jak bardzo się tobą interesują. Skoro zatrudnili do szpiegowania ciebie nawet swoją najlepszą agentkę, musiałeś im zdrowo zaleźć za skórę.

Kapitan pokiwał głową ze smutkiem.

– Żebym tylko jeszcze wiedział czym. Dlaczego usiłowali mnie dopaść na katordze rękami towarzyszy niedoli, podając mi w pożywieniu obrzydliwe durmany i trutki? Dlaczego któryś z nich przetrząsał co jakiś czas moje rzeczy i nawet będąc w głębokim lesie na łowach, czułem na plecach czyjś czujny wzrok?

– Naprawdę tego nie wiesz?

– Naprawdę. Czegoś ode mnie chcą. Gdybym wiedział czego, przynajmniej miałbym orientację, z której strony się pilnować.

Słowacki milczał przez chwilę.

– Jeśli człowiek nie potrafi odnaleźć tego, czego nawet nie zgubił – rzekł w końcu – może powinien poszukać tego w innych ludziach, miast miotać się i rozglądać, zaglądać w miejsca, w których na pewno nie znajdzie wyjaśnienia tajemnicy...

– Mądrze powiedziane. – Wołłkowicz wzruszył ramionami. – Zapewne dobra to rada, ale nie dla mnie, niestety.

– Bo wymądrzanie się zawsze jest łatwiejsze niż danie prawdziwie cennej wskazówki. – Juliusz się roześmiał. – Niemniej poszukaj sekretu gdzieś poza sobą, skoro nie możesz go odnaleźć we własnej sakwie ani odkryć w duszy i pamięci.

Wołłkowicz nagle spojrzał bystro.

– A ty dla kogo pracujesz, panie poeto? – spytał ostro.
Słowacki pokręcił głową, zrobił smutną minę.

– Nie wierzysz w bezinteresowność i dobroć bliźnich?

– Nie kpij – parsknął Jerzy. – Co innego odwiedzić krewniaka, nawet wspomóc go jakimś groszem… Tak, nie przerywaj, wiem doskonale, że dałeś Rusłanowi pieniądze, oddam ci, kiedy tylko będę mógł.

– Nie potrzeba, nie jestem nędzarzem – zaprotestował Juliusz.

– Ale ja jestem – uciął Wołłkowicz. – A biedacy muszą spłacać długi sumiennie, inaczej możni tego świata postawią stopę na ich grzbiecie i uczynią niewolnikami. A zatem, jako już rzekłem, inna rzecz odwiedziny i pożyczka, a co innego oferować daleko idącą pomoc, wieść ciemną ścieżką pośród szpiegów i patriotów. I właśnie się zastanawiam, czyś patriotą właśnie czy kolejnym szubrawcem niewartym splunięcia.

Słowacki aż się wzdrygnął na tę zniewagę, lecz zaraz się uspokoił. Rozżalony człowiek potrafi wszak kąsać nie gorzej od jadowitej żmii.

– Jeśli idzie ci o to, czy szpieguję dla kogokolwiek, to oświadczam i przysiąc mogę na krzyż, Biblię czy cokolwiek zechcesz, że nie. Jeno świat nie jest czarno-biały, jak doskonale wiesz, więc nie mogę gwarantować, iż gdzieś w łańcuszku ludzi dobrej woli, którego jestem częścią, nie znajdzie się jakiś łajdak. Pamiętaj jednakowoż o przysłowiu, iż przez pysk zgniłego psa w studni czysta woda płynie.

– W takim razie powiedz mi, kto cię do mnie przysłał.

– Właśnie ci ludzie dobrej woli. To oni zresztą powiadomili mnie, że przybyłeś do Paryża. To dzięki nim mogliśmy się spotkać i poznać. Bardzo tego żałujesz? – W głosie poety zadźwięczała szczera uraza.

Wołłkowicz uniósł dłoń w obronnym geście.

– Ależ skąd, Juliuszu. Po prostu czuję się już dość zaszczuty z jednej strony, by przyjmować ze stoickim spokojem zakusy innych sił. Rozumiesz mnie?

Słowacki milczał długo, zanim odpowiedział.

– Rozumiem, Jerzy. – Westchnął ciężko. – Mogę mówić za siebie, że niczego od ciebie nie chcę, ale czy ludzie z Hotelu Lambert i z otoczenia Mickiewicza również nie wiążą z tobą jakichś swoich tajemnych planów, tego nie wiem.

– Ach, te wasze emigracyjne koterie, te zabawy – rzekł z pogardą Wołłkowicz. – Przelewacie słowa o Polsce równie łatwo, jak moskiewscy siepacze leją krew tych, którzy tam, na Wschodzie, odważą się o niej wspomnieć. Jeno was owo przelewanie nic nie kosztuje.

– Słuszna uwaga – mruknął Słowacki. – Ale pamiętaj, że bez tych naszych bezpotrzebnych dla ciebie słów, świat już by zaczął zapominać o Polsce. Bez przyjaźni cara dla Czartoryskich, bez Wielkiej Loży Wschodu, w której zasiadają rosyjscy wpływowi magnaci wraz z naszymi buntownikami i mędrcami, nawet bez tego szubrawca Towiańskiego. W ojczyźnie patrioci płacą krwią, życiem i wolnością, my tutaj wyrzutami sumienia i wielką tęsknotą.

Wołłkowicz ruszył przed siebie tak nagle, że Słowacki dogonił go dopiero po kilku krokach.

– Od powstania minął dziesiątek lat – zaczął wzburzony kapitan – a wy wciąż i wciąż jeno o nim rozpamiętujecie. Zresztą nie wiem, czemuście ochrzcili ów zryw mianem powstania właśnie. Prawidłowiej byłoby go nazwać wojną polsko-rosyjską. Powstania widziałem, służąc na Kaukazie, gdyśmy tłumili wpierw ruchawki gruzińskie, a zaraz potem czerkieskie i czeczeńskie. Myśmy w Polsce mieli wówczas rząd, władzę sądowniczą, wszelkie potrzebne urzędy. Tworzyliśmy państwo, a nie jeno zrzucali jarzmo najeźdźcy.

– Pewnie masz rację – zgodził się lekko zadyszany Juliusz. – I wiem o tym nie gorzej od ciebie, bom wówczas przebywał wszak w kraju. Jeno nie pędź tak, proszę. Zawsze byłem słabego zdrowia, a gdym ukończył trzydzieści lat, jeszcze mi się pogorszyło.

Wołłkowicz zerknął na niezdrowo zaróżowioną twarz towarzysza i zwolnił kroku.

– Przeszedłeś różne koleje losu, widziałeś śmierć i nieszczęście, przeżyłeś więcej, niż ja bym zniósł – ciągnął Juliusz. – Wiesz lepiej z pewnością, co i jak nazwać. Powstanie… tak je zwiemy, i zapewne niesłusznie. Zważ jeno, że to ludzie nadają nazwy wydarzeniom i jeśli już coś przylgnie, zmienić tego nie sposób. A nazwa „powstanie" jest o wiele bardziej romantyczna niż zwyczajna „wojna". I zdaje się przedsięwzięciem szlachetniejszym. Powstaniec zabijający wroga to szlachetny bohater, żołnierz wypełnia tylko obowiązek.

– W zabijaniu nie ma nic szlachetnego – mruknął Wołłkowicz. – Ani na wojnie, ani w powstaniu, w słusznej czy niesłusznej sprawie. Zabić znaczy zabić, nic więcej.

– I to też na pewno jest ci lepiej wiadome. – Poeta kiwnął głową. – Powiedz mi, co zamierzasz teraz zrobić.

Po długiej chwili milczenia Jerzy odpowiedział:

– Wypadałoby się wreszcie dowiedzieć, jakaż to tajemnica tak mnie prześladuje, nie uważasz, krewniaku?

– Uważam. Mnie jednak nurtuje jeszcze coś.

– Co?

– Opowiesz mi o tej dziewczynie? Tej wielkiej miłości, o której wspominała madame Solange?

– Opowiem – rzekł Wołłkowicz z westchnieniem. – Nie spodziewaj się jednakowoż nazbyt oryginalnej opowieści. Zanudzę cię tylko.

– Każda miłość jest niepowtarzalna – odrzekł poważnie Słowacki. – Niby zawsze to samo uczucie, a każdy inaczej je przeżywa. Jestem poetą, krewniaku, pamiętaj. Dla mnie zasadniczo nie jest najważniejsze, c o się dzieje, ale j a k to się dzieje.

Kiedy tylko obaj Polacy opuścili gabinet, zza przepierzenia imitującego ścianę wyszedł mężczyzna w czerni ze zdobioną srebrem laską. Podszedł do zmęczonej wróżki, usiadł naprzeciwko niej.

– I cóż pani powie, madame Solange? – spytał swobodnym, przyjacielskim tonem po rosyjsku. – Wbrew spodziewaniom nie udało się wydobyć zupełnie nic z naszego byłego kapitana?

– Nic nie wie po prostu – odparła również po rosyjsku, lecz z wyraźnym akcentem, jakiego nabywa człowiek, który spędził większość życia za granicą.

– A może po prostu za mało się pani postarała? – Ton głosu tajemniczego gościa nie zmienił się, jednak błyszczące pod rondem cylindra oczy nabrały zimnego wyrazu.

– Użyłam całego swojego kunsztu i uroku. Może gdyby zjawił się bez tego poety, byłoby łatwiej…

– Jednak bez owego poety wcale by się tu nie zjawił. Wiedziała pani, że przyjdzie jej pracować w trudniejszych niż zwykle warunkach. A co do kunsztu… Jeśli to było w istocie wszystko, powinienem złożyć chyba odpowiedni raport naszym przełożonym. Posiadając tyle informacji o naszym polskim przyjacielu, powinna go pani dokumentnie i bez reszty omotać.

– Uważam, że naprawdę nic nie wie o tym, czego poszukujecie, pan i pańscy ludzie. A jeśli wie, doskonale się z tym kryje. Może trzeba znowu spróbować go uprowadzić i rozpytać po waszemu?

– Jesteśmy w Paryżu, nie w Petersburgu! – warknął mężczyzna. – Wołłkowicz pozostaje teraz w kręgu zainteresowania francuskiej policji i samego Vidocqa. Poza tym, jak sama pani widzi, zaprzyjaźnił się ze Słowackim, który ma wielkie wpływy pośród polskiej emigracji. Nie możemy teraz zdjąć byłego kapitana ot, tak sobie, nie powodując skandalu. A biorąc pod uwagę delikatną materię poszukiwań, skandal najmniej jest nam potrzebny.

Madame Solange westchnęła ciężko.

– Mam nadzieję, że jeszcze do mnie zawita – powiedziała i potarła kciukami skronie.

Mężczyzna podszedł do okna, rozsunął ciężkie zasłony, wpuszczając do pomieszczenia dzienne światło. Potem otworzył oba skrzydła. Świeże powietrze wyparło chociaż częściowo ciężki zapach kadzideł.

– Nie zawita – odparł ponuro. Stał teraz plecami do okna, blask światła sprawiał, że jego twarz była tak samo niewidoczna, jak w poprzednio panującym półmroku. – Kiedy się zastanowi i ochłonie, dojdzie do wniosku, że jest pani wrogiem. To niegłupi człowiek, potrafi myśleć trzeźwo, nawet jeśli jest zagubiony i zrozpaczony. Nie po to przekazałem wszystko, co o nim wiadomo, żeby puszyła się pani przed nim swoją wszechwiedzą. A jeśli nawet nie on się zorientuje, oświeci go ten przechera, pan poeta. To tyle, jeśli idzie o pani sławetny kunszt. Urok zaś… no cóż…

Podszedł nieśpiesznie do siedzącej kobiety, wskazującym palcem ujął ją pod brodę i lekko uniósł jej twarz.

– Tak… uroku odmówić pani nie można. Lecz, jak widać, w przypadku Wołłkowicza nie spełnił on pokładanych w nim nadziei. Pan Jerzy serce zostawił daleko stąd, nie wikła się w związki z kobietami.

– A nie możecie wykorzystać tej dziewczyny, żeby go nacisnąć? – spytała madame Solange.

– Jak pani sobie to wyobraża? – Odsunął się o krok. – Mamy tak sobie, po prostu, uwięzić córkę gubernatora, aby zaszantażować jakiegoś uciekiniera? To by się zrobił huczek na pół Rusi.

– Urząd gubernatorski nie jest wieczny – zauważyła wróżka.

Mężczyzna zaśmiał się chrapliwie.

– Zapewne. Jednak ta panienka ma w Riazaniu ciotecz-kę, która była niegdyś faworytą samego batiuszki Mikołaja Pawłowicza. Do dziś, kiedy car rusza w objazd, nie pomija okazji, aby odwiedzić Riazań.

– A gdyby... – zaczęła wróżka.

– Dość! – przerwał jej ostro mężczyzna. – Nie ciekawią mnie pani rady! Proszę lepiej wykonywać swoje obowiązki! Za to, co się tutaj dzisiaj odbyło, niech pani nie liczy na wynagrodzenie ponad zwykłą należność!

Madame Solange opuściła głowę.

– Mam spore wydatki... – poskarżyła się.

– A zatem trzeba się postarać! Wprawdzie nasz ptaszek tutaj nie zawita, ale jest takie stare powiedzenie o górze i Mahomecie. Zna je pani?

– Znam. Obiecuję, że postaram się ze wszystkich sił!

– Nie wątpię – roześmiał się czarny. – Jeśli się pani spisze, zapomnimy o tym niepowodzeniu i każę przysłać podwójną stawkę. Jeśli nie... – Zawiesił głos na moment. – Jeśli nie, będziemy musieli się pożegnać. Potrzebujemy sprawnych agentów. Minister nie ma zamiaru utrzymywać darmozjadów. Paryż to zbyt ważne miejsce.

Madame Solange podniosła na gościa wdzięczne spojrzenie.

– Jeśli tylko ten Polak coś wie, wydobędę to z niego! Choćbym miała się w niego wpić niczym jakiś upiór.

– Dobrze. Ale nie musi pani już nic z niego wydobywać.

Zmieniam dyspozycje. W tej chwili, w obecnym położeniu, zależy mi bardziej na tym, by go zaniepokoić, skłonić do działania. To nawet będzie lepsze od czystej informacji. Rozumie pani?

– Oczywiście. Postaram się ze wszystkich sił.

Mężczyzna skinął z zadowoleniem głową, znów zbliżył się do wróżki.

– To teraz proszę o małą usługę dla mnie.

– Przepowiednia na najbliższy czas czy na dłużej?

– Bez kpin – parsknął. – Chodzi mi o usługę zupełnie innej natury. Jak już podkreślałem, urody i uroku nie sposób pani odmówić – dodał niskim, wibrującym głosem.

4

S prytnie, gubernatorze – Korpulentny Manuchin uśmiechnął się krzywo. – Bardzo sprytnie. Spodziewa się pan dymisji przed tym wyjazdem, nieprawdaż?

Jaszyn wzruszył ramionami.

– Nie wiem, czy się spodziewam – odparł. – Ale rzec można, że się z nią liczę. Przypuszczałem jednak, że o dymisji powiadomi mnie listownie przynajmniej sam osobisty radca jego cesarskiej wysokości, a nie piesek generała Kriabina.

Manuchin zbladł z gniewu, ale opanował się natychmiast.

– Widzę, że Bóg nie poskąpił panu odwagi, gubernatorze. Jednakowoż z odwagą jest jak z beczką prochu. Trzeba uważać, by nie padła na nią jakaś iskra, która może spowodować wybuch.

– Porównanie marne – skrzywił się Jaszyn. – Zresztą podobnej jest jakości, jak i posłaniec.

Wiedział, że nie ma już wiele do stracenia. Sprawa, która początkowo wydawała się zaledwie drobnym incydentem, za który powinien co najwyżej otrzymać burę od jakiegoś cesarskiego czynownika, okazała się czymś niesłychanie, niewiarygodnie poważnym. Co takiego było w tym Polaku, że ścigali go ludzie z samych szczytów władzy?

Manuchin roześmiał się z przymusem, widać było, że najchętniej w tej chwili aresztowałby Jaszyna i kazał go zgnoić w jakiejś tiurmie.

– Porównanie może marne, ale i tak lepsze od zadania, które pana czeka – odgryzł się. – Mam oznajmić panu wolę jego wysokości, imperatora Wszechrosji.

Gubernator poczuł nagłą suchość w ustach. Za kilka sekund, kiedy padną ciężkie słowa, przestanie być wysokim urzędnikiem, nie najważniejszym może, ale na pewno ważnym trybem w machinie państwowej, a zamieni się w zwykłego poddanego cara, z którym można zrobić wszystko... Zaraz pojawiła się jednak refleksja: z ważnym urzędnikiem też można przecież zrobić w Rosji wszystko, wystarczy, aby ktoś ledwie wystawał mu nad głowę. Sytuacja zwykłego człowieka różniła się od zawsze tylko liczbą tych wystających nad niego innych ludzi.

– A zatem – ciągnął Manuchin – wolą jego imperatorskiej wysokości jest, aby wyjechał pan do twierdzy Ananuri...

– Ananuri? – przerwał mu zdziwiony Jaszyn. – Przecież to Kaukaz! Gruzińska Droga Wojenna, o ile się nie mylę.

– Nie myli się pan – odparł z zadowoleniem Manuchin. – Tam właśnie się pan uda, by uzyskać potrzebne wiadomości, mój człowiek pokieruje dalszymi pańskimi poczynaniami.

– Skoro zostałem pozbawiony stanowiska...

– Nie został pan – teraz oficer wywiadu wpadł w słowo rozmówcy. – Skąd ten pomysł?

– Przecież sam pan powiedział, że zostałem zdymisjonowany.

– Ależ skąd! – zaprotestował Manuchin. – Kiedy?

– Na początku rozmowy. Spytał pan przecież, czy spodziewam się dymisji.

Manuchin roześmiał się, tym razem bez przymusu.

– Zapytałem, tak, oczywiście. Ale przecież nie mówiłem, że ją pan otrzyma. – Spoważniał, spojrzał zimnym wzrokiem na gubernatora. – Batiuszka car w swojej niezmiernej łaskawości nie zechciał pozbawić pana urzędu. Pozostaje pan tutejszym gubernatorem, oczywiście warunkowo, to znaczy jeśli wywiąże się pan z poruczonej misji. Jeśli nie, gniew jego wysokości dotknie pana niczym grom. – Zamilkł, spojrzał na ikonę wiszącą obok drzwi gabinetu, na portret zmarłej żony Jaszyna, a potem znów na gubernatora. – I nie tylko pana – dodał sykliwym szeptem. – Radzę więc się postarać. – A po chwili dodał tonem niezobowiązującej konwersacji: – Muszę przyznać, że panna Anastazja odziedziczyła olśniewającą urodę po nieboszczce matce. Jego imperatorska mość bardzo był zbudowany, widząc jej konterfekt, i zapewnił, iż w razie gdyby pan zawiódł, z pewnością zapewni jej odpowiednią opiekę.

Jaszyn zacisnął zęby, pobladłe wargi zmieniły się w cienką kreskę, wyglądały, jakby ktoś przeciął mu brzytwą twarz na wysokości ust.

– Świnia – wycedził.

Manuchin zmrużył oczy.

– Jak pan śmie tak się wyrażać o jego wysokości! – warknął.

– Ja nie o carze, wiesz doskonale, podły gadzie! – Jaszyn czuł, jak wściekłość mroczy mu umysł. – Jego wysokość zapewne nic nie wie ani o mnie, ani o tej wielkiej misji.

– Myli się pan… – zaczął oficer, ale gubernator nie pozwolił mu skończyć.

– A nawet jeśli wie, to nie powiedzieliście mu wszystkiego! Prowadzicie jakąś swoją grę, uwielbiacie to, panowie oficerkowie, ten wasz generał Kriabin i panowie ministrowie! Pod nosem cara, ponad głowami wszystkich. O co wam idzie tym razem? Czego chcecie?

Manuchin odstąpił o krok. Nawet na nim, który przywykł do trudnych rozmów i złości ze strony ofiar, rodząca się w Jaszynie furia zrobiła wrażenie. Odpowiedział jednak spokojnie, prawie flegmatycznie:

– Zawsze i nieodmiennie idzie nam o dobro Rosji. I jej tylko dobra pragniemy.

Gubernator patrzył na niego przez chwilę nieruchomo, a potem nagle zaczął się śmiać. Tubalny śmiech odbijał się od ścian pomieszczenia, przykro raził uszy Manuchina. Tym bardziej był zdumiony i zdetonowany, że widział najszczerszą wesołość, Jaszyn zachowywał się tak, jakby usłyszał naprawdę przedni dowcip. Wreszcie oficer stracił cierpliwość.

– Może pan przestać? – starał się przekrzyczeć rozmówcę. – Nie wiem doprawdy, co pana tak rozbawiło!

– Wie pan, wie doskonale. – Jaszyn otarł łzę z kącika oka. – Dobro Rosji…

Znów parsknął śmiechem. Napięcie ostatnich dni i tygodni znalazło ujście w tej wesołości. Czuł, jak z piersi spełza dusząca zmora, miał wrażenie, że oto odsuwa się kamień grobowca, w którym go żywcem pochowano.

Teraz Manuchin patrzył już z niepokojem. Czyżby gubernator oszalał? To nie do pomyślenia, przecież na takim stanowisku nie utrzymałby się tyle lat człowiek o tak słabej konstytucji psychicznej, żeby przeciwności mogły nią do tego stopnia zachwiać. Z drugiej jednak strony, czy to wiadomo, co mieszka w człowieku? Kiedy i co może go załamać?

Ale już po chwili oficer wywiadu mógł się przekonać, że jego obawy były przedwczesne. Jaszyn się uspokoił, spoważniał, spojrzał wzrokiem tak zimnym, że mógłby zamrozić Bajkał po samo dno. Manuchin odetchnął z ulgą. Wolał takiego zdeterminowanego przeciwnika niż nieobliczalnego wesołka.

– Dobro Rosji... – powtórzył Jaszyn. – Nie wiem, czy to bardziej bezczelność czy kpina. Dobro Rosji jest ważne tylko wtedy, gdy jest i waszym dobrem.

– Myli się pan, gubernatorze – oznajmił Manuchin uroczyście. – Wiem, że opinie o nas są, delikatnie rzecz ujmując, mało przychylne, ale wykonujemy swoją pracę z całym oddaniem.

– Tylko czy to oddanie świadczy o słuszności działań – mruknął Jaszyn.

Manuchin westchnął.

– Wydaje mi się, gubernatorze, że wszedł pan zbyt głęboko między drzewa, żeby dostrzec las. Sprawa dotyczy pana osobiście, a właściwie ukochanej córki, więc nic dziwnego, że miota się pan niczym zając w sidłach. Ale proszę spojrzeć na to bardziej z boku. Stało się coś, co sprawiło, że do pracy zaprzęgnięto nasz urząd. Naprawdę uważa pan, że dręczymy poddanych jego wysokości dla zabawy?

Jaszyn nie odpowiedział, ale jego wzrok stał się trochę cieplejszy.

– Niech pan nie sądzi po pozorach. Musimy być surowi, musimy czasem działać strachem, ale najczęściej podstępem. Pan może sobie zachowywać czyste ręce i chwalić się nimi przed sobą i przed innymi. Ale ktoś musi wziąć na siebie cały ten brud, który nas otacza, wchodzić w zakamarki, w które brzydziłby się zagłębić nawet cuchnący łajnem, sparszywiały szczur.

Gubernator prychnął pogardliwie.

– Ale tacy jak pan lubią wciskać się właśnie w takie miejsca.

Manuchin znów westchnął, rozłożył ręce.

– Sam pan doskonale wie, że to wszystko wygląda zupełnie inaczej, niż się wydaje na pierwszy, a nawet drugi rzut oka. Nie zamierzam pana do niczego przekonywać.

– Wiem, wiem – mruknął Jaszyn. – Mam zrobić swoje, nie dyskutując, nie zadając zbędnych pytań. Zdaję sobie sprawę, jak to działa. Ale nie musi mi się to podobać, prawda?

Oficer machnął niecierpliwie ręką.

– Prowadzimy jałową, najzupełniej zbędną dyskusję. Proszę o odpowiedź, czy zgadza się pan podjąć zadania.

– A mam jakieś wyjście?

– Oczywiście. Odmówić. I ponieść wszelkie konsekwencje.

– Właśnie. – Jaszyn, zrezygnowany, spuścił głowę. – Konsekwencje, które dotkną nie tylko mnie. A to oznacza, że nie pozostawiono mi wyboru.

– To już jak pan sobie uważa – rzekł ostro Manuchin. – Ja czekam na odpowiedź.

– Kto będzie pełnił obowiązki gubernatora, kiedy wyjadę?

– Osoba godna zaufania – odparł z dziwnym zadowoleniem w głosie oficer wywiadu. – Ktoś, do kogo generał Kriabin ma pełne zaufanie. A skoro generał Kriabin, to i sam car.

Jaszyn wbił wzrok w twarz Manuchina.

– Tu cię wiedli – mruknął i uśmiechnął się lekko. – I liczy pan na to, że noga mi się powinie, a pan zostanie na urzędzie.

Oficer odpowiedział spokojnym spojrzeniem.

– I to wszystko, jeśli idzie o służbę Rosji – podsumował gubernator.

– Łatwo rzuca pan poważne oskarżenia – rzekł Manuchin. – Zbyt łatwo. Gubernatorstwo to łakomy kąsek, ale liczę właśnie na to, że odniesie pan sukces. I nie zamierzam ukrywać, że będzie to oznaczało także moje zwycięstwo.

– I awans – domyślił się Jaszyn. – Zatem postarał się pan

o zabezpieczenie z każdej strony. Jeśli wypełnię zadanie, pójdzie pan w górę, a jeśli nie, istnieje niebagatelna możliwość, iż pozostanie pan na wysokim urzędzie. Sprytnie.

– Dość już o tym – uciął Manuchin. – Nie odpowiedział pan na pytanie.

– Oczywiście, że się zgadzam. – Jaszyn wzruszył ramionami. – Nie poddam się tak łatwo.

– Znakomicie. A zatem proszę jak najszybciej się spakować i ruszać w drogę.

Gubernator skinął głową, a potem zapytał:

– Dowiem się, jakie zadanie mnie czeka?

– Dowie się pan we właściwym czasie – padła dokładnie taka odpowiedź, jakiej Jaszyn się spodziewał. Wywiadowcy zwykli posuwać ostrożność do granic absurdu. Co za różnica, kiedy mu powiedzą, co ma uczynić? Chyba że... – Rozumiem – rzucił drwiąco. – Panu też nie powiedzieli. Zaufanie do zaufanego człowieka też musi mieć swoje granice, tak?

Manuchin lekko poczerwieniał, ale zachował spokój, przynajmniej na zewnątrz.

– Niezależnie od tego, jak się sprawy mają, nie dowie się pan niczego przed czasem. Proszę się z tym pogodzić i robić swoje.

Jaszyn wyszedł bez słowa, nie żegnając się nawet. Wróci tu, choćby i z końca świata, i własnoręcznie wyrzuci tego obrzydliwca za drzwi. To będzie jedna z najpiękniejszych chwil w jego życiu.

Jeśli wróci...

Komisarz Cadrone zmęczonym gestem potarł skronie, spojrzał na Wołłkowicza z niechęcią, graniczącą wręcz z nienawiścią.

– A zatem chce mi pan wmówić, że nic nie wie.

To nie było pytanie, lecz stwierdzenie, więc Jerzy nie uznał za stosowne odpowiedzieć.

– Wiemy z całą pewnością, że ci ludzie nie zasadzili się na pierwszego lepszego zbłąkanego cudzoziemca, ale właśnie na pana. O co w tym wszystkim chodzi?

– Miałem nadzieję, że pan mi to powie. – Polak wzruszył lekko ramionami. – Mówiłem już tysiąc razy dzisiaj i podczas poprzedniej rozmowy. Przybyłem do Paryża, nie znając nikogo, jestem zbiegiem z zesłania. Nie mam pojęcia, czego ode mnie chcieli ci zbóje, tak samo jak nie jestem w stanie powiedzieć, dlaczego w Rosji raz chciano mnie zamordować, a innym razem tylko oszołomić. Nie wiem, jak to się stało, że nie pożarły mnie wilki, gdy podczas ucieczki opadłem z sił, i w jaki sposób znaleźli mnie miejscowi.

– Za dużo tych „nie wiem". – Skrzywił się komisarz. – Vidocqowi zapewne powiedział pan więcej?

– Dokładnie tyle samo co i panu – odparł zniecierpliwiony kapitan. – Ale on jakoś potrafił zrozumieć, że człowiek niekoniecznie wie o sobie tyle, ile się innym wydaje.

Drażnił go ten tępy policjant. Zapewne był dobry w swoim fachu, jeśli szło o przesłuchiwanie złodziejaszków, rzezimieszków i zwyczajnych morderców. Ale ta sprawa najwyraźniej go przerastała. Zapewne przerastała większość policjantów. Dlatego właśnie dopuszczono do śledztwa Vidocqa. Rozmowa z założycielem Sûreté Nationale przebiegała zupełnie inaczej. Nie chciał wyciągać od Jerzego informacji za wszelką cenę, nie chciał interpretacji faktów. Zadawał tylko proste pytania i słuchał. A Wołłkowicz opowiadał. Stary lis z kolei potrafił doskonale słuchać. Nie wiadomo, do jakich wniosków doszedł, ale uderzające było, że powiedział dokładnie to samo co Słowacki po wysłuchaniu opowieści Jerzego o losach na zesłaniu: „Jeśli nie można odpowiedzi znaleźć w sobie, trzeba jej poszukać wokół siebie". Zdanie brzmiało podobnie po polsku i po francusku. Tyle że Vidocq dodał jeszcze: „Nikomu nie wolno ufać, szczególnie w takim położeniu jak pańskie. Jestem przekonany, że ktoś z otoczenia doskonale wie, z jakiego powodu wpadł pan w tak wielkie kłopoty".

To dawało do myślenia. Jeśli dwóch ludzi mówi to samo, należy wziąć ich opinię pod uwagę. Często z boku widać o wiele więcej niż z wewnątrz. Nie podziwia się strzelistości katedry, wspinając się na wieżę wąskimi schodami. Jej majestat widać, kiedy stoi się na dole bądź patrzy z góry, gdy osiągnęło się już szczyt. A on znajdował się właśnie na schodach. W dodatku nie wiedział, czy porusza się w górę, czy też zmierza w dół. Za to zdawał sobie doskonale sprawę, że w każdej chwili ktoś może podstawić mu nogę bądź pchnąć, powodując bolesny, być może nawet śmiertelny upadek.

– Panie Wolkowisz! – zirytował się Cadrone. – Słyszy mnie pan?

Jerzy otrząsnął się z zamyślenia.

– Słyszę – burknął. – Możemy już zakończyć tę rozmowę?

– Śpieszy się pan dokądś? – spytał natychmiast policjant.

Wołłkowicz uśmiechnął się krzywo. Podczas przesłuchań przez carskich siepaczy przywykł do takich sztuczek, a nawet bardziej podstępnych i przykrych. Wiedział więc doskonale, że nie należy odpowiadać natychmiast, warto uczynić pauzę, a przesłuchujący niech się domyśla, co się pod nią kryje – i ewidentna wina, i całkowita niewinność potrzebują chwili na odpowiedź. Jeśli mówi się od razu, cokolwiek, żeby powiedzieć, świadczy to o niepewności. A niepewność to dla każdego policjanta świadectwo winy bardziej jaskrawe niż zakrwawione dłonie zbrodniarza przyłapanego nad trupem ofiary.

Zaraz, zaraz, nadleciała nagła myśl, przecież on nie jest tutaj podejrzanym, lecz poszkodowanym. Przywykł w ostatnich latach do myśli, że wedle prawa zaborcy jest przestępcą, lecz w Paryżu nie obowiązują zasady wielkiego imperium. Chyba że jednak obowiązują... carska Ochrana i rosyjski wywiad długie mają ręce, o wiele dłuższe niż mogłoby się wydawać.

– Czy jestem o coś oskarżony? – Jerzy pochylił się nieco naprzód nad odrapanym, poplamionym atramentem i rudymi zaciekami stolikiem.

– Na razie nie – odrzekł lekko drwiącym tonem komisarz. – Jednak w każdej chwili może się to zmienić.

Wołłkowicz wydął pogardliwie wargi i wypalił:

– A powiadają, że Francja jest wolnym krajem. Tymczasem widzę, że nawet władze porządkowe śpiewają tutaj za moskiewskie złoto.

Cadrone poczerwieniał.

– Co pan chce przez to powiedzieć? – wycedził z wściekłością.

Jerzy przyglądał się rozmówcy. Wzburzenie sprawiło, że poczuł przypływ choroby, przeszły go dreszcze, lecz opanował je całą siłą woli. W tej chwili nie mógł okazać słabości.

– Niech pan mnie oświeci z łaski swojej – odparował. – Dowiem się, z jakiego powodu jestem nękany przez tutejszą policję?

Komisarz opanował się, postukał końcem oprawki pióra w stolik.

– Proszę nie zapominać, że wraz ze swoim sługą zabiliście kilku obywateli Francji...

– Nie ze sługą, ale towarzyszem i przyjacielem – odparł zimno Polak. – A zabiliśmy zwyczajnych rzezimieszków. Za taki czyn w normalnych okolicznościach...

– Ale okoliczności nie są normalne – przerwał mu Cadrone. – To nie byli zwykli bandyci i dobrze pan o tym wie. To znaczy bandyci może i byli zwykli, ale pracowali dla kogoś, kogo chciałbym poznać i dowiedzieć się, dlaczego ich wynajął.

Wołłkowicz wstał.

– O to proszę już pytać kogoś innego, bo ja nic nie wiem – odrzekł lodowato. – A teraz, skoro nie postawiono mi zarzutów, żegnam.

– Nie opuści pan tego budynku bez mojego zezwolenia!

– Tak? – Jerzy odwrócił się w drzwiach. – W takim razie proszę brać pod uwagę, że jeśli dzisiejszego popołudnia nie spotkam się z panem Słowackim, ten z pewnością się zaniepokoi. I postara się o interwencję księcia Czartoryskiego w mojej sprawie. Jeśli zależy panu na dalszej karierze w stołecznej policji, radzę się zastanowić. Na prowincji też potrzebują stróżów prawa.

Twarz Cadrone' a stężała, szczęki się zacisnęły. Wołłkowicz patrzył na niego spokojnie.

– Dobrze – rzucił w końcu komisarz. – Proszę iść... – Naskrobał coś na kawałku papieru, podał przesłuchiwanemu. – Ale obiecuję, że jeszcze się spotkamy.

Wołłkowicz wyszedł z gabinetu i odetchnął z ulgą. Dobrze, że ten tępy glina dał się nabrać na jego groźby. Jerzy nie był przecież tego popołudnia umówiony z nikim, a już na pewno nie mógłby liczyć na protekcję Czartoryskich. Był pyłem pod ich stopami. Ale Cadrone tego nie wiedział. Gniew arystokraty zawsze jest groźny, niezależnie od tego, czy ów arystokrata jest urodzony w kraju zamieszkania, czy też przybył z innego, nawet formalnie nieistniejącego.

– Nie wiem, czego od niego chcecie – powiedział Słowacki ostro – ale życzyłbym sobie, abyście dali mu spokój. To nieszczęśliwy człowiek i choć jeszcze młody, duszę ma starą. A może nie tyle nawet starą, co zmęczoną.

Mickiewicz spojrzał na drugiego gościa, zażywnego mężczyznę w średnim wieku. Tamten wzruszył lekko ramionami, skrzywił się z niechęcią, ale nic nie odpowiedział.

– Sprawa jest bardzo poważna – rzekł w końcu mistrz Adam. – Nie będę ukrywał przed tobą, że idzie o dobro Polski.

– Za każdym razem, kiedy trzeba uczynić jakąś podłość, słyszę o dobru ojczyzny – przerwał mu gwałtownie Juliusz.

Teraz odezwał się zażywny mężczyzna:

– Proszę się nie irytować, panie Słowacki. Praca dla dobra kraju wymaga ofiar. Chwileczkę! – Wyciągnął rękę, widząc, że młodszy z poetów zbiera się do natychmiastowej odpowiedzi. – Zanim mnie pan zruga i obrazi, niechże powstrzyma pan nieco temperament. Nikt nie chce krzywdy Jerzego Wołłkowicza. Przynajmniej nikt z nas – uściślił po chwili namysłu. – Bo za szpiegów Rosji i francuską policję nie mogę ręczyć.

– Francuską policję?! – zdumiał się Słowacki. – A co oni mają do tego? Prowadzą śledztwo w związku z napaścią na mojego krewniaka…

Tym razem Mickiewicz przerwał Juliuszowi.

– Mówisz, jakbyś się wczoraj urodził, panie Słowacki. Przecież Rosja z Francją często idą ręka w rękę, nawet jeśli na zewnątrz się czubią. Dawno minęły czasy Napoleona, który widział w imperium wielkie zagrożenie dla Europy. Jeśli carskie służby bardzo czegoś pragną, dostaną to. Jak myślisz, dlaczego postaraliśmy się przez wpływy Czartoryskich, aby równoległe śledztwo prowadził Vidocq? Bo o nim przynajmniej wiadomo, że potrafi zachować niezależność. Nawet jeśli działa niekoniecznie zgodnie z naszym interesem, jest hamulcem dla zapędów rosyjskiej agentury.

– Mam rozumieć, że Moskale chcą zgładzić Wołłkowicza? Albo porwać? Przecież to niedorzeczne. Gdyby chcieli uczynić coś takiego, mieli go w garści u siebie. Opowiadał mi o dziwnych zdarzeniach, jakie działy się wokół niego, ale nie odniosłem wrażenia, żeby teraz lękał się o swoje życie.

– Zgadza się – rzekł zażywny mężczyzna. – Wydaje nam się, że Rosjanie chcieliby go raczej wypłoszyć, sprowokować do jakichś działań. Dlatego wszelkie zamachy były nieudane. Morderstwo to zapewne dla nich ostateczność, ale przecież nie cofną się przed niczym, jeśli uznają to za konieczne.

– Właściwie kim pan jest? – spytał Słowacki podejrzliwie. – Po polsku mówi pan doskonale, ale jest w pana wymowie jakaś dziwna nuta. Jakby znajoma, choć odległa, dźwięcząca gdzieś na horyzoncie umysłu i pamięci, ale nieuchwytna. To nie pobyt we Francji odmienił język, to coś innego…

– Kimkolwiek jestem – odparł tajemniczy gość – łączy nas wspólnota interesów. Dlatego pan Adam i książę Czartoryski zgodzili się, abym uczestniczył w naszej małej naradzie.

– Grzeczność nakazałaby się przedstawić.

– Rzeczywiście. – Zażywny mężczyzna skinął głową. – Michał Aksamit, sekretarz w gabinecie jego wysokości księcia Czartoryskiego.

– Daj pan spokój – prychnął Juliusz. – Będę się do pana zwracał tak, jak pan chce, ale zastanawiam się, któraż to z pańskich tożsamości, bo jest ich pewnie co najmniej kilka, jeśli nie kilkanaście. I nie jesteś pan żadnym sekretarzem.

Aksamit zaśmiał się cicho.

– Mówiono mi, że nie jesteś naiwny, panie poeto. Żeś wyśmiał swego czasu pewną sławną wróżkę, a raczej tych, co dawali wiarę jej nadnaturalnym zdolnościom, i okazało się, że słuszność jest po pana stronie. Ale powiedz, czy to istotne, jak w istocie rzeczy się nazywam i kim jestem...

– Nie wiem. – Słowacki uważnie wpatrywał się w twarz rozmówcy. Smagła, ale nie ciemna, mogła zdradzać południowe pochodzenie, hiszpańskie lub włoskie, ale równie dobrze jakiś przodek Michała Aksamita mógł przybyć ze Wschodu, z rejonów... właśnie... i ta wymowa. – Zaraz – powiedział poeta z namysłem. – Jerzy służył gdzieś na Kaukazie. A pan pochodzi z tamtych krain. To właśnie ten akcent.

– Brawo – rzekł lekko drwiąco, ale też i z pewnym podziwem Aksamit. – Niewielu spotkałem ludzi, którzy w ogóle usłyszeli to brzmienie. Dwóch, uczciwie mówiąc, bo i obecny tu pan Adam mnie rozszyfrował. Widać panowie poeci mają prawdziwy dar od Boga.

– To się nazywa muzyka słów – mruknął Mickiewicz.

– Możliwe, nie znam się na tym – uciął sucho Aksamit. – Przejdźmy do rzeczy. Jak rozumiem, pan Juliusz zyskał sobie zaufanie naszego przyjaciela.

– Zyskałem i nie zamierzam go zawieść – warknął Słowacki.

– Nikt tego nie żąda – rzekł z uśmiechem zażywny jegomość. – Ale od pana prędzej przyjmie pewne wiadomości, niż gdybym ja z nimi do niego poszedł. Może mnie pan spokojnie wysłuchać?

Poeta skinął głową, przyrzekając sobie, że nie będzie przerywał cudzoziemcowi. Nie wiedział tylko, czy zdoła tego przyrzeczenia dotrzymać.

Jerzy z niecierpliwością czekał na powrót Rusłana. Ordynans zaraz po zwolnieniu z aresztu wyprawił się do miasta i bez wątpienia zawitał także do swojej wdówki. Trudno, żeby Wołłkowicz miał do niego o to pretensje, nieraz Czerkies wracał późno, a nawet wcale nie wracał na noc. Tym razem jednak kapitan wyjątkowo pilnie chciał z nim porozmawiać. Cóż, trzeba się uzbroić w cierpliwość. Co się odwlecze, to nie uciecze, jak powiadają mądrzy ludzie. Owej cierpliwości jednak polskiemu wygnańcowi zaczynało w ostatnim czasie brakować. Chaos, jaki miał w głowie, obraz świata rozbity na tysiąc kawałków, zaczął się układać w jakąś mniej więcej spójną całość. Wiele jeszcze brakowało, aby zyskał ostateczny kształt, ale jakieś zarysy można było dostrzec.

Wołłkowicz usiadł w fotelu, wyciągnął nogi w stronę kominka. Od czasu walki z najemnymi zbirami czuł się wyraźnie lepiej, zupełnie jakby mocne doznania zepchnęły tajemniczą chorobę gdzieś dalej. Owszem, zdarzały się ataki, jak ten po wizycie u wróżki, ale były niepomiernie rzadsze niż jeszcze choćby tydzień wcześniej. Czy to możliwe, żeby klimat Paryża, na który narzekał Juliusz, jemu właśnie służył? A może po prostu okrzepł po golgocie drogi do Francji, mróz się wycofał albo przynajmniej przytaił? Bo nie opuścił go zupełnie, tego był pewien. Jerzy czuł, że gdyby znów przyszło mu brnąć przez śniegi, wystawiać się na lodowaty wicher, nie przeżyłby już nawet dwóch dni.

Ciepło sprawiło, że myśli zaczęły się mącić, miejsce trzeźwego rozumowania zajęły mgliste majaki, wspomnienia spychane głęboko mieszały się z tymi, które chciał przywoływać jak najczęściej.

Zimna twarz dowódcy... Pułkownik Soliński. Polak. Czy jest coś gorszego niż gorliwy wyższy oficer w obcej służbie? Wierniejszy od psa i bardziej od niego usłużny. Na drodze trup chłopca. Ile mógł mieć lat – dziesięć, jedenaście? Leży twarzą do ziemi, w plecach kula. Zabił go adiutant pułkownika, a teraz trzyma się za rozbitą twarz. Rusłan rąbnął w nią kolbą pistoletu. Nikt nie stanął w obronie żołnierza, oprócz samego pułkownika.

– Zrównać z ziemią to gniazdo szerszeni! Wszystkich zabić!

Rozkaz krótki i jasny. Lecz nikt się nie rusza, patrzą na swojego kapitana.

— Tam nie ma partyzantów. Kogo mamy zabijać? Kobiety i dzieci?

Pułkownik patrzy na dziewczynkę wtuloną w nogi porucznika Sklara, oficer trzyma ją za główkę, aby nie patrzyła na ciało zabitego braciszka.

— Wykonać! — Pułkownik Soliński wyciąga pistolet, celuje w pierś Jerzego.

— Nie wydam takiego rozkazu moim ludziom.

— W takim razie...

— Nie strzelisz — syczy Wołłkowicz. — Do tego trzeba mieć gacie pełne męskości, a nie gówna!

Pułkownik blednie i czerwienieje na przemian. Opuszcza lufę.

— W takim razie wydam rozkaz! A kto nie wykona...

Jerzy sam nie wie, jak to się dzieje, ale nagle jego pięść ląduje na szczęce przełożonego. Pułkownik pada jak podcięty, leży chwilę, potem podnosi się na czworaka. Z jego ust cieknie krew pomieszana z zębami.

Kapitan odwraca się w stronę żołnierzy.

— Patrol na ochotnika! Pięciu ludzi!

Po chwili podjeżdża podoficer z czterema lansjerami.

— Sprawdzić wieś dokładnie. Staniemy tutaj na nocleg!

Patrol się oddala, a Jerzy patrzy na ciało chłopca.

— Za to powinienem ci palnąć w łeb, świnio — mówi spokojnie do pułkownika. — Przez takich jak ty wstydzę się, że jestem Polakiem.

— Pod sąd pójdziesz — bełkocze Soliński, wstając z wysiłkiem. — Na Sybir...

Milknie, kiedy drugi cios znów spada na szczękę, łamiąc ją. Jerzy bierze na ręce ciało chłopczyka, Sklar wsiada na koń, sadza przed sobą dziewczynkę.

Czekają, aż wróci patrol. A kiedy się pojawia...

Jerzy nie wiedział, kiedy zasnął. Nie obudził go nawet zgrzyt zasuwy w zamku ani krzątanina Rusłana. Dopiero kiedy ordynans przykrył go troskliwie kocem, Jerzy otworzył oczy.

– Jesteś – burknął. – Musimy poważnie porozmawiać. Bardzo poważnie.

– Coś się stało, panie kapitanie? – Rusłan odstąpił o krok, obrzucił byłego oficera uważnym spojrzeniem.

– Ty mi powiedz, Rusłanie – odparł Wołłkowicz już nieco łagodniej.

– Nie rozumiem. – Czerkies zmarszczył czarne, jaskółcze brwi. – Co miałbym mówić?

– Powiedz mi, jak to się stało, że znalazłeś mnie pomimo wszelkich przeciwności. Dlaczego pomogłeś uciec?

Na twarzy Rusłana odmalowała się przykrość.

– Mam tylko pana na świecie, przecież pan o tym wie...

– Wiem czy nie wiem, ale zjawiłeś się równie nagle, jak przedtem zniknąłeś. I obie te okoliczności w połączeniu z tym, co mnie spotykało w przeszłości i spotyka teraz, bardzo mnie niepokoją i zaskakują. Coś się dzieje wokół mnie, a ja nie wiem co.

Rusłan, nie czekając na pozwolenie, jak zwykł to robić zawsze, przyciągnął sobie zydel do kominka, dorzucił kilka drew, rozpalając ogień na nowo.

– Przestańmy się objeżdżać – powiedział. – Niechże pan powie, co jest przyczyną tego rozdrażnienia. Cóż takiego uczyniłem?

Wołłkowicz westchnął ciężko.

– To nie rozdrażnienie, stary przyjacielu. Jestem jak to dziecię zagubione we mgle. Nie wiem, co się dzieje, nie wiem dlaczego. Nie mam pojęcia, co sprawiło, że zostałem zaatakowany przez najemników, ale też jestem pewien, że znalazłeś się tam, bo wiedziałeś, iż coś takiego może się zdarzyć.

Rusłan patrzył na dawnego dowódcę spokojnym wzrokiem, Wołłkowicz miał wrażenie, że przez twarz dymisjonowanego wachmistrza przemknął lekko drwiący uśmiech, ale już po chwili zdał sobie sprawę, że to tylko złudzenie – oblicze Czerkiesa pozostawało nieruchome.

– Odpowiesz coś?

Ordynans kiwnął głową.

– Czas byłby chyba najwyższy – rzekł cichym głosem, a potem dodał po francusku, wciąż z paskudnym wprawdzie akcentem, ale dość płynnie: – Może nie wszystko będzie dla pana jasne, ale wyjaśnienia się należą.

Chwilę trwało, zanim Jerzy przełknął zaskoczenie i się odezwał:

– A zatem tak sobie przygruchałeś ową wdówkę. Umiesz jednak coś w języku Napoleona! – To było pierwsze, co przyszło mu do głowy, ważniejsze sprawy zeszły wbrew logice na dalszy plan. – A może ta kobieta jest równie tajemniczą osobą jak ty? Może wcale nie połączyło was uczucie, lecz uczestniczycie w jakiejś misji?

Rusłan zaśmiał się krótko.

– Istnieje też trzecia ewentualność. Jedno i drugie.

– Istnieje – zgodził się Wołłkowicz. – A jak jest naprawdę?

– W tym wypadku nijak, panie kapitanie. To zwyczajna Francuzka, nikt więcej.

– Chociaż tyle – mruknął Jerzy.

Zapanowała cisza. Przerwał ją dopiero po długiej chwili kapitan.

– Opowiedz wreszcie, o co chodzi. Niechże się dowiem, dlaczego zrobiło się wokół mnie tak gęsto…

– Zacznijmy od tego – Rusłan odetchnął głębiej – że

sprawa w zasadzie pana nie dotyczy. To jej korzenie nie dotyczą pańskiej osoby. Bo jakoś się tak porobiło, że dopadła pana, jeszcze gdyśmy służyli na Kaukazie, a może i nieco wcześniej.

Wołłkowicz prychnął zniecierpliwiony.

– Jeśli zamierzasz wyjaśniać zagadkę, mówiąc zagadkami, nie zajedziemy daleko.

– Zaraz przejdę do rzeczy – odparł spokojnie Rusłan. – Troszeczkę cierpliwości. Wiedziałem, że prędzej czy później ta rozmowa nastąpi, ale i tak jest dla mnie zaskoczeniem. Sam muszę zebrać myśli. A poza tym… – Wstał, sprawdził, czy drzwi wejściowe są dobrze zamknięte, starannie domknął te prowadzące do pokoju, a potem zatrzasnął okno i zaciągnął zasłony. – Poza tym muszę mieć pewność, że nikt tego nie podsłucha.

– A kto miałby nas podsłuchiwać? – spytał jadowicie Jerzy. – Moskale czy Francuzi? I jedni, i drudzy doskonale wiedzą to, czego ja mam się dopiero dowiedzieć.

– Są jeszcze Austriacy, Prusacy, Anglicy… – dorzucił równie jadowitym tonem ordynans. – Warto o tym pamiętać.

– A zatem co to za sprawa, którą zainteresowanych jest aż tyle stron? Czego dotyczy?

Rusłan wrócił na miejsce, usiadł i zapatrzył się w ogień.

– Mojej ojczyzny – odezwał się cicho po chwili. – A zapewne też i pańskiej. Idzie o wielką tajemnicę, tak wielką i ważną, że można dla niej poświęcić życie nie tylko jednego człowieka, ale całej rzeszy ludzi.

– Ojczyzna i poświęcenie to wielkie słowa. – Wołłkowicz skrzywił się lekko. – Nie nazbyt wielkie?

Czerkies pokręcił głową.

– Na pewno nie.

5

Step ciągnął się po horyzont niczym morze. W głowie Jaszyna zabrzmiały strofy, które słyszał nieraz, kiedy zesłańcy zapraszali go na wieczornice poetyckie. Z początku się wymawiał, ale gdy raz – nie mając już wyjścia – przybył na takie spotkanie, wyszedł z niego zauroczony. Ci ludzie recytowali z pamięci nawet bardzo długie utwory, całe poematy. Ale teraz przychodził mu na myśl tylko jeden wiersz:

> *Wpłynąłem na suchego przestwór oceanu,*
> *Wóz nurza się w zieloność i jak łódka brodzi,*
> *Śród fali łąk szumiących, śród kwiatów powodzi,*
> *Omijam koralowe ostrowy burzanu.*

Na użytek gościa niektóre utwory, tak jak *Stepy akermańskie*, recytowano także po rosyjsku, jednak gubernator wolał słuchać ich w oryginalnym brzmieniu, choć bowiem posługiwał się polskim dość słabo w mowie, rozumiał język wroga doskonale. Wroga... Kto ostatecznie okazał się dlań groźniejszym przeciwnikiem? Więźniowie nienawidzący caratu czy też carscy urzędnicy, chcący ugrać jakieś swoje sprawy?

Wzdrygnął się, otrząsnął i wrócił myślami do sonetu. Może gdyby przekładu dokonał na przykład Puszkin, strofy byłyby równie lekkie i lotne, jakby wyszły spod pióra mistrza, próby zesłańców były zazwyczaj dość żałosne.

Wprawdzie krajobraz, który roztaczał się przed Jaszynem, nie przypominał żyznych połaci zachodniej Ukrainy, brakowało w nim tych wszystkich barw opisywanych przez poetę, ale bezmiar traw kojarzył się najbardziej właśnie z dziełem Mickiewicza. A może poeta wcale nie widział owego bogactwa, lecz dośpiewał je sobie w stęsknionym umyśle? Los wygnańca jest gorzki, sam gubernator miał się teraz o tym przekonać. Wprawdzie nie kazano mu opuszczać kraju, ale musiał się udać wbrew woli i sumieniu bardzo daleko, aby spełnić żądania, których spełniać nie miał najmniejszej ochoty. W dodatku nie wiedział nawet, czego owe żądania będą dotyczyć, pewien był jedynie, że nie będzie to coś, co można określić mianem szlachetnej misji.

Spojrzał w niebo. Było tak intensywnie błękitne, że prawie chabrowe, bez chmur, jeśli nie liczyć skłębionych mgiełek tu i ówdzie. Woźnica, który właśnie w tej chwili odwrócił się na koźle i zerknął na pasażera, powiedział:

– Pięknie to wygląda, panie. Jeno nie ma co liczyć, że będziem mieli taką pogodę dłużej. Już się zaczynają zbierać obłoki i nie wiada, zali zmienią się w zwykłe kłębiaste chmury i przysłonią słońce, dając ulgę, czyli też poołowieją i przyniosą deszcz lubo też burzę. Niepewna tu pogoda.

– Tak jak w górach i nad morzem – odparł Jaszyn. Nie miał ochoty na pogawędki, ale nie chciał też zrażać sobie człowieka, z którym przyjdzie mu spędzić szmat czasu. – Wy, Siemionie Siemionowiczu, znacie pewnie doskonale tę drogę?

– A co mam nie znać? – Zaśmiał się chrapliwie woźnica. – Całe życie jeżdżę tam i siam, to i poznałem różne szlaki. A ten nie w ostatku.

– I długo nam przyjdzie jechać?

– A to już zależy wielce od pogody. Gdyby zaczęły się ulewy i trakty rozmiękły, to i tydzień czasem trza w jakiej oberży przesiedzieć. Jeśli jednakowoż Pan na niebiesiech będzie nam łaskawy, to i w półtora miesiąca się uwiniem. Mamy do gór jakieś dwa i pół tysiąca wiorst, w dzień zrobimy po dobrej drodze pięćdziesiąt, może sześćdziesiąt. Część pokonamy wodą, to i szybciej będzie, bo barka nie musi stawać na noclegi.

Gubernator pomyślał, że łaskawość Pana objawiłaby się dla niego raczej w nieustającym oberwaniu chmury. Kaukaska twierdza zdawała się czymś w rodzaju bramy piekielnej. Miał przeczucie, że kiedy wejdzie w jej mury, może ich już nie opuścić. Głupie przeczucie, wszak Ananuri to miał być dopiero wstęp do właściwego zadania, ale nie chciało go opuścić. A woźnica rozgadał się na dobre:

– Dawniej na tej drodze to i zbójców ponoć można było spotkać. Ukróciło się to wpierw za wielkiego Piotra, a potem równie wielka Katarzyna wyrżnąć kazała gołowników do ostatka. Teraz nawet samotna dziewica byłaby bezpieczna, podróżując z Permu choćby po samą granicę turecką...

Oczywiście Siemion Siemionowicz przesadzał z tym bezpieczeństwem, Jaszyn wiedział doskonale, że zdarzają się napaści i grabieże. Rzecz jasna niepomiernie rzadziej niż przed półtora wiekiem, ale jednak. Niemniej jednak nie przypuszczał, żeby jakieś rzezimieszki połakomiły się na niebogaty powóz, w dodatku eskortowany przez pięciu rosłych dragonów. Przydano ich gubernatorowi niby dla bezpieczeństwa, ale w istocie rzeczy mieli dopilnować, żeby Roman Fiodorowicz dotarł na miejsce, nie zbaczając z drogi, nie próbując w żaden sposób opóźnić podróży. Zdawał sobie sprawę, że czas odgrywa tu ogromnie ważną rolę.

A woźnica paplał dalej:

– Opowiadał mi ojczulek, a jemu z kolei dziadunio, jak też wyłapywano rozbójników. Nawet Tatarczuków tu się nieraz nalazło, zazwyczaj ze zwykłymi bandami grasowali, ale też i jakiś ich czambuł się trafił gdzieś bardziej na południe. Car Piotr ponoć samego chana wytargał za brodę i pogroziwszy mu wytępieniem Ordy, ukrócił ich swawole…

Jaszyn westchnął w duchu. Była to taka sama prawda jak ta o żelaznym bezpieczeństwie. Tatarzy mieli po prostu większe korzyści z łupienia – Polski czy Wołoszczyzny – niźli z zapuszczania się na jakieś trakty. Jednak legenda powstała i żyła. Owszem, podobne było do Piotra, aby w dyplomacji używać pięści niby drwal w karczmie, lecz nawet on nie czynił tego bezsensownie, dla samego zastraszania. Inaczej nie zostałby nazwany Wielkim, mimo licznych wad i nieludzkiego okrucieństwa.

– A co porabiali wasi ojciec i dziadek Siemionowiczu? – spytał z rezygnacją Roman Fiodorowicz, żeby zmienić temat i nie słuchać więcej takich bzdur.

– Co mieli porabiać? Wozakami byli, jako i ja. Z Ukrainy się wywodzim, tam szlaków sporo przechodzi, to i tabory kupieckie prowadzili, i na własny rachunek harowali.

– Czemu zatem i wy nie zostaliście na ukrainnych ziemiach? – Jaszyn tym razem zadał pytanie wiedziony prawdziwą ciekawością.

Woźnica machnął ręką.

– Nosiło mnie tu i tam, jak to młodego. Kozacka dola mi się widziała, a rękę miałem dobrą i do szabli, i do pistoletu. Cóż jednak zrobić? Znalazłem się nie tam, gdzie trzeba i posłali mnie na Sybir na piętnaście lat. Obabiłem się wtedy z jedną miejscową dziewuchą, dzieciska się porodziły. Jak się kara skończyła, po co miałem wracać na ojczyste ziemie? Zacząłem jeździć, a żem się okazał solidny, to i coraz lepsze prace dostawałem. Wreszcie potem mogłem się przenieść w pałaski rejon i tak jakoś wyszło, żem się przytulił przy poczcie wpierw, a potem to i przy gubernatorstwie. Grosz zacząłem lepszy zarabiać, dzieciska posłałem do miasta na naukę...

Jaszyn przymknął oczy. Solidnie go już zmęczyła paplanina Siemiona. Niech woźnica myśli lepiej, że pasażer usnął.

Siedziała w jedynym fotelu swobodnie, choć i skromnie zarazem. Jerzy zawsze podziwiał kobiety za to, że potrafią przyjmować takie pozy. We własnym domu i na własnym meblu czuł się dobrze, ale jeśli wskazano by mu taki głęboki fotel gdzieś w gościach, nie wiedziałby, jak się ułożyć.

– Powinien pan znaleźć rzecz, która sprowadza na pana kłopoty – oznajmiła madame Solange. – Im wcześniej, tym lepiej.

– Fatygowała się pani, żeby mi to powiedzieć? – spytał cierpko kapitan. – Nie jest pani pierwsza w tym względzie ani zapewne ostatnia.

– Lecz ja, inaczej niż inni, widzę przyszłość jak na dłoni. Jeśli nie wyjaśni pan tej zagadki, czeka pana śmierć.

Roześmiał się.

– Śmierć? Uważa pani, że to najgorsze, co może człowieka spotkać?

Milczała długą chwilę.

– Zapewne nie – odpowiedziała z namysłem. – Lecz widzę także nieszczęście, jakie może dotknąć ukochaną przez pana osobę...

Uśmiech zniknął z twarzy Wołłkowicza, rysy mu stężały.

– Grozisz?! – warknął wściekle. – Jej grozisz, suko?!

106

Madame Solange wbiła się głęboko w fotel, przerażona. W tej chwili Polak wyglądał jak rozwścieczony dziki zwierz, gotów zabijać albo i żywcem wyrywać wnętrzności.

– Panie – wyszeptała – nie jestem odpowiedzialna za moje wizje…

Wołłkowicz zdołał się już opanować.

– Wybacz, pani – powiedział, odetchnąwszy głęboko. – Ból serca gorszy bywa niźli najstraszniejsze rany.

Jeśli Słowacki miał słuszność i ta wróżka była carskim szpiegiem, Nastii groziło realne niebezpieczeństwo. Co działo się tam, daleko na Wschodzie? Na pewno nie odważyli się skrzywdzić córki gubernatora, nawet rosyjska samowładza musiała się liczyć z wpływowymi urzędnikami, ale to nie znaczyło, że nie skrzywdzą też w przyszłości. A on w swojej porywczości właśnie dał do zrozumienia wróżce, że wie, kim jest.

– Kochasz ją, prawda, panie Wołłkowicz?

W tym pytaniu usłyszał prawdziwe zainteresowanie, ciekawość kobiety pragnącej rozmawiać na ulubiony przez niewiasty temat – o uczuciach. On z kolei nie miał ochoty o tym mówić, chciał jednak zatrzeć fatalne wrażenie.

– Wiem, że ona mnie kocha – rzekł cicho i nagle zrozumiał, że wypowiedzenie tego sprawiło mu ulgę. – A czy ja… Czy mam prawo kochać? Wcale się nie dziwię, że jej ojciec z całych sił próbował ją ode mnie odsunąć. Kimże jestem? Wpierw zesłańcem, teraz uciekinierem. Kim będę? Nieodmiennie tym samym, człekiem bez ojczyzny i majątku, bez widoków na przyszłość. Dla młodej dziewczyny nieszczęśliwy katorżnik to bohater bez skazy, lecz moja dusza pobliźniona jest jeszcze bardziej niż ciało. Boże… – Pokręcił głową. – Gdybym się uparł i wcześnie zaczął płodzić dzieci, mógłbym bez mała być jej ojcem! Gdym ją zobaczył pierwszy raz, miała lat piętnaście, a ja trzydzieści jeden. Co we mnie ujrzała, nie wiem. I być może już nigdy się nie dowiem.

Madame Solange słuchała w milczeniu. Wiedziała doskonale, co pociągało kobiety w tym Polaku. Miał piękne, ciemne, ciepłe oczy, których nie zmroziły ani bitwy, ani zabijanie, ani nawet zimno Północy. Dość wysoki, szczupły, pięknej postawy. Ramiona miał szerokie, teraz, gdy rozpamiętywał swoje cierpienie, lekko pochylone, ale znamionujące siłę, której nieco przeczyła bladość lica, choć również i ona mogła zdać się atrakcyjną, szczególnie dla kobiet kochających romantyczną tajemniczość. Żałowała, że poruczono jej właśnie takie zadanie związane z tym człowiekiem. On najwyraźniej naprawdę nie wiedział, dlaczego znalazł się w samym centrum niezrozumiałych wydarzeń, dlaczego ktoś dybie na jego życie. A właściwie już nie dybie, ale od pewnego czasu robi wszystko, aby go wygonić z Paryża, zmusić do działania.

Nie czas był jednakowoż rozczulać się nad losem jakiegoś byłego oficera. Jeśli wróżka nie wykona zadania, mężczyzna w czerni przyjdzie do niej i wypełni swoje rozkazy, a jakie one były w przypadku niepowodzenia, pani Solange nie miała najmniejszych wątpliwości.

Tymczasem Wołłkowicz zamilkł, zamyślił się, a potem poderwał głowę.

– To wszystko jest brudne i podłe – rzucił przez zaciśnięte zęby. – Zagrajmy w otwarte karty, moja pani.

Solange otworzyła już usta, by mu oznajmić, iż z jej strony gra jest czysta, ale zmilczała. Nie miało sensu przeczyć oczywistościom. Ten nieufny człowiek na pewno zdawał sobie sprawę, iż nie ma do czynienia ze zwykłą przepowiadaczką.

– A jakąż to talią? – spytała z uśmiechem.

– Nieznaczoną – burknął. – Po coś do mnie przyszła?
Nie odpowiedziała. Przecież nie mogła mu tego powiedzieć wyraźnie.

– Wiem – ciągnął po chwili. – Chcesz, abym wyruszył w drogę. Mam się wynosić z Paryża i z Francji w ogóle. Nadal milczała. Zaprzeczanie byłoby bezcelowe.

– Mam pojechać w miejsce, którego nie znam, i znaleźć coś, o czym nie wiem…

– Dla własnego dobra – zdecydowała się odezwać. – A także dla dobra tej panny, którą pan umiłowałeś.

Patrzył na nią zimnym wzrokiem. W tej chwili znikło gdzieś ciepło spojrzenia, został tylko lód wypełniający źrenice, mrożący serce.

– Proszę się wynosić – rzucił, odwracając się. – Nie mamy już o czym rozmawiać. Swoim mocodawcom proszę przekazać, że pani misja się powiodła. Nagrodzą panią sowicie.

– A dokąd zamierza się pan udać? – odważyła się jeszcze zapytać.

Odwrócił się. Jego oczy na powrót nabrały zwykłego wyrazu, lecz twarz szpecił paskudny uśmiech.

– To już nie pani rzecz.

Kiedy opuściła mieszkanie, z drugiego pokoju wyszedł Rusłan.

– Niepotrzebnie ją pan upewnił, iż wie, dla kogo pracuje – rzekł spokojnie. – Tym bardziej nas przypilnują.

– O nie, stary przyjacielu. – Nieprzyjemny uśmiech nie schodził z warg Polaka. Jego rysy wykrzywiły się drapieżnie. – Najwyższy czas dać też do myślenia naszym przeciwnikom i zagrać tak, jak oni potrafią. Ona nam do tego posłuży. Niech nasi wrogowie wiedzą, że zaczyna się gra w otwarte karty. Gra na śmierć i życie. Zaniesiesz Cadrone'owi list o tej wizycie i moich podejrzeniach, jakoby była na usługach Moskwy. Jeśli się nie mylę, to kto jak kto, ale on przekaże wiadomość komu trzeba.

Rusłan spojrzał bystro na kapitana.

– A co potem? Mam ją zabić?

– Nie! – Wołłkowicz zaśmiał się zgrzytliwie. – Po co? Zapewne oni sami to zrobią i niech tę zdrajczynię wezmą wszyscy diabli.

– Coś przez to osiągniemy?

– Nie wiem, czy coś osiągniemy – odparł Jerzy, wzruszając ramionami. Na widok wydłużającej się miny podwładnego zaśmiał się. – Ale za to wiem, co chciałbym osiągnąć. Starszy jesteś ode mnie, a nie nauczyłeś się jeszcze, że nie zawsze to, czego człowiek pragnie, tożsame bywa z rezultatami jego działania? A poza tym mam dość tych rozgrywek, podchodów, udawania, jakoby rzeczy wyglądały inaczej, niż jest w istocie. Przede wszystkim chciałbym, aby stracili nieco pewności siebie. Kiedy człowiek się czegoś obawia, łatwiej popełnia błędy. A ich błędy to nasz zysk. Czy się uda, nie mam pojęcia, jednak warto spróbować.

Rusłan pokiwał głową i odetchnął z ulgą.

– Nareszcie widzę w panu tego dawnego kapitana, gotowego stawić czoło każdemu i zawsze.

– Może dlatego, że w końcu jest coś, dla czego warto żyć... przynajmniej przez chwilę.

– A dla niej? – spytał cicho ordynans.

Na twarzy Wołłkowicza pojawił się przykry grymas.

– Dla niej? – odpowiedział równie cichym głosem. – Powinienem o niej zapomnieć, wiesz o tym równie dobrze jak ja. A ona niech zapomni o mnie. Tak będzie lepiej... dla niej...

Rusłan bez słowa wyszedł, aby po chwili wrócić z winem. Postawił na stole kubki, spojrzał wyczekująco na Wołłkowicza. Twarz kapitana znów była ściągnięta smutkiem i cierpieniem. Były wachmistrz zaczął się obawiać, że jego zapał okazał się tylko chwilowy, że znów popadnie w zwykłą apatię.

Jednak Jerzy otrząsnął się, westchnął ciężko, a potem wstał i podszedł do biurka.

– Musimy wszystko dokładnie przemyśleć, zajmie nam to pewnie parę godzin, zrób może najpierw coś ciepłego do picia, samym winem się nie zadowolimy. I przynieś przybory do pisania.

Rusłan bez słowa oddalił się do kuchni, żeby napalić pod pękniętą płytą starego pieca. Potem wrócił do pokoju z kilkoma kartkami papieru i piórem.

Żyrandole jaśniały setkami świec, a lustra umieszczone wzdłuż dwóch przeciwległych ścian od sufitu do jednej trzeciej wysokości odbijały światło, zwielokrotniając jego intensywność przynajmniej dziesięć razy. Tak się przynajmniej wydawało Nastii, olśnionej przepychem ogromnej sali i bogactwem strojów. Wprawdzie przed wyjściem cioteczka krzywiła się z niechęcią, twierdząc, iż tutejsze bale nie mogą się równać z petersburskimi, a i towarzystwo znacznie pośledniejsze niźli w stolicy, ale wychowanej na zupełnej prowincji dziewczynie wszystko wydawało się do niemożliwości wspaniałe. I barwne fasady domów, i liczba poruszających się po ulicach pojazdów i ludzi, i wreszcie ta sala, na której miał się odbyć jej debiut.

Ciotka sama wybrała sukienkę, nie nazbyt barwną i napuszoną, w kolorze jasnokremowym, który podkreślały czerwonobrązowe obszycia, ale też i nie przesadnie skromną. Siostra ojca miała niewątpliwie nienaganny gust i smak, wiedziała doskonale, jak rzucać się w oczy, nie kłując w nie jednocześnie zbędnym blichtrem.

– Jesteś świeżutka jak młody pączek – mruknęła Nadieżda Josifowna, z zadowoleniem patrząc na efekt swoich starań. – Ubrać cię w worek po owsie i też będziesz wyglądać ślicznie.

– Ależ cioteczko... – Dziewczyna spłoniła się. – Jakaż tam ze mnie piękność. Na balu pewnie będą urodziwe panie, o wiele ode mnie ładniejsze.

– Będą – zaśmiała się ciotka. – Pewnie, że będą. Wystrojone jak kokoty, upudrowane i umalowane jako i one. Takie piękno w buty można sobie schować, moje dziecko. Jak pomalujesz spróchniały płot, ładnie będzie wyglądał, i owszem, jednakowoż ledwie tkniesz palcem, wszystko się posypie. Takie właśnie są te nasze riazańskie piękności, a przynajmniej ogromna ich większość. Gdybyś podrapała lekko jedną z drugą, zaraz by na palcu został gruby osad.

Sama Nadieżda nie zwykła używać nadmiaru barwiczek. Wprawdzie wiek młodzieńczy już w jej przypadku przeminął, wciąż jednak pozostawała piękna, a urodę – jako się rzekło – potrafiła umiejętnie podkreślić, nie uciekając się do przesady.

– Zobaczysz sama – ciągnęła, poprawiając fałdy sukni podopiecznej. – Kawalerowie oczu nie będą od ciebie mogli oderwać. Kwadrans nie minie, a w karneciku zabraknie ci miejsca. W porównaniu z tymi kozami, które tam będą, jesteś jak bogini.

Kiedy jednak przybyły na bal, Nastia uznała, że cioteczka przesadziła. Kreacje dam były wspaniałe, a ich twarze urodziwe, aż oczy rwało. Oszołomiona, nie dostrzegała pewnych niedostatków, widocznych dla cynicznego, wprawnego oka patronki. Nie widziała, że ta i owa suknia została podszyta po raz piąty, że tamta czy owamta przeszywana złotą nicią wstążka zaczyna się strzępić, że pantofelek wdzięcznie wyglądający spod skraju materii safian ma już cokolwiek wytarty, a obcasik pamięta o wiele lepsze czasy. I te żyrandole... Kosztowne, szklane, kryształowe... Nigdy nie widziała tylu świec naraz, nie znajdowała się w tak jasno oświetlonym pomieszczeniu.

– Witam panią, Nadieżdo Josifowna. – Tajny radca Mikulin, gospodarz tego wspaniałego miejsca, pośpieszył w lansadach na widok wchodzących niewiast. – Jak zwykle muszę stwierdzić, że pani uroda jest olśniewająca. – Ucałował podaną wdzięcznie dłoń, a potem spojrzał na dziewczynę. – A jakąż to wschodzącą piękność przyprowadziła pani dzisiaj?

– To moja bratanica, Edwardzie Kiryłłowiczu. Niedawno przybyła do Riazania.

– Ach! – Twarz radcy rozjaśnił lepki uśmiech. – To właśnie nasza tak szumnie zapowiadana debiutantka! Witaj, panienko. – Gospodarz pochylił się do ręki Nastii. Jego wargi spoczęły na atłasowej rękawiczce, a dziewczyna aż się wzdrygnęła, kiedy zobaczyła, że jego usta są wilgotne, a właściwie zupełnie mokre. Kiedy ją puścił, odruchowo potarła nadgarstkiem o suknię.

– Serdecznie dziękujemy za zaproszenie, drogi Edwardzie – powiedziała Nadieżda miękkim, wibrującym głosem, który potrafił wprawić w drżenie najtwardsze męskie serca.

– Ależ cała przyjemność po mojej stronie! – zawołał Mikulin. – A gdy widzę taką urodę, przyjemność owa jest niepomiernie większa. Mam nadzieję, że jeszcze niejeden raz się spotkamy. I niekoniecznie na balu...

– A cóż tam u małżonki, Edwardzie Kiryłłowiczu – spytała natychmiast Nadieżda ze złośliwym uśmiechem.

– Zdrowa, jak najbardziej zdrowa – odparł mężczyzna niezmieszany. – Przebywa u wód. Pani wie przecież, Nadieżdo Josifowna, że nie lubi Riazania.

– Wiem, oczywiście, wiem. Tutejszy klimat jej nie służy.

– Co zrobić? – Radca westchnął z obłudnym żalem. – Obowiązki mnie tutaj trzymają, ale robię dla biedaczki, co tylko mogę, aby jej ulżyć.

Ruszyły w głąb sali.

– Stary cap – doleciał jeszcze do uszu Nastii pomruk cioteczki. – Nie dla psa kiełbasa.

Ale już po chwili dziewczyna zapomniała o śliniącym się gospodarzu, zapomniała o całym świecie, zachwycona otoczeniem.

Stała teraz pod ścianą, zapatrzona w przepych sali balowej, zasłuchana w gwar rozmów. Dziwnie się czuła. Jeszcze parę tygodni wcześniej nigdy by nie przypuszczała, że niebawem zagości w tak wspaniałym miejscu. Czy tak właśnie wyglądało to życie, przed którym do tej pory chciał ją uchronić ojciec? Dlaczego? Ci wszyscy ludzie byli tacy piękni i mili, uśmiechali się do siebie i do niej, wymieniali uprzejmości. Czemu ojciec zamknął siebie i ją w małej mieścinie, zamiast zamieszkać w bardziej cywilizowanym miejscu, chociażby w Permie, gdzie miał przecież swoją główną kancelarię? Jako gubernator mógł sobie pozwolić na wiele, a na terenach sobie podległych bodaj na wszystko. Do tej pory nigdy się nad tym nie zastanawiała, nie znała przecież innego życia. Ale teraz? Z jednej strony żal jej było ojca, który wpadł w kłopoty, ale z drugiej nie potrafiła ukryć radości, że stało się, jak się stało, i musiała wyjechać do ciotki. A tak się bała wielkiego miasta…

Rozległy się dźwięki muzyki. Niewielka orkiestra rozmieściła się pod ścianą przeciwległą do wejścia, na podeście schodów prowadzących w górę, do dalszych części domostwa. A dom w istocie rzeczy bardziej przypominał pałac niż zwykłą bogatą kamienicę. Tajny radca musiał być bardzo zamożnym człowiekiem.

– Pani... – Nastia nie zauważyła nawet, kiedy ten młodzieniec do niej podszedł. Aż drgnęła z zaskoczenia, ale zmieszanie pokryła uroczym uśmiechem. – Czy wolno mi będzie zarezerwować choć jeden taniec?

Nastia przyjrzała się pytającemu. Był wysoki, szczupły, o jasnych oczach pod ciemną burzą włosów. Sprawiał bardzo miłe wrażenie. Już otworzyła usta, żeby wyrazić zgodę, ale wtedy wmieszała się ciotka.

– Nie wiem, czy zdaje pan sobie sprawę, młody człowieku – powiedziała ostrym tonem – że dzisiejszy bal nie jest takim sobie zwykłym przyjęciem. Za każdy taniec trzeba zapłacić, i to niemało. To, co zdołamy zebrać, zostanie przekazane na ochronkę dla sierot.

– Szczytny cel. – Młodzieniec się skłonił. – Z przyjemnością wesprę sierotki.

Miał miły, dość niski i ciepły głos.

– W takim razie proszę pójść do hrabiny Gałuniny i złożyć w ofierze dziesięć rubli.

Młodzieniec przybladł, ale uśmiechnął się z przymusem.

– Niebawem powrócę.

To była niespodzianka. Cioteczka nic jej wcześniej o tym nie mówiła. Nastia pomyślała, że przy takiej cenie spędzi cały wieczór pod ścianą. Kto zechce zapłacić taką sumę za możliwość zatańczenia ze zwyczajną dziewczyną?

– Że też taki nędzarz i pieczeniarz potrafi się wkręcić do dobrego towarzystwa. – Nadieżda Josifowna spojrzała na bratanicę i roześmiała się. – Musisz się jeszcze wiele nauczyć o życiu.

– Znasz tego młodego człowieka, cioteczko? – spytała dziewczyna.

– Pierwszy raz go widzę.

– To skąd wiesz, że to... jak go nazwałaś? Pieczeniarz?

– Kochanie, powiedziałam, że musisz się jeszcze wiele

nauczyć. Bardzo wiele. Mnie wystarczy rzucić okiem i już wiem wszystko. Ten młodzieniec miał pożyczony frak, buty pamiętające o wiele lepsze czasy, nawet koszuli nowej nie włożył. Tacy są albo notorycznymi uwodzicielami, albo chcą złapać dobry posag. Nie daj się nabrać na piękny uśmiech i błyszczące oczy.

Nastii było przykro. Czy pierwszy mężczyzna, który chciał zaprosić ją do tańca, musiał być właśnie kimś takim?

Zaraz jednak zapomniała o niefortunnym zdarzeniu. Bo wbrew jej obawom zaczęli podchodzić kolejni kawalerowie, którzy już odwiedzili stolik, przy którym dwie arystokratki przyjmowały datki na sierociniec. Tak jak zapowiadała ciotka, wkrótce w karnecie zabrakło miejsca.

A potem był taniec za tańcem, zmieniały się twarze, świat wirował, a Nastia przechodziła z jednych ramion w drugie. Kiedy orkiestra przestała grać, a muzycy odpoczywali, zarumieniona i zdyszana dziewczyna opadła na krzesło.

– Jak ci się podoba twój pierwszy bal? – Nadieżda Josifowna spoczęła obok bratanicy. I ona nie siedziała, była proszona, ale w pewnym momencie wymknęła się do holu, aby odetchnąć i posłuchać najnowszych plotek. – Chyba nie żałujesz?

– O nie, cioteczko! – wykrzyknęła Nastia. – Jest cudownie! Nie wiedziałam, że na świecie może być tylu eleganckich panów!

Ciotka się uśmiechnęła. W tym dziewczątku inteligencja, a nawet mądrość ponad wiek mieszała się z dziecięcą naiwnością. Zaszył się ten Roman na prowincji, chował córkę z dala od blasku świata, więc gdzie miała zdobyć wiedzę o prawdziwym życiu? Ale to nawet lepiej. Łatwiej ją będzie wychować na prawdziwą lwicę salonów. Nie może się tylko zbyt szybko zrazić do tego „znakomitego" towarzystwa. Ci panowie i te damy przy bliższym poznaniu potrafili doprowadzić do mdłości. Ale to oni, niestety, stanowili o losach innych ludzi, na nich opierała się wszechwładza ojczulka cara. A szczególnie jeden z nich.

– Posłuchaj, Nastiu – powiedziała, pochylając się do ucha bratanicy. – Zaraz poprosi cię do tańca generał Michaił Rudolfowicz Jagudin. Widzisz, to ten gruby jegomość z bokobrodami. Bądź dla niego miła, nie mów niczego, co mogłoby go urazić. Najlepiej w ogóle się nie odzywaj, jeśli cię nie zapyta. Zapłacił za taniec z tobą całe sto rubli, żeby przebić konkurentów. To człek wielce zamożny i wpływowy.

Nastia spojrzała na otyłego, spoconego mężczyznę około pięćdziesiątki. Wydał jej się stary i nieprzyjemny, ale nie sprzeciwiała się. Skoro na tym balu kupowało się tańce, nie mogła odmówić.

– Tak, cioteczko – rzekła nieco rozczarowanym głosem.

– Niestety, dziecko – odpowiedziała współczująco, choć jakby bez prawdziwego żalu Nadieżda – takie już jest życie. Czasem trzeba się poświęcić dla dobra innych.

A potem skinęła głową generałowi. Tamten rozciągnął usta w uśmiechu, a Nastii zrobiło się niedobrze. Ależ ten człowiek miał popsute zęby!

– Pamiętaj, bądź miła – upomniała jeszcze ciotka, kiedy orkiestra zaczęła znów grać.

A potem patrzyła z krzywym, niedobrym uśmiechem na pląsającego tłustego generała.

6

Kolasa trzęsła niemiłosiernie na podłej, pełnej dziur drodze. Mogli sobie Francuzi szydzić z Polski, że nie ma tam porządnych traktów, mogli nazywać błoto piątym polskim żywiołem, ale i u nich znaleźć można było miejsca, których powstydziłby się nawet brudny, ciemny chłop. Nie było ich zbyt wiele, to Jerzy musiał przyznać uczciwie, ale uznał za pocieszające, że jednak jakieś są.

Zresztą, co mógł wiedzieć o prawdziwych smrodach tego kraju? Zbyt krótko w nim przebywał, a teraz w dodatku miał go opuścić. Do wyjazdu namawiał go i Słowacki, i nawet Vidocq, a przede wszystkim sam czuł, że siedzenie w Paryżu do niczego nie doprowadzi, nie rozwiąże jego problemów. Z kolei Cadrone był wściekły na wieść o zamiarach Wołłkowicza.

– Pan ucieka? – spytał zjadliwym tonem podczas ostatniego spotkania. – Doszły mnie słuchy, że wybiera się pan za granicę.

– Nie uciekam – odparł kapitan. – Wręcz przeciwnie, chcę wyjść przeznaczeniu naprzeciw.

– Głupie gadanie! – warknął komisarz. – Przeznaczenie, jeśli w ogóle jest, samo człowieka dopadnie.

Jerzy wzruszył ramionami.

– Pan wie swoje, ja swoje. Chcę wyjechać i chyba mi pan nie zabroni?

– Nie mogę zabronić – rzekł z nieukrywanym żalem Cadrone. – Tym bardziej że wspiera pana w tym zamiarze sam Vidocq. Ale jeśli się dowiem, że maczał pan palce w szpiegostwie... i w śmierci madame Solange, lepiej niech pan nie wraca do Francji, bo nie wyjdzie pan z więzienia.

– Tak jakby nie wiedział pan, kto jest w tej sprawie szpiegiem, a kto nie, i kto mógł kazać ją zgładzić. – Jerzy wydął pogardliwie wargi.

– Nie pańska rzecz.

Więcej nie zamienili ani słowa. Cadrone wystawił przepustkę, przybił pieczęć na paszporcie z odpowiednią adnotacją i wyszedł. Do bramy urzędu odprowadził Wołłkowicza wielki, ponury policjant.

Madame Solange nie została tak zwyczajnie zamordowana. Dokonano na niej egzekucji.

Tak właśnie – egzekucji. To było właściwe słowo. Z tego, co powiedział Vidocq, wynikało, że wróżka została powieszona we własnym gabinecie. Nie powiesiła się, ale z całą pewnością została powieszona. Sprawca nie silił się nawet, aby upozorować samobójstwo, co mógł z łatwością przeprowadzić. Zupełnie jakby dla wszystkich miało być jasne, że madame Solange spotkała kara. Służący znalazł ją rano, kiedy przyszedł przewietrzyć mieszkanie i sprzątnąć po nocnym seansie, jak to czynił codziennie.

– To typowe dla Rosjan albo Anglików – oznajmił Vidocq. – I jedni, i drudzy lubią dokonywać politycznej zbrodni w białych rękawiczkach, ale tak, aby wszyscy zdawali sobie sprawę, że to ich robota. Przypuszczam, że kobieta może nawet zrobiła, co do niej należało, ale jej mocodawcy zorientowali się już, że dla nikogo nie jest tajemnicą, iż prowadzi działalność agenturalną, więc się jej pozbyli. Słusznie mówi porzekadło, że kto mniej wie, lepiej sypia... a przede wszystkim ma większe szanse w ogóle się obudzić.

– Tak, Moskali znam od tej strony – przytaknął Jerzy. – Nie wiedziałem jednak, że i Brytyjczycy imają się takich sposobów.

– Imają – rzekł z uśmiechem Vidocq. – I nie kieruje moją opinią niechęć, jaką do nich żywię. Tylko mocarstwa mogą sobie pozwolić na takie sztuczki, bo tylko potężny kraj pozostaje bezkarny.

– Francja też jest mocarstwem – powiedział Jerzy.

Vidocq roześmiał się gorzko.

– Była, drogi panie. Była! Pozostały tylko pozory mocarstwowości. Mamy silną armię, pieniądze, posiadamy kolonie, liczymy się na świecie. Ale mocarstwem byliśmy do upadku Napoleona. Nie brakuje nam środków materialnych do osiągnięcia potęgi. Brakuje nam ducha. Sami go w sobie zabiliśmy, marnując schedę po Bonapartem. Nie, nie kochałem cesarza, jeśli chce pan wiedzieć. Ale ceniłem w nim geniusz. Tylko on miał tyle odwagi, żeby przestępcę, którym byłem te trzydzieści lat temu, zatrudnić w policji, pozwolić mu stworzyć Brigade de la Sûreté. Był władcą i wizjonerem zarazem. W naszych czasach to rzadkość. Władcy z reguły miewają wąskie horyzonty. Pan to rozumie, prawda? Z tego, co wiem, pańska ojczyzna upadła właśnie przez krótkowzroczność waszych królów.

– I nie tylko królów – mruknął Jerzy. – Całej arystokracji.

– To się rozumie samo przez się – przytaknął Vidocq. – Ale władca ma wpływ na tych, którymi rządzi. Jeśli zaś nie ma, nie powinien siedzieć na tronie. Sprawa upadku Napoleona nauczyła mnie jednego: żeby nie iść pod wiatr i nie sprzeciwiać się falom bijącym o brzeg. Nie warto... Dość jednak o tym – uciął, choć wyraźnie miał ochotę coś jeszcze dodać. – Wróćmy do naszych baranów. Otóż ja także uważam, że powinien pan wyjechać.

– Wiem, wiem, Paryż jest dla mnie niezbyt bezpieczny…

– Cały świat jest dla pana niezbyt bezpieczny. – Vidocq machnął ręką. – Ale skoro już tak się stało, niechże się pan ruszy i wyjaśni tę tajemnicę, która zaciążyła na pańskim życiu. Inaczej zawsze będą pana dręczyć demony niepewności.

Jerzy zmrużył oczy i uważnie przyjrzał się rozmówcy.

– Pan wie, z czym wiąże się ten sekret? I z kim?

Vidocq tylko uśmiechnął się znacząco, nie odpowiadając.

– Dobrze, wyjadę – oświadczył Wołłkowicz. – Zrobiłbym to nawet bez namów.

– To znakomicie. – Vidocq zatarł ręce. – Poślę z panem mojego człowieka. Przyda się panu towarzystwo.

– Nie potrzebuję…

– To nie jest propozycja – przerwał mu śledczy. – To warunek, że dostanie pan zgodę na opuszczenie Francji. Może nie jestem już szefem szefów w policji, ale wciąż jeszcze sporo mogę.

Jerzy milczał długo, przyglądając się rozmówcy. Nie zastanawiał się, czy przyjąć ultimatum starego lisa, wiedział doskonale, że nie ma wyjścia – jego myśli krążyły wokół innego zagadnienia.

– Wybór należy do pana – Vidocq przerwał przeciągającą się ciszę.

– Nie stać mnie na usługi tak znakomitego detektywa – uśmiechnął się krzywo Wołłkowicz.

– Pan nie musi nic płacić, to chyba oczywiste. Koszta poniosą osoby zainteresowane tą sprawą.

Kapitan pokiwał głową i spojrzał rozmówcy prosto w oczy. Natrafił na chłód, charakterystyczny dla starszego, doświadczonego człowieka, który przez całe życie stykał się ze złem. W dodatku Vidocq dogłębnie poznał obie strony odwiecznego konfliktu prawa z bezprawiem. Jerzy poczuł dreszcz przechodzący go od splotu słonecznego aż do krzyża. Zupełnie jakby ktoś wraził mu w pierś lodową igłę.

– Dobrze. Zgadzam się. Rozumiem, że sam pan zaproponował im takie rozwiązanie.

Teraz Vidocq wlepił wzrok w oczy Polaka.

– Jest pan bardzo bystry, kapitanie. Czego jeszcze się pan domyśla?

– Że jednak nie ma pan wielkiego pojęcia, czym w istocie jest tajemniczy przedmiot, który mam odnaleźć.

– Teraz mam przynajmniej pewność, że to rzecz, a nie osoba – zaśmiał się Vidocq.

– Czyli nic pan nie wie? – spytał z powątpiewaniem Jerzy. – W to akurat nie uwierzę. Mam przekonanie, że to ja jestem tutaj najgorzej poinformowany.

Vidocq znów się uśmiechnął, a potem zaczął omawiać szczegóły wyjazdu. Wołłkowicz pogodził się już z tym, że może stracić życie, nie wiedząc nawet, z jakiego powodu. Na koniec jednak nie mógł sobie darować uwagi:

– Proszę pozdrowić ode mnie pana Michała Aksamita. Macie ze sobą wiele wspólnego...

– Kogo? – zdziwienie Vidocqa było tak prawdziwe, że Wołłkowicz się roześmiał.

– Tak zwanego sekretarza jego jasności księcia Czartoryskiego. Mnie się przedstawił jako Michał Aksamit, jak panu, nie wiem, ale obaj mamy pojęcie, o kim mowa.

Vidocq popatrzył na rozmówcę spod zmrużonych powiek.

– Zaczynam wierzyć, że może się panu udać, młody człowieku – stwierdził. – Wydajesz się zamkniętą w sobie, nieszczęśliwą ofiarą tyrana, pozbawioną woli i chęci życia, ale pozory mylą. Powodzenia. I proszę pamiętać, że na moim człowieku można polegać w każdej sytuacji.

– Pan może – zauważył gorzko Jerzy. – Nie mnie on służy.

– Panu właśnie – odparł z powagą Vidocq. – Że ma mi donieść, co tam się będzie działo, to jedno, ale wydałem mu wyraźne rozkazy, aby był dla pana tarczą i orężem.

Lecz kiedy kapitan zobaczył owego zachwalanego Maximiliena, miał ochotę parsknąć śmiechem. Agent Vidocqa był mężczyzną w średnim wieku, wzrostu o wiele mniej niż średniego. Gdyby jeszcze miał szerokie ramiona i ręce jak konary, można by w nim podejrzewać mocarza. Lecz budowy był mikrej, miał drobne dłonie, nawykłe raczej do pióra niż rękojeści szabli czy pistoletu. I to stworzenie miało być mieczem i tarczą? Prędzej jakimś skrybą spisującym kronikę wyprawy. Żeby był chociaż przyjemnym towarzyszem podróży... Ale nie: okazał się milkliwy, obserwował tylko czujnie otoczenie, jakby w każdej chwili spodziewał się jakiegoś podstępnego ataku. Z początku Jerzy próbował go zagadywać, ale za każdym razem zamiast odpowiedzi słyszał burknięcie i w końcu dał spokój. Za to Rusłan używał sobie na Francuzie przy każdej sposobności i były to jedyne chwile, kiedy Maximilien wydobywał z siebie jakiś ludzki dźwięk. A i to nie zawsze.

Wołłkowicz spojrzał na milczącego towarzysza podróży i znów pogrążył się w myślach. Vidocq powiedział coś jeszcze. Jego słowa na nowo przypomniały Polakowi o koszmarze zsyłki.

– To, że był pan prześladowany bardziej niż inni zesłańcy, że dokonano na pana zamachu, według mnie ma swoje wytłumaczenie. Proszę pamiętać, że gdyby chcieli pana zabić, zrobiliby to w o wiele prostszy sposób niż podanie nieskutecznej trucizny czy jakieś chybione przytrzaśnięcie drzewem.

– Tak, tutaj zacząłem się tego domyślać. – Jerzy pokiwał

głową. – Wtedy zupełnie nie rozumiałem, co się dzieje. Ale kiedy Rusłan opowiedział mi swoją część historii, zaczęło mi się rozjaśniać w głowie. Moskale po prostu uważają, że to właśnie ja znam miejsce ukrycia tego, czego wszyscy poszukują... Postanowili więc ruszyć mnie z miejsca. To tak oczywiste, że łatwo było logiczny wniosek przeoczyć.

– Jeśli wróci pan z tej wyprawy z głową w tym samym miejscu, w którym jest teraz, ma pan zapewnione miejsce w moim biurze śledczym. Na wysokim stanowisku, z niezłą pensją.

Mówił niby lekko, ale twarz miał bardzo poważną. To była oferta, nie komplement.

– Rozważę to – odparł Wołłkowicz, również bez uśmiechu. – Nie myślałem nigdy o pracy policyjnej...

– Śledczej – poprawił go dawny komisarz.

– Śledczej – zgodził się Jerzy. – Ale mimo wszystko wątpię. Nie nadaję się do tego.

Na tym skończyli. Potem już nie spotkał Vidocqa, wszystkie sprawy załatwiał milkliwy Maximilien.

Biegła ciemną ulicą, nic prawie nie widząc przez łzy wypełniające oczy i obficie ściekające po policzkach. To było straszne, najgorsze, co ją spotkało w życiu! Spocone cielsko zległo na niej, pozbawiając tchu. Czuła obrzydliwy, ostry zapach zarówno świeżego potu, jak i dawno niemytego ciała, a do tego smród popsutych zębów...

Jak ciotka mogła jej to zrobić?! Boże, gdyby ojciec wiedział, co może się przydarzyć jego córce, wolałby ją chyba zatrzymać przy sobie, nawet narażając na wspólne niebezpieczeństwo. Ale pewnie i tak by nie mógł.

– Tatku... – łkała cichutko przerywanym ze zmęczenia głosem. – Tatku... Ratuj!

Od balu upłynął ponad tydzień, bodaj dziesięć dni. Kiedy ciotka oznajmiła, że udają się do generała Jagudina, i kazała włożyć tę samą suknię co na bal, dziewczyna była przekonana, że ma przed sobą kolejny tańczący wieczór. Tymczasem wylądowały w cichych antyszambrach generalskiego domostwa.

– Co tutaj robimy, cioteczko? – spytała Nastia, rozglądając się po zdobieniach ścian. Czuła się bardziej jak w przedsionku jakiejś świątyni niż domu.

– Kochanie, zaraz się dowiesz – odpowiedziała cicho Nadieżda. – Bardzo przypadłaś do gustu panu generałowi. Na tyle, że zapragnął nas widzieć u siebie, a zapewniam cię, że mało kogo tutaj zaprasza. Warto znieść zarówno jego ciężki dowcip, jak i cuchnący oddech. Uwierz mi, jest w stanie znaleźć ci partię, o jakiej nie śniłaś. A przecież ojciec, przysyłając cię do mnie, liczył na korzystny mariaż.

Nastia zmrużyła oczy.

– Liczył przede wszystkim na to, że będę bezpieczna.

– Wiem, wiem. – Ciotka strzepnęła palcami. – Ale nikt ci też nie zapewni większego bezpieczeństwa niźli generał Jagudin. Musimy być dla niego po prostu miłe.

Do gabinetu generała weszły po kilku minutach. Michaił Rudolfowicz przyjął je w stroju nieformalnym, jego wielki brzuch opinał jedwabny tużurek w stylu japońskim. Pasował do zwalistej sylwetki jeszcze mniej niż wół do karety, ale na pewno podkreślał wielką zamożność właściciela. Nastia pomyślała przelotnie, że równie uroczo wyglądałby knur w eleganckiej kamizelce, ale zaraz skarciła się w duchu za to skojarzenie. W końcu były tu w gościnie, a ciotce najwyraźniej zależało, aby możny pan był zadowolony.

– Witam piękne panie – rzekł gospodarz nieco chrapliwym głosem, znamionującym problemy z sercem. Tym bardziej było to słychać, że starał się mówić nisko, z aksamitnym odcieniem. – To zaszczyt gościć was w moich skromnych progach.

Nastii znów przemknęła niechciana myśl – zachrypnięty podwórzowy burek osiągnąłby podobny efekt, gdyby usiłował nie szczekać, ale śpiewać słowiczym głosem.

Maślane spojrzenie generała prześliznęło się po bujnych kształtach Nadieżdy, spoczęło na rozkwitających dziewczyny.

– Proszę, usiądźcie. – Jagudin wskazał szeroką sofę przysuniętą do ślicznego, rzeźbionego stoliczka, na którym stała otwarta butelka wina, kieliszki i misternie ułożone w stosik kawałki nieznanych Nastii słodyczy. – Częstujcie się, drogie panie, czym chata bogata.

Nastia nie piła wina. Owszem, ze dwa albo trzy razy ojciec pozwolił jej skosztować tego trunku, ale poza tym absolutnie nie tolerował traktowania córki jakimkolwiek alkoholem. „Na to będziesz miała czas – powtarzał. – Kobieta i wino nie powinny chadzać w parze, jeśli niewiasta ma się ustrzec przed zbytecznymi pokusami życia". Surowe bywało to ojcowskie wychowanie, ale Nastia wiedziała, że wynikało z troski o nią, a nie tylko przyrodzonej srogości gubernatora.

Generał nalał wina w kielichy, Nastia spojrzała pytająco na ciotkę, a ta skinęła przyzwalająco:

– Odrobinka ci nie zaszkodzi, dziecko. Ale doprawdy odrobinka…

Potem gospodarz rozmawiał przez chwilę z Nadieżdą o pogodzie, lecz co rusz popatrywał na drzwi, jakby się spodziewał, że ktoś zaraz wejdzie.

– A tobie, panienko – zwrócił się do Nastii – jak się podoba nasze miasto?

– Jest piękne – odparła z młodzieńczym zapałem dziewczyna. – Wspaniałe.

Generał się roześmiał, a przez głowę Nastii znów przeleciała myśl porównująca go do zwierzęcia, ale natychmiast odegnała wizję nadętej żaby przybranej w munsztuk. Ten mężczyzna miał w sobie coś śliskiego i obrzydliwego. I to lepkie spojrzenie... Pamiętała też z balu jego wilgotne ręce i to, jak podczas walca przyciskał ją o wiele mocniej, niż to było konieczne. Jak to dobrze, że cioteczka jest teraz obok...

Ledwie to pomyślała, a drzwi otworzyły się, stanęła w nich blada, chuda i wysoka kobieta.

– Och, jesteś, duszko! – zawołał generał. – Panią Nadieżdę oczywiście znasz doskonale, pozwól sobie przedstawić jednak jej protegowaną, oto Anastazja Romanowna Jaszyn, córka gubernatora, brata naszej uroczej Nadii.

Chuda niewiasta skinęła sztywno głową, a potem powiedziała do ciotki, jakby czytała wyuczony tekst:

– Czy mogę panią poprosić na chwilę rozmowy, Nadieżdo Josifowna? Mam bardzo ważną sprawę, ale taką, o której mężczyznom nie godzi się słuchać. Mój małżonek dotrzyma przez ten czas towarzystwa młodej damie.

Ciotka wstała, kiwnęła bratanicy głową, spojrzała dziwnie i zwróciła się do generała:

– Za chwilkę wrócę, proszę zająć się jak należy moją podopieczną.

A potem znikła za drzwiami.

To, co nastąpiło później, wydawało się teraz Nastii koszmarnym snem, pasmem zamazanych obrazów. Ledwie umilkły kroki na korytarzu, Jagudin rzucił się na nią. Nie spodziewała się, że ten opasły knur może być tak szybki. Przycisnął ją do sofy, aż jęknęła z bólu.

– Teraz się zabawimy, panienko – wydyszał jej prosto w twarz. Cuchnął jak cap.

Zaczęła się wyrywać, ale na nim zdawało się to nie robić wrażenia. Przyduszał ją coraz mocniej swoim wielkim brzuchem, manipulując jednocześnie przy spodniach. Po chwili poczuła na udzie jego nabrzmiałą męskość, która zaczęła się przesuwać w tę i z powrotem.

– Nie szarp się! – warknął. – Nie będzie ci wdzięczna ciotka, jeśli mnie nie zadowolisz!

Ku zaskoczeniu dziewczyny, generał nie próbował jej wpychać rąk pod suknię, jedynie międlił boleśnie jej piersi i ocierał się o nią.

– Nie zrobię ci krzywdy – mruczał.

Nastia poczuła nieprawdopodobne obrzydzenie. To, co robił mężczyzna, jego smród i odór wydobywający się z jego ust, to wszystko sprawiło, że dziewczyną szarpnęły torsje. Starała się je powstrzymać, ale czyniła to z najwyższym trudem. Generał spojrzał na nią i nagle odskoczył.

– Ty mała zdziro! – ryknął. – Na mnie chcesz rzygać? Na swojego dobroczyńcę? Ty suko!

Znów się zbliżył i wyciął dziewczynę w twarz. Nie silił się nawet, żeby schować niewielki członek. A potem znów próbował się na niej położyć. Ale Nastia od uderzenia i poczucia upokorzenia odzyskała zmysły. Nie zastanawiając się, sięgnęła w dół. Zaskoczony generał ułatwił jej to, przekonany, że okiełznał niepokorną klaczkę. A ona chwyciła przyrodzenie mężczyzny, który aż jęknął z zachwytu, a potem pociągnęła je z całej siły, przekręcając jednocześnie nadgarstek tak mocno, że o mało nie wyskoczył ze stawu. Z ust Jagudina wydarł się krótki krzyk, prawie wycie, ale natychmiast umilkł. Ból odebrał mu oddech. Nie poszły na marne pouczenia niani, co trzeba zrobić, kiedy jest się napastowaną. Nastia aż do tego dnia była przekonana, że to tylko czcza gadanina, bo przecież wobec wysoko urodzonej niewiasty nikt w taki sposób nie będzie się zachowywał. Kiedy zapytała kiedyś o to ojca, ten wybiegł wściekły z pokoju i zrugał nianię od najgorszych, a Nastia całą noc szlochała, bo przez jej gadatliwość ukochana osoba miała kłopoty.

Tymczasem okazało się, że to stara kobieta miała słuszność, a nie ojciec.

Generał leżał na podłodze, zwijając się i próbując zaczerpnąć oddechu. Nastia miała ochotę kopnąć go w wypięty zad, ale nie zdobyła się na to. Wybiegła z gabinetu. Przy wyjściu wystrojony w liberię lokaj najpierw wykonał ruch, jakby chciał ją zatrzymać, jednak zrezygnował. Uśmiechnął się tylko domyślnie. Zapewne uznał, że jego chlebodawca dopiął swego, a teraz zawstydzona ofiara umyka. Być może widział coś podobnego nie pierwszy raz.

Wszystko to kotłowało się w głowie biegnącej dziewczyny. Ciemna ulica podziwianego miasta wydawała się nieprzyjazna, jakby w każdym ciemnym zaułku czaiło się niebezpieczeństwo.

Nastia przystanęła, spazmatycznie chwytając powietrze. Szaleńczy bieg sprawił, że przed oczami migotały jej jaskrawe plamy. Boże... A czy nie powinna tam zostać? Zaczekać na cioteczkę? I nagle jej skołatany umysł połączył fakty. Przecież żona Jagudina specjalnie wyciągnęła Nadieżdę Josifowną z pokoju! Czy właśnie dlatego, żeby jej mąż mógł zniewolić niewinną dziewczynę? Czy to możliwe? Wszystko na to wskazywało. A ciotka, czy mogła o niczym nie wiedzieć? To jej spojrzenie przy wyjściu, ten rozkazujący ton przez cały wieczór... Stara rajfurka! Naprawdę była siostrą ojca?

Boże!

Teraz musi jakoś wrócić do domu. Mimo wszystko. Może zbyt ostro oceniła ciotkę? Trzeba z nią to wyjaśnić.

Jednak Nastia nie zdążyła jeszcze poznać Riazania, przyjechały w gościnę zamkniętym powozem, skąd miałaby wiedzieć, gdzie jest ulica Twerska?

– A kogóż my tu mamy?

Jej rozmyślania przerwał zachrypnięty głos. Było to tak niespodziewane, że podskoczyła. Jeszcze przed chwilą stała sama na pustej ulicy, a teraz z czterech stron zbliżali się do niej jacyś mężczyźni. Rzezimieszki, złodzieje... bandyci... Przecież Riazań to duże miasto, ojciec opowiadał jej kiedyś, jak niebezpiecznie chodzić nocami po pewnych dzielnicach Petersburga. A skoro nawet tam, gdzie roiło się od policji, zdarzały się zbrodnie, dlaczego tutaj miało być inaczej? Zdaje się, że wpadła z deszczu pod rynnę.

– Patrzajcie no, chłopcy, jaka to nam się łania trafiła! – zarżał drugi głos. Będzie zabawa, że hej.

– Ratunku! – krzyknęła Nastia. – Ratunku!!!

Ale byli już przy niej, wszyscy naraz. Usta zatkała szorstka dłoń, na głowie wylądowała jakaś szmata. Cuchnęli podobnie jak generał. Ale każdy z nich był silniejszy od starego capa, więc kiedy pochwyciły ją twarde łapy, nie była w stanie nawet się poruszyć.

– Zabieramy ją do ojca Karabasza – zakomenderował ten, który pierwszy się odezwał. – Da za nią niezłą cenę.

– A jak nie? – spytał któryś.

– To sami z nią sobie poigramy. – Przywódca zarechotał obleśnie.

– Nie lepiej od razu ją... tego?

– Karabasz da nam tyle za nieruszoną, durniu, że przez tydzień za swoją część w burdelu możesz siedzieć! Nie mędrkuj.

Roman Fiodorowicz poderwał się z posłania. Na nocleg rozłożyli się w szczerym polu, było dość ciepło, więc wystarczyło okryć się grubą derką, żeby nie narzekać na niewygody. Ale gubernator nie mógł zasnąć. Może położył się jednak zbyt wcześnie? Ledwie zaszło słońce, nakrył się wełnianą materią, odwrócił od ogniska i próbował zasnąć. Niby podrzemywał, ale budził się co chwila. Nie przeszkadzały mu pogwarki żołnierzy i opowieści woźnicy. Były niczym szum morza, do którego łatwo przywyknąć. Coś nie dawało mu spokoju, niepokoiło.

Ten dzień ciągnął się w nieskończoność. Wielka równina nużyła już, Jaszyn tęsknił za górami, a przynajmniej jakimiś pagórkami. Nie żeby pofałdowane tereny darzył szczególnym uczuciem, ale wolał je od takiej pustaci. Opowiadał mu kiedyś pewien marynarz, jak można zwariować, kiedy statek przy dniu polarnym uwięźnie wśród lodów i trwa nieruchomo tydzień, miesiąc albo i dłużej. Ludzie wtedy szaleją, bo przestają odróżniać biel śniegu od szaroburej bieli wiecznych chmur, widnokrąg ulega zatarciu i marynarzom zaczyna się wydawać, iż zostali zawieszeni w przestrzeni między niebem a ziemią, a w istocie rzeczy w drodze do piekła.

Tutaj ziemia była zielona lub ciemnoszara, a niebo zazwyczaj niebieskie, a jeśli nawet pokrywały je chmury, horyzont odcinał się ostro, rysując wyraźną granicę, kiedy jednak podnosiła się poranna mgiełka, rozmywając kontury świata, zacierając różnicę między górą i dołem, gubernator potrafił sobie wyobrazić to przerażające uczucie zawieszenia, choć była to tylko jego namiastka.

Zasnął wreszcie i zdawało mu się, że śpi bardzo długo. Męczył się w jakimś poplątanym zupełnie śnie, w którym wszystko mieszało się, szło na przekór, aby doprowadzić do jakiegoś okropnego końca. Nie wiedział, do jakiego, ale przeczuwał, że będzie straszny. W pewnej chwili poczuł taki strach, że zerwał się na równe nogi. Zgromadzeni przy ognisku ludzie spojrzeli na niego zdziwieni.

– Wstajemy już? – spytał przekonany, że zastał żołnierzy i woźnicę przy porannym posiłku. Mieli przecież ruszyć przed świtem.

– Skąd, panie! – Siemion aż klasnął w ręce. – Nie wiem, czyście z kwadrans chociaż drzemali! Jeszcze się króliki nie dopiekły, ale zaraz będą. Zjecie z nami, skoroście się już podnieśli?

Jaszyn wsłuchał się w siebie. Ten potworny niepokój wciąż jeszcze kołatał się w duszy, wciąż przyprawiał o drżenie serca. Mimo przebudzenia wydawał się wciąż bardzo realny, jakby tuż obok zdarzyło się jakieś zło.

Odetchnął głęboko.

– Usiądę z wami – zdecydował. – I tak teraz nie zasnę.

– Mary pana dręczyły? – spytał Jurij Szmit, kapitan dragonów i dowódca eskorty.

– Nie inaczej.

Oficer pokiwał głową.

– Czasem tak człowieka dopadnie. Ale nigdy nie wiadomo, czy z takiej rzeczy wyjdzie coś dobrego czy złego. Pamiętam, jak kiedyś w górach tak mnie mordowało. Byliśmy z oddziałem na rekonesansie. Niby spokój i cisza, żadnych partyzantów, żywego ducha nawet, tylko parę górskich kozłów. Zmordowany byłem wtedy, pamiętam, okrutnie... – Kapitan zamyślił się na chwilę. – Cały dzień w marszu, nic nie udało się upolować, jedliśmy żelazne racje. Wyznaczyłem warty i zległem. Tak jak pan dzisiaj, Romanie Fiodorowiczu, kręciłem się, a sen przychodził i uciekał niby jaka wstydliwa panna. Potem mnie zmorzyło. Co mi się wtedy roiło, nie pamiętam. Dość, że kiedy się poderwałem, ujrzałem rzucającego się na mnie wielkiego Gruzina. Przez to, żem zmienił pozycję, jego szablisko skrzesało tylko iskry ze skały, zamiast obciąć mi łeb. – Znów przerwał, zapatrzył się w ogień. – Wartowników, co się pospali, kazałem powiesić, ale że z drzewami było krucho, rozstrzelaliśmy ich. Nigdy nie wiadomo, czy koszmarny sen nie uratuje czasem komu życia...

Jaszyn pokiwał głową. Oby to nie był tylko sen zwiastujący nieszczęście. Jako człowiek wykształcony, dziecko epoki oświecenia, gubernator nie wierzył w takie przesądy, ale dusza ludzka niekoniecznie musi być posłuszna nauce. Gdzieś tam pozostał osad niesamowitych opowieści piastunki, choć zepchnięty głęboko. A poza tym nawet ojciec Laurenty, sprawujący opiekę duchową nad garnizonem i zesłańcami, twierdził, iż Bóg może ostrzegać swoje owieczki przed niebezpieczeństwem, zsyłając na nie wizje, co zostało wszak udokumentowane w Biblii.

Lecz teraz niepokój już przygasł, a nawet odszedł zupełnie, pozostawiając tylko przykre wspomnienie. Oby owo ostrzeżenie, jeśli ten sen w ogóle nim był, nie miało nic wspólnego z Anastazją...

Nastia siedziała przy stole, a z jej oczu znów płynęły łzy. A przecież obiecała sobie, że nie będzie już płakać. Cóż jednak warte są podobne obietnice, jeśli dzieje się krzywda, jeśli świat sprzysięgnie się przeciw niewinności? To, co wydarzyło się w ciągu ostatnich kilku godzin, zdruzgotało jej dotychczasowe poglądy na świat, na los człowieka. Do tej pory żyła w przekonaniu, wpojonym przez wychowanie, że każdy ma wpływ na swoją dolę. Dziś mogła się przekonać, jak zawodne jest to przekonanie. Jakim trzeba być silnym mężczyzną, najlepiej wielkim wojownikiem, żeby stanąć przeciwko rzeczywistości i zmieniać ją na swoją modłę. A i to nie wiadomo, czy największy mocarz zawsze sobie poradzi... Wszak nawet w starożytnych mitach Herkules, którego żadna przeszkoda nie mogła pokonać, wreszcie musiał się ugiąć przed losem, choć przedtem sam kształtował go w potężnych dłoniach, niczym wprawny garncarz glinę.

Nic już od niej nie zależało...

– Pij, dziecko, póki gorące – powiedziała starsza kobieta. Wyciągnęła rękę, żeby pogłaskać dziewczynę po głowie, ale Nastia uchyliła się gwałtownie. – Nie bój się. – Głos kobiety był smutny i łagodny. – Nikt ci tu krzywdy nie zrobi.

Już słyszała, że nikt jej nie skrzywdzi. Nie dalej niż dzisiejszego wieczoru. A co się stało potem?

– Daj spokój, mateczko – powiedział męski głos. – Jest jeszcze przerażona.

Nastia nie zauważyła, kiedy ten młodzieniec wszedł do izby. Siedziała tyłem do drzwi, a on musiał się poruszać bezszelestnie. Obejrzała się, żeby spojrzeć na przybyłego, i poderwała się na równe nogi.

– To... to... pan?! – wykrztusiła.

On wyglądał na równie zdumionego. Nie bardzo mieli okazję przyjrzeć się sobie w mroku nocy. Światła latarni w okrywającej świat mgle więcej ukrywały, niż ujawniały, a po za tym nie było czasu na konwenanse i przyglądanie się sobie.

Przybył niczym rycerz na białym koniu. Tak teraz o tym myślała, choć przecież zjawił się piechotą. To było równie niespodziewane jak wszystko, co ją do tej pory spotkało. Usłyszała, jak ktoś mówi:

– Puśćcie ją!

I odpowiedź przywódcy bandy, poprzedzoną soczystym przekleństwem:

– Idź w swoją stronę, chudzielcu. A może chcesz pod żebra ze trzy cale żelaza?

Zatrzymali się. Nastia kręciła głową, próbując się pozbyć cuchnącej szmaty. Udało jej się wprawdzie nieco rozluźnić zawój, przez szparkę wpadło trochę świeżego powietrza, ale niewiele widziała, a wciąż ją przytrzymywały ręce dwóch napastników, więc nie mogła się poruszyć. A tam rozgrywał się dramat.

– Puśćcie ją – powtórzył z uporem młody głos. Nie słychać w nim było strachu, raczej pewność siebie i determinację. – Natychmiast!

Nastia pomyślała, że gdyby była na miejscu tych zbójów, tysiąc razy by się zastanowiła, czy zaczynać zwadę z kimś, kto tak przemawia. Ale przestępcy nie mieli widać zwyczaju wsłuchiwać się w tembr głosu. Byli po prostu wściekli, że ktoś śmie im przeszkadzać, a przy tym pozostawali w miażdżącej przewadze. Dziewczyna usłyszała tupot nóg, potem głuche odgłosy uderzeń, jakiś szczęk, brzęknięcie, jakby metal upadł na bruk, jęki i głośne przekleństwo.

– Chodź który jeszcze! – rzucił zduszony głos.

Nastia nie potrafiła rozpoznać, czy należał do przywódcy bandytów czy tego drugiego. Wtedy ten z lewej strony puścił ją i pognał na pomoc towarzyszom. Dziewczyna wolną ręką natychmiast ściągnęła z głowy szmatę, odetchnęła głębiej i patrzyła rozszerzonymi oczami na to, co działo się przed nią. Jeden rzezimieszek leżał na ulicy, zwijając się identycznie jak generał w salonie. Widać otrzymał cios w to samo miejsce. Drugi, przywódca, krwawił z rozbitego nosa, ale próbował trafić nożem jej niespodziewanego wybawcę. Z pewnością ktoś bardziej obeznany z walką wręcz doceniłby umiejętności szczupłego młodzieńca, który opędzał się przed nożem ściągniętym z ramion płaszczem. Nie tylko się oganiał, ale próbował w dodatku ugodzić furkoczącą połą twarz przeciwnika.

Ale teraz miał przeciwko sobie dwa ostrza. Przestępcy ochłonęli już z zaskoczenia, zaczęli czuć respekt przed przeciwnikiem. Ten leżący również zaczął się zbierać, sięgnął za pazuchę, zapewne także po broń. Lecz młody człowiek nie czekał, aż tamten wstanie. Zawinął płaszczem, zmuszając obu doskakujących wrogów do cofnięcia się i brutalnie, z całej siły, kopnął klęczącego w twarz. Ten nawet nie jęknął, zwalił się jak ścięte drzewo.

– Kurwi synu! – wrzasnął przywódca. A raczej wygęgał, bo wciąż trzymał się za nos, machając nożem. A potem rzucił okiem do tyłu. – Puść ją i chodź! – wezwał ostatniego kompana. – Zarżniemy tego durnia!

Ten, który trzymał Nastię, zawahał się na chwilę, rozluźnił uchwyt. Mogłaby teraz wyrwać rękę i spróbować uciec. Na pewno by się udało, skoro bandyci zajęli się tym młodzieńcem, ale nie była w stanie na to się zdecydować. Jak mogłaby zostawić tego, który dla niej narażał życie? A poza tym nie poradzi sobie przecież z trzema uzbrojonymi ludźmi.

Zanim prześladowca zdążył podjąć decyzję – a mogła być tylko jedna, bo jakże tu nie wykonać rozkazu przywódcy – Nastia z rozmachem wsadziła mu palec wolnej lewej ręki prosto w oko. Trafiony zawył i odruchowo uderzył dziewczynę. Zatoczyła się kilka kroków i upadła na bruk.

Wszystko to trwało bardzo długo, ale dopiero teraz zaczęły się otwierać okna okolicznych domów. Nawet w zakazanych uliczkach podobne hałasy nie były czymś zwykłym.

– Cicho tam, bo stójkowego zawołam! – zagrzmiał tubalny bas. – Porządni ludzie kładą się spać!

Zapewne w innych okolicznościach fakt, że tutejsi mieszkańcy określają siebie mianem porządnych ludzi, wydałby się całkiem zabawny, ale Nastii na pewno nie było do śmiechu. Bandzior ze zranionym okiem, trzymając się za lewą część twarzy, podążał mimo wszystko na odsiecz pozostałym. Ale młodzieniec zdołał już wytrącić nóż przywódcy, a drugiego napastnika chlasnął rozpędzoną połą płaszcza prosto w twarz. Widząc kolejnego uczestnika bójki, z rozmachem kopnął herszta w kolano, a potem dołożył mu łokciem w nos, kiedy tamten pochylał się, sparaliżowany bólem.

Następnie odskoczył od drugiego nożownika, podbiegł do tego z bolącym okiem i bez litości, za to z rozmachem, wsadził mu kciuk w drugi oczodół. Wycie znów wypełniło ulicę. Z oddali doleciały dźwięki policyjnych gwizdków. Ostatni pozostający na nogach rzezimieszek, widząc, że nie poradzi sobie z tym nieoczekiwanie sprawnym młodzieńcem, wziął nogi za pas, pozostawiając kompanów na łasce wroga.

A potem Nastię otoczyło silne ramię.

– Chodźmy, panienko.

– Dokąd? – Szarpnęła się, ale zaraz uległa. Cóż gorszego mogło jej się jeszcze przydarzyć?

– Do mnie. To znaczy do mojej matki – dodał szybko. – Przygarnie panienkę, jeśli nie ma pani dokąd pójść.

„Ależ mam!" – chciała odpowiedzieć dziewczyna, ale przyszło jej do głowy, że po tym, co zrobiła generałowi, ciotka może nie chcieć jej widzieć.

A teraz stała przed wybawicielem i czuła coraz większy wstyd. To był ten sam młodzieniec, który na balu próbował poprosić ją do tańca i którego cioteczka tak ostro odprawiła.

– To pani – mruknął.

– Kim pan jest?

– A czy to ważne? – Podrzucił dumnie głową. – Tym, którego nie warto wpisywać do karnetu.

Oczy Nastii natychmiast wyschły, pojawił się w nich ogień.

– Proszę mnie nie obrażać – prychnęła. – Takie zasady obowiązywały na tym balu.

Uśmiechnął się.

– Tak już lepiej. Wolę, kiedy się pani gniewa, niż oddaje się rozpaczy. Proszę przyjąć do wiadomości, że kiedy zdobyłem złoto i poszedłem je dać, aby wpisać się w pani zeszycik, ta dama, z którą pani przyszła, powiadomiła mnie, że nie ma już w nim miejsca.

– Ale było przecież miejsce – odparła zdumiona Nastia. – Nie tańczyłam cały czas...

Młodzieniec wymienił z matką porozumiewawcze spojrzenia, uśmiechnął się.

– Teraz to nieważne. A czy można wiedzieć, jak się nazywa ta dama i gdzie mieszka? Pytam, bo może trzeba posłać do niej list, że jest pani u nas. Niech się nie martwi.

– To moja ciotka Nadieżda Josifowna Milunin.

Nastia zobaczyła, że młodzieniec się wzdrygnął.

– Sławna pani Milunin – mruknął. – Nic dziwnego, że znalazła się pani w kłopotach.

– Co pan chce przez to powiedzieć? – spytała dziewczyna napastliwie. Mimo wszystko broniła się przed myślą, że cioteczka mogła ją tak wykorzystać.

– Nie czas teraz na takie rozmowy – ucięła gospodyni. – Powinna się panienka przespać. Jak powiadają mądrzy ludzie, ranek jest mądrzejszy od wieczora.

Nastia chciała zaprotestować, ale nagle poczuła, że jest bardzo zmęczona, i zrobiło jej się wszystko jedno. Jeśli jej podejrzenia okażą się prawdziwe, nie ma nawet dokąd wrócić. Wstała i nagle przypomniała sobie o dobrym wychowaniu.

– Przepraszam, nawet nie wiecie państwo, z kim macie do czynienia. Jestem Nastazja Romanowna Jaszyn.

– Andriej Symeonowicz Gałszt. – Młodzieniec ucałował podaną mu dłoń. – A to moja mateczka, Irina Pietrowna Gałszt.

Nastia miała znowu łzy w oczach.

– Nie wiem, jak mam dziękować...

– A zatem proszę nie dziękować – przerwał jej nieco
oschle młodzieniec. – Czas do łóżka. Niech pani teraz
odpocznie, jutro naradzimy się, co robić dalej. Mateczko,
połóż pannę Anastazję w moim pokoju, ja się dzisiaj prze-
śpię u Dymitra.

7

Szkuner pokonywał fale bez trudu, ale jakby nieco leniwie. Przybyli do portu poprzedniego ranka, a już przed wieczorem statek wypłynął na pełne morze, ledwie się zaokrętowali, zupełnie jakby tylko na nich czekał.

Jerzy nie znał się na żegludze ani morskiej nawigacji, lecz był pewien, że cały dzień krążyli w kółko, prując fale Morza Śródziemnego. Większość żagli pozostawała zrefowana. Tajemnica wyjaśniła się, zanim zaszło słońce. Kiedy na horyzoncie ukazała się podobna jednostka, kapitan kazał rzucić kotwicę. Niebawem drugi szkuner zbliżył się na jakieś sto sążni, wymieniono sygnały. Po chwili z tamtej jednostki opuszczono szalupę, marynarze zabrali się do wioseł. Niebawem na pokład wdrapał się dość wysoki mężczyzna, wygodnie, a zarazem elegancko, ubrany; widać było, że preferuje ciemne barwy i czerń. Kapelusz nasunął głęboko na oczy, więc nie można było dokładnie dostrzec twarzy.

Kapitan powitał go krótkim uściskiem dłoni, a potem osobiście zaprowadził do kajuty.

– Najwyraźniej nie tylko my jesteśmy czymś w rodzaju kontrabandy na tej łajbie – mruknął Rusłan, stojący obok Wołłkowicza i uważnie obserwujący wydarzenia. Zresztą wszyscy wolni od pracy marynarze i znudzeni pasażerowie wylegli zobaczyć, co się dzieje.

– Takie widać tutaj panują obyczaje – odparł Jerzy. – A może to miejsce jest jak jakaś stacja dyliżansów, do której pasażerowie docierają, aby przesiąść się na pojazd podążający w odpowiadającym im kierunku?

– Może – zgodził się Rusłan z powątpiewaniem w głosie. – Trzeba by zapytać naszego milczka. – Zwrócił się do Maximiliena, który także obserwował przybycie nowego pasażera. Człowiek Vidocqa trzymał się nieco z tyłu, łypał spod oka. – Jak z tym jest, mały przyjacielu? To zwyczajna praktyka u tych wybrzeży?

– Zwyczajna – odpowiedział Maximilien. Głos miał niski i głęboki, nie bardzo pasujący do niezbyt imponującej postury. – Zwyczajna wśród przemytników i w ogóle różnych ciemnych typów.

– Rozumiem. – Wołłkowicz cofnął się, żeby stanąć obok Francuza. – A zatem nasz nowy towarzysz podróży jest najprawdopodobniej przestępcą?

– Albo szpiegiem – dorzucił Rusłan.

– To jakaś wielka różnica? – spytał Jerzy z krzywym uśmiechem.

Maximilien nie odpowiedział. Kiedy niespodziewany gość zniknął pod pokładem, odwrócił się na pięcie i odszedł. Po chwili kapitan ukazał się z powrotem, krzyknął coś do pierwszego oficera. Ten natychmiast zaczął wydawać rozkazy, a marynarze z wachty wrócili do pracy, zaroili się przy linach i na masztach, płachty grubego, mocnego płótna poszły w dół. Dopiero teraz szkuner pokazał, na co go stać. Szarpnięty wiatrem wypełniającym żagle ruszył, szybko nabierając prędkości. Pruł fale, większe, grzywiaste rozbijając na drobne bryzgi i dusząc dziobem drobniejsze.

– Niedługo się zacznie wielkie rzyganie – mruknął Rusłan. – Ze dwa razy płynąłem statkiem i za każdym razem musiałem to odchorować…

– Słyszałem o tym od znajomych matrosów – powiedział Jerzy. – Podobno nawet niektórzy z nich, choćby bardzo doświadczeni, jeśli zbyt długo przebywają na lądzie, zapadają na chorobę morską. Ale potem przyzwyczajają się z powrotem do przechyłów.

– Do tego chyba nie można się przyzwyczaić. – Rusłan z obrzydzeniem spojrzał na piękne morze połyskujące krwawym zachodem słońca, znajdującego się teraz na skos za rufą, nieco po prawej stronie. – Próbowałem już różnych rzeczy. Albo nie jadłem, albo przeciwnie. Różnica tylko taka, że w pierwszym przypadku rwie człowieka na sucho i czuje się w ustach tylko żółć, a w drugim można po prostu poczuć chwilową ulgę. Ale złudna to też ulga, bo koniec końców ta sama żółć pali gardło.

– Możesz mi o tym nie opowiadać? – Jerzy skrzywił się. – Zapewne sam będę miał okazję się przekonać, jak wygląda morska przypadłość.

Nie upłynęły nawet dwie godziny, jak Rusłan, trzymając się kurczowo relingu zdrową dłonią, a kikut wpierając w poręcz, trwał przechylony przez burtę. Jerzy na razie nie miał jeszcze mdłości niemożliwych do opanowania, chociaż czuł się nieco niewyraźnie.

Podszedł do ordynansa, ale odgłosy torsji sprawiły, że zrobiło mu się gorzej, więc oddalił się na drugą burtę. Patrzył w morze i do mdłości dołączyło się jeszcze inne uczucie. Coś podobnego odczuwał w wysokich górach, spoglądając długo w dół, w przepaść. Tam myślał o tym, jak by to było spaść, lecieć długo, mając przed oczami migające skały i zbliżającą się ziemię. Tutaj zastanawiał się z kolei nad bezdenną głębiną i też ogarniała go ochota, aby rzucić się z głową w odmęty. I nagle wyobraźnia podsunęła mu bardzo plastyczną wizję: był olbrzymem i stojąc z boku, patrzył na ich łupinę pracowicie przemierzającą morze. Ale w wizji morza nie było. Szkuner, a właściwie szkunerek, poruszał się w powietrzu nad otchłanią, mając pod sobą podwodne skały, góry i równiny.

Potrząsnął głową. Szkoda, że zamiast iść do wojska, nie zajął się jednak malarstwem. Wiele razy spadały nań takie obrazy, szkicował je wtedy w dzienniku, ale od lat nie miał ani okazji, ani czasu, by wziąć do ręki pędzel. Poświęcił się służbie wojskowej, choć podczas tępych ćwiczeń dusza nieraz rwała się gdzie indziej, w nieznane rejony. A potem przyszło powstanie, zsyłka, znów służba w wojsku i znów wyrok… W rezultacie nie zrobił kariery ani jako wojskowy, ani jako artysta. Ale może właśnie dlatego, że sam miał zacięcie do sztuk pięknych, potrafił tak swobodnie porozumieć się z Juliuszem? Rozumiał chociaż po części duszę poety, był w stanie ogarnąć umysłem jego rozterki. Słowacki podczas powstania pracował w Biurze Dyplomatycznym księcia Czartoryskiego. Został nawet wysłany z misją do Paryża i Londynu jako kurier Rządu Narodowego. Nie był zdolny do służby w polu, czynił więc, co mógł, by pomóc, w odróżnieniu od takich, którzy uciekli przed zamętem, ale nie przestali się stroić w patriotyczne piórka. To także sprawiło, że zgorzkniały Wołłkowicz pozwolił mu się do siebie zbliżyć, naruszyć skorupę cierpienia. Kapitan od dawna już wiedział, że walka z bronią w ręku wcale nie bywa najważniejsza. Nad podziw często słowa potrafią razić mocniej niż działa, zadawać większe rany niż potężne cięcie szablą, sięgać serca skuteczniej niż bagnet wrażony w pierś. Potrafią też leczyć i dawać nadzieję. To potężny oręż, a Słowacki potrafił się nim posługiwać z niezwykłą biegłością. Wolałby właśnie jego mieć za towarzysza podróży niż uparcie milczącego Maximiliena.

Mdłości nadeszły niespodziewaną falą, ledwie zdołał się powstrzymać przed natychmiastowym zwymiotowaniem.

Dobrze, że nie zjadł obfitego obiadu. Podróż morzem miała być szybsza i wygodniejsza, niż gdyby tłukli się lądem, ale jeśli przyjdzie ją przypłacić ciągłą chorobą, wolałby już znosić niedogodności jazdy powozem i konno.

Poczuł przeszywające zimno. Czy do przeklętych nudności miał się dołączyć jeszcze atak gorączki? Wczepił się w poręcz relingu równie kurczowo jak Rusłan, ale w tej chwili mróz rozlewający się po ciele sprawił, że zapomniał o chorobie morskiej. Zupełnie jakby szpik zamieniał się w bryłki lodu, a kości miały się za chwilę skruszyć pod wpływem zimnicy i prysnąć niczym kryształowa waza zrzucona na kamienną posadzkę.

A przecież było ciepło, nawet bardzo ciepło. Wiatr wprawdzie był na tyle silny, by popychać statek, ale nie przenikał na wskroś. Powietrze wypełnione łagodną wilgocią było miękkie i aksamitne.

Jerzy zacisnął zęby, opanowując z całych sił drżenie. Nie, nie podda się tym razem! Nie pójdzie do kajuty, aby owinąć się kocem, nie zażyje chininy, która pomagała mu zresztą mniej niż umarłemu kadzidło. Skoro wziął się już za bary z losem, to do końca! Jeżeli lekarze nie potrafili nic poradzić na przypadłość, sam to spróbuje uczynić – bez leków, siłą woli. Wszak dawno już doszedł do przekonania, że gnębi go przypadłość duchowa, nie cielesna. Przecież nigdy nie zdarzyło się, żeby atak przyszedł, kiedy przebywał z Nastią. Zupełnie jakby bliskość kochanej istoty była zdolna ukoić wszelkie dolegliwości.

Nastia… Kiedyś patrzyli razem na podobny zachód słońca. Czerwona kula nie odbijała się co prawda w morzu, ale w rzece, jednak wyglądało to bardzo podobnie. Tyle że tam uroczego widoku dopełniała jeszcze zieleń lasu i podmokłej łąki, a tutaj wszędzie dookoła była tylko woda. To wspomnienie sprawiło, że febra zaczęła się oddalać, niechętnie, szczerząc jeszcze zęby, gotowa w każdej chwili powrócić.

– Boże – wyjęczał Rusłan. Przywlókł się do kapitana. – Jak ja nienawidzę morza! Nigdy więcej...

Jerzy pomyślał, że nie mógłby poświęcić życia na przemierzanie bezkresu wód, ale teraz, kiedy mdłości odeszły, doceniał wszechobecny spokój i obojętność fal wobec ludzkiej egzystencji.

– Źle się pan czuje? – spytał Rusłan, widząc bladość twarzy Wołłkowicza. – Może się pan położy?

Jerzy spojrzał na Czerkiesa z wdzięcznością, a nawet synowską czułością.

– Stary, sam ledwie żyjesz, a mną się martwisz?

– Co tam ja. – Rusłan machnął kikutem. – Rzyganie mnie nie zabije, z czasem przejdzie. Ale ta gorączka... No i to przeze mnie znalazł się pan w kłopotach.

Wołłkowicz się roześmiał.

– Przez ciebie? Nie kpij, człowieku. Obu nas wpakowało w kabałę rosyjskie imperium. Zrobiłeś, co do ciebie należało i czego oczekiwali twoi rodacy. Przechowałeś tajemnicę, w dodatku sam nie wiesz nawet, jaka jest jej istota. A że zażyłość ze mną sprawiła, iż niektórzy uznali, że to mnie powierzono sekret, być może uratowała cię swego czasu od tortur i śmierci. Wiesz, nie jest tak łatwo zmasakrować i zaszlachtować oficera, szlachcica z dobrego rodu. Ale syna jakiegoś chłopa z Przedkaukazia? Nikt by się o ciebie nie upomniał. Zatem dobrze się stało, jak się stało.

Rusłan, zielony na twarzy, z trudem przełknął gulę w gardle.

– Dzięki, panie – rzekł cicho. – Nie patrzyłem na to od tej strony.

– Bo za dobry z ciebie człowiek – odparł Jerzy. – Zwykłeś troszczyć się o innych wpierw niż o siebie. Myślisz, że nie pamiętam, jak przyszedłem do oddziału przejąć dowództwo, a żołnierze, nim wykonali mój rozkaz, wpierw patrzyli na ciebie? I nie ze strachu przecież.

– Stare dzieje – mruknął Rusłan. – Ale może jednak zejdzie pan pod pokład? Przecież widzę, że panem trzęsie.

– I niech trzęsie. – Wołłkowicz aż syknął, znów czując dojmujące zimno we wnętrznościach. – Poradzę sobie. Nie martw się o mnie, stary, idź lepiej do marynarzy. Może dadzą ci trochę rumu, od razu ci się lepiej zrobi. Potem się połóż.

– Dzięki, panie kapitanie.

Jerzy patrzył za oddalającym się chwiejnym krokiem ordynansem. Nieszczęsny góral, jemu z całą pewnością nie było pisane przemierzanie mórz i oceanów.

Zacisnął zęby, walcząc z kolejną falą zimna.

Odejdźcie, lodowe demony, zabierzcie swoje zimne pazury i kły z duszy ofiary!

– Odejdźcie – powiedział cicho przez zaciśnięte zęby. – Zostawcie mnie...

Lecz gorączka nie ustępowała, przybierała na sile. Jerzy ledwie trzymał się na drżących nogach, ale walczył, wczepiony w reling. Zaczęło mu się kręcić w głowie, przed oczami zatańczyły czerwone plamy, świat pociemniał. I kiedy już mu się zdawało, że nie wytrzyma, padnie na wyszorowane do białości deski pokładu i ostatecznie podda się chorobie, nagle zaczęło odpuszczać. Zupełnie jakby gorączka wykonała ostatni, rozpaczliwy wysiłek, aby złamać ofiarę, a teraz uciekała do swojej lodowatej nory zebrać siły.

Dyszał ciężko, ze zdziwieniem obserwując doznania płynące z ciała. Gdyby miał to opisać, porównałby zjawisko do mgły w górskiej dolinie, ustępującej przed słońcem, cofającej się w cienisty wąwóz.

Był zmęczony, ale rad, że udało mu się zwyciężyć. Lecz

czy zniesie coś podobnego następnym razem? I wciąż jeszcze nie był pewien, że kiedy puści zbawienną poręcz i da krok, nie zwali się bezwładnie jak wór wypełniony kamieniami. Odetchnął głęboko, a potem spróbował. Najtrudniejsze były dwa pierwsze kroki. Wykonał je, wciąż opierając się dłonią o reling. A potem oderwał rękę od poręczy i poszedł powoli w stronę rufy. Z każdą sekundą czuł się lepiej, odzyskiwał władzę nad ciałem.

– Pomóc panu?

Chłopiec pokładowy zauważył, że pasażer wygląda jakoś dziwnie, porzucił polerowanie dzwonu i podbiegł do Jerzego.

– Dziękuję. – Wołłkowicz się uśmiechnął. – Dam sobie radę.

„Dam sobie radę". Te słowa huczały mu w głowie, kiedy wlókł się noga za nogą wbrew słabości, wbrew niedawnemu cierpieniu.

Manuchin siedział przy stole w przydrożnej karczmie. Arendarz, starszy już wiekiem Żyd, krzątał się po izbie, przyjmując zamówienia. Pora była jeszcze wczesna, więc pomieszczenia nie wypełniał gwar głosów ani odór uznojonych całodzienną pracą chłopskich ciał. Ale za to major musiał mówić przyciszonym głosem, tym bardziej że gospodarz wyraźnie strzygł uchem w stronę nietuzinkowych gości.

– Generał Kriabin jest, jak na razie, bardzo zadowolony z postępów sprawy – mówił człowiek po drugiej stronie stołu. Był odziany w uniform pocztowca.

– Niezmiernie jestem rad – odparł Manuchin. – Niemniej wciąż żywię obawy, czy nasz gubernator wywiąże się z zadania. Wcale nie jestem pewien jego lojalności.

– Jego lojalność nie ma znaczenia. – Rzekomy pocztowiec zaśmiał się cicho.

– Nie rozumiem. – Manuchin zmarszczył brwi.

– Roman Fiodorowicz wprawdzie wysłał córeczkę do Riazania, ale przecież zdaje sobie sprawę, że w każdej chwili możemy ją odnaleźć.

Manuchin machnął ręką.

– Ach, o to chodzi. Wiem, wiem, jednak to twardy mężczyzna. A tacy potrafią sprawić niespodziankę. Jeśli uzna, że coś jest niegodne...

– I tak zrobi, co do niego należy – przerwał mu zniecierpliwiony rozmówca. – Wiem, że niektórzy oficerowie mają zwyczaj szukać dziury w całym za wszelką cenę, nie przypuszczałem jednak, że i pan do nich należy.

– Ta sprawa jest zbyt poważna, żeby nie rozpatrywać wszelkich aspektów. Wszystko, co dotyczy domu cesarskiego, co może zaszkodzić imperatorowi, wymaga najwyższej uwagi.

– Toteż poświęcamy sprawie najwyższą uwagę. Jeżeli w tej tajemniczej szkatułce kryje się coś, czego ujawnienie mogłoby wstrząsnąć w posadach całym krajem, musimy ją przejąć za wszelką cenę. Za wszelką cenę, rozumie pan?

– Czy rozumiem? – Manuchin parsknął cicho. – Chyba pan nie przypuszcza, żebym nie zdawał sobie sprawy z powagi sytuacji. To coś spoczywa w jakiejś twierdzy przy Gruzińskiej Drodze Wojennej, prawda? A Kaukaz to zawsze niepewne i niebezpieczne miejsce.

– Przy Drodze Wojennej albo gdzie indziej. To wie tylko nasz człowiek w Ananuri oraz podobno jeden oficer wywiadu rezydujący we Francji.

– I pewnie generał Kriabin.

– Może. Nie wiem, o to trzeba by już jego samego zapytać. Odważyłby się pan?

Manuchin nie odpowiedział. Nie było potrzeby.

– A jeśli nasza wyprawa zawiedzie? – spytał po chwili.

– Nie zawiedzie. Ale gdyby miało się wydarzyć jednak coś nieoczekiwanego, zabezpieczyliśmy się na wszelki wypadek.

– To znaczy?

– Za dużo chce pan wiedzieć, majorze – uciął sucho gość. – Pan ma za zadanie wypełniać obowiązki w zastępstwie gubernatora, a przede wszystkim dopilnować, żeby nikt więcej nie zbiegł. A jeśli zbiegnie, żeby nie dotarł zbyt daleko. Nie wiadomo, co ten Wołłkowicz przekazał towarzyszom niedoli.

– Nic chyba. – Manuchin wzruszył ramionami. – Z tego, co ustaliłem do tej pory...

– Chyba? – Rozmówca znów mu przerwał. – Właśnie owo „chyba" jest tutaj kluczowym słowem. Na takim „chyba" nie można się opierać. Musimy mieć pewność, a nie domniemania. Kiedy dostaniemy to, co nam potrzebne, będzie można rozluźnić pośladki, majorze, nie wcześniej. Dlatego musimy zachowywać czujność, czujność i jeszcze raz czujność.

Major westchnął. Przysłali do niego tego człowieka, o którym wiedział tylko, że jest zaufanym generała Kriabina. Wydawało się majorowi, że zastępując gubernatora, zyska prawdziwą władzę? O nie, tę wciąż sprawowali nad nim przełożeni. A zresztą... Czy Jaszyn nie czuł się podobnie? Czy nie zżymał się, kiedy przychodziły ze stolicy dyspozycje, które musiał wykonywać niezależnie od tego, czy miał na to ochotę czy nie? Cóż, w takim imperium każdy, nawet najwyższy urzędnik, jest tylko małym trybem wielkiej machiny. I chociaż ta machina nie może istnieć bez owych trybików, to wymienić kółko jest bardzo, ale to bardzo łatwo, jak można się było przekonać chociażby w chwili, gdy oficer wywiadu zastąpił doświadczonego gubernatora.

– W takim razie nie pytam o nic więcej.

– I bardzo słusznie. – Pocztowiec sięgnął po dzban z winem, nalał do kubków. – Wypijmy za zdrowie Jego Wysokości cara Mikołaja oraz za generała Kriabina, bez którego nasze kariery wlokłyby się w żółwim tempie.

Manuchin spełnił toast.

– A teraz rozjedziemy się każdy do swoich obowiązków i poczekamy na wieści z Gruzji – oświadczył pocztowiec.

– Oby tylko były pomyślne – mruknął major.

– Oby – przyświadczył jego towarzysz. – W końcu od rozwiązania tej sprawy zależą nasze awanse. Możemy je dostać już niebawem albo czekać latami, jeśli przełożeni nie będą z nas radzi. Wolałbym nie spędzić najlepszych lat gdzieś pod Irkuckiem na placówce zapomnianej przez Boga i ludzi.

Żyli skromnie, tak skromnie, że prawie biednie. Niby w porządnej kamienicy, gdzie mieszkali nawet szlachetnie urodzeni, ale ich pomieszkanie trudno by nazwać apartamentem. Dwa ciasne pokoje i nieduży salon, do tego niewielka kuchnia z porządnym piecem. Andriej miał skromną urzędniczą pensję, ponadto udzielał korepetycji pojętnym dzieciom z dobrych domów, jego matka wyszywała i udzielała lekcji gry na pianinie. Instrument zajmował sporą część salonu. Zresztą więcej przestrzeni dwojgu ludziom nie było potrzeba.

Dopiero przybycie Nastii zburzyło ich spokój. Przebywała w tym domu już dwa tygodnie, czując wyrzuty sumienia, że zakłóca rytm życia dobroczyńcom. I że zjada ich chleb, nie dając nic w zamian. Nie miała po co wracać do domu ciotki, to już wiedziała doskonale. Tyle że Andriusza zabrał jej rzeczy. Pieniędzy, w które gubernator wyposażył córkę, Nadieżda Josifowna nie oddała i nie zamierzała oddać.

– Jak zmądrzejesz i zechcesz przeprosić pana generała i mnie – oświadczyła podczas jedynej ich rozmowy po fatalnym wieczorze u generała – dostaniesz wszystko. Wtedy też będziesz mogła wrócić.

– Za co mam przepraszać tego starego capa?! – Nastia aż zacisnęła pięści ze złości. – To on powinien przypełznąć na kolanach i błagać o wybaczenie!

– Ty głupia dziewczyno! – Nadieżda pobladła z oburzenia. – A kimże ty jesteś, żeby taki człowiek miał cię o cokolwiek błagać?

– Może i jestem nikim – odparowała Nastia – ale przed Bogiem wszyscy są równi i odpowiedzą za swoje uczynki, tak samo chłop, jak i książę!

Nadieżda prychnęła gniewnie i spojrzała na Irinę Pietrowną, obecną przy rozmowie. Nastia chciała rozmawiać z ciotką sam na sam, lecz Andriej sprzeciwił się temu stanowczo. Dziewczyna, po tym, czego dowiedziała się o opinii, jaką cieszyła się w Riazaniu jej krewna, nie dyskutowała z nim. On sam wyszedł z domu, żeby nie krępować kobiet. A poza tym nie chciał nawet patrzeć na starą rajfurkę, jak uparcie nazywał siostrę gubernatora. Ale czy Nastia mogła mieć do niego o to pretensje? Sama nie inaczej określała ciotkę w myślach.

– Może na tamtym świecie istnieje taka równość – odpowiedziała ciotka. – Ale na tym jego wielmożność stoi wysoko nad kupcem czy chłopem. Albo jakimiś mieszczuchami, jak twoi gospodarze.

Wtedy do rozmowy wtrąciła się Irina Pietrowna.

– Wypraszam sobie, droga pani! Gałsztowie może nie są

151

majętni, ale wywodzimy się ze zruszczonej tureckiej szlachty! Porządnej szlachty! Poza tym, gdybyśmy nawet byli poślednieszego pochodzenia, takie uwagi są nie na miejscu!

– Pragnę pani uświadomić, madame Gałszt – wycedziła przez zęby Nadieżda Josifowna – że mogę wam narobić kłopotów. Ot, chociażby zawiadomić policmajstra, że przetrzymujecie moją bratanicę.

– A ja pragnę pani uświadomić – również przez zęby odpowiedziała Irina Pietrowna – że będzie się pani musiała wytłumaczyć później z opieki nad dziewczyną przed swoim bratem. A jeśli nawet nie przed nim, potrafimy znaleźć drogę choćby i do samego cara. Nie wypadliśmy sroce spod ogona.

Nadieżda wydęła wargi, ale nic nie odpowiedziała. Wstała, obrzuciła dziewczynę i starą kobietę pełnym pogardy spojrzeniem, po czym wyszła.

A Nastia zastanawiała się, gdzie też się podziała ta serdeczna cioteczka, która przyjęła ją nie tak dawno z otwartymi ramionami. Czy już wtedy planowała, żeby wepchnąć bratanicę do łoża możnego generała? Przez całą tę przykrą wizytę miała ochotę zadać to pytanie, ale zrezygnowała. Nie czas na to i miejsce. Lepiej jeśli zapyta ojciec, kiedy wróci z... nie wiadomo skąd... Przecież nie miała najmniejszego pojęcia, gdzie go wysłano, nie miał okazji tego zdradzić. A może nawet nie mógł.

Ciotka nie zabawiła długo. Nie miały o czym rozmawiać. Zapewne Nadieżda się spodziewała, że jej bratanica to zahukane, posłuszne stworzenie, które zdoła ukształtować na własną modłę. Nastia nie dziwiła się już, że ta piękna kobieta potrafiła wywołać taki skandal, iż wygnano ją ze stolicy. Przedtem myślała, że ciotka padła ofiarą intrygi, teraz wiedziała, że to ona je knuła. I pewnie któregoś razu mocno przesadziła. A nawet jeśli padła ofiarą czyichś wrogich zabiegów, bez wątpienia zasłużyła sobie na to. Bo przecież nie zrobiła się taka dopiero w Riazaniu, to niemożliwe. Nastia westchnęła ciężko na wspomnienie nieprzyjemnego spotkania. Miała niesamowite szczęście, że trafiła na Andrieja i jego matkę. Oboje nawet nie chcieli słyszeć, żeby dziewczyna miała wracać do krewnej wbrew swojej woli.

– Poradzimy sobie, dziecko – oświadczyła z uśmiechem gospodyni, kiedy Nastia sumitowała się, że jest tylko ciężarem. – Gdzie dwoje się wykarmi, znajdzie się miejsce i dla trzeciego. Zresztą, ile ty też możesz zjeść, ptaszyno – zaśmiała się. – Bądź nam rada, jak my tobie jesteśmy.

– Dziękuję.

Nastia przypadła do kolan Iriny Pietrowny, znów miała łzy w oczach. Jednak kobieta powstrzymała ją. Jak na mikrą posturę, miała bardzo silne ręce, bez trudu podniosła dziewczynę.

– Daj spokój – powiedziała. – Bóg się cieszy, kiedy Jego dzieci sobie pomagają.

Andriej wszedł właśnie na tę scenę. Stanął w drzwiach, na jego ustach zaigrał lekki uśmiech.

– Widzę, że zostaje pani z nami, Anastazjo Romanowna – powiedział. – I bardzo słusznie. Tu jest pani bezpieczna.

Podszedł do okna, odsunął zasłonę i patrzył, jak ciotka Nastii wsiada do powozu. Dziewczyna już na początku pobytu tutaj zauważyła, że leciutko utyka na prawą nogę. Lecz dopiero tego wieczoru odważyła się o to zapytać panią Irinę. Młodzieniec siedział w pokoju matki, czytając książkę.

– Andriusza służył w kawalergardach – wyjaśniła gospodyni. – Przy samym batiuszce carze warty miewał. Ale cóż – westchnęła – spotkało go nieszczęście. Spadł z konia podczas ćwiczeń tak nieszczęśliwie, że złamał nogę. Wojskowy chirurg coś tam mu źle poskładał i Andriusza zaczął utykać. Lekko, bo lekko, ale zawsze. A wiesz, kochana, że kulawych żołnierzy nigdzie nie chcą. Musiał wrócić więc do domu z marną odprawą.

– To niesprawiedliwe – powiedziała gorąco Nastia. – Tak się nie godzi!

– Taki jest świat – rzekła cicho gospodyni. – Nic nie poradzisz i niczego nie zmienisz. Trzeba przyjmować wyroki losu z godnością. Andriusza mógł wprawdzie wstąpić do policji, ale nie chciał. Nie dla niego taka służba. A urzędnikiem z dobrą pensją tak od razu nie zostanie, bo wojskowe wykształcenie do niczego w tutejszych kancelariach się nie przydaje. Musi więc piąć się powoli. Poradzi sobie, duszko, zawsze umiał sobie radzić.

Dziewczyna się zamyśliła. To wyjaśniało, dlaczego ten szczupły młodzian potrafił stawić czoło tęgim osiłkom, zaprawionym w ulicznych bójkach. I jego słowa tej nocy, gdy ją uratował: „Gdybym jaką szpadę miał, a jeszcze lepiej szabelkę, żaden by nie uszedł z życiem". Patrzyła na ruchy palców dobrodziejki, migających nad tamburem, zafascynowana ich sprawnością. Igła z nitką wyczarowywały wzory na białym jak śnieg płótnie.

– Nauczy mnie pani haftować, Irino Pietrowna? – spytała dziewczyna.

Matka Andrieja spojrzała na nią znad okrągłych okularów.

– A chcesz się nauczyć?

– Bardzo.

– W takim razie zaczniemy jutro, przy dniu. Bo ja, widzisz, dziecko, robię to, prawie nie patrząc. Zupełnie jakbym miała oczy w palcach.

– Kiedy ojciec wróci, poproszę go, żeby wyjednał panu Andriejowi jakąś dobrą posadę – powiedziała Nastia.

– Masz czułe serduszko, dziewczyno. – Irina Pietrowna pokiwała głową. – Ale niech najpierw twój rodzic wróci bezpiecznie. To najważniejsze. Potem będzie, co Bóg da.

Co Bóg da... A czy zechce się zlitować nad nią, ojcem i... Jerzym? Gdzie jest ukochany? Czy w ogóle żyje? Młodziutkim sercem wyczuwała, że tak, że tuła się gdzieś po świecie. Lecz czy będzie im dane jeszcze się spotkać? Przecież on nie może wrócić do Rosji, a ona z niej wyjechać. Irina Pietrowna powiada, iż trzeba pogodzić się z losem. Nawet gdy jest tak okrutny?

Wsparła głowę na rękach i przymknęła oczy. Szkoda, że nie da się przespać trudnego czasu, obudzić się, kiedy już wszystko się ułoży.

Jak do tej pory na szczęście udało im się uniknąć nie tylko sztormów, ale także dużej fali. Kapitan wprawdzie zapewniał, że o tej porze roku na Morzu Śródziemnym rzadko zdarzają się wielkie pogodowe niespodzianki, ale Maximilien twierdził, że to tylko takie uspokajanie szczurów lądowych. Jak się okazało, mały agent Vidocqa miał pewną słabość, a przy tym wielką namiętność – była nią żegluga. Ten sam człowiek, który potrafił nie odzywać się całymi dniami podczas podróży lądem, kiedy tylko poruszano temat morza, natychmiast się ożywiał i chociaż nawet wtedy nie robił się zbyt gadatliwy, to chętnie dzielił się wiedzą z towarzyszami. Dzięki jego pouczeniom Jerzy zdawał sobie sprawę, że burza może nadejść w każdej chwili, a kapryśna pogoda zdarza się nawet na najspokojniejszych akwenach, chociaż morze wewnętrzne nie mogło się pod tym względem równać z oceanem czy otwartym na bezmiar wód Morzem Północnym. Liczył jednak na to, że ich kapitan będzie nawigował na tyle umiejętnie i przewidująco, żeby uniknąć podobnych niespodzianek.

Ani kapitanowi, ani Rusłanowi spokoju nie dawał tajemniczy pasażer. Widzieli go od czasu zaokrętowania zaledwie trzy razy, zawsze z daleka, zawsze w płaszczu z postawionym kołnierzem i naciśniętym na oczy kapeluszu z szerokim rondem. Tylko Maximilien zdawał się w ogóle nie interesować nieznajomym. Zupełnie jakby wiedział, kim tamten jest. Ale jeśli nawet tak było, nie potrafili wydobyć od niego na ten temat najmniejszej nawet wzmianki. To jakoś szczególnie nie dziwiło Wołłkowicza. W końcu nie na darmo Vidocq miał znakomitą opinię wśród wszelkiej maści policjantów – choć było to uznanie niechętne, nasycone zawiścią i nieufnością – a także wśród przestępców, którzy szanowali przeciwnika, ale nienawidzili go chociażby za to, że wywodzi się spośród nich. Dlatego pracowników dobierał umiejętnie, z wyczuciem. Kiedy Jerzy teraz o tym myślał, tym bardziej doceniał propozycję starego lisa, aby podjąć z nim współpracę. Obiecał się zastanowić, choć wstępnie odmówił. Ale przecież z niej nie skorzysta. Ma zbyt wiele do zrobienia z własnym życiem. Przecież w Rosji, w wiosce pod Permem czeka Nastia… Musi ją odnaleźć, chociażby po to, by podziękować za serce. Może ją wydadzą za mąż, a może już wydali? Na myśl o tym ścisnęło mu się serce. Nie mógł przecież wymagać, aby wiecznie na niego czekała, co więcej – dla niej z pewnością byłoby o wiele lepiej, gdyby ułożyła sobie życie, nawet wbrew sercu. Przecież na świecie nie brakuje szlachetnych ludzi, mogłaby dostać dobrego, kochającego męża, a wtedy Jerzy… nie, nie byłby szczęśliwy, aż tak wielkiego serca nie miał, ale chyba odczułby pewną ulgę, wiedząc, że jest bezpieczna. Głęboko zaczerpnął rześkiego powietrza wczesnego poranka. Niech będzie, co Bóg da. Byle ona była szczęśliwa.

Tak czy inaczej, w końcu trzeba ją będzie znaleźć, przekonać się samemu, choćby przyszło za to zapłacić wysoką cenę. Cóż miał lepszego do zrobienia? Odkąd wydobrzał, nabrał sił, coraz mocniej tęsknił. Bronił się przed tym równie nieskutecznie, jak przedtem bronił się przed miłością.

Na pokład wyszedł Rusłan. Chociaż słowo „wypełzł" oddawałoby lepiej sposób, w jaki się poruszał.

– Matko serdeczna – wysapał, stając obok Jerzego, ale nawet nie patrząc na bezkres wód. – Kiedy to się skończy? Na womity mnie wciąż zbiera, ssie w żołądku, w dodatku, uczciwszy uszy, dupa mnie boli, gdym w nocy wracał do kajuty, spadłem ze schodów i nadziałem się na jakąś belkę.

Wołłkowicz spojrzał na niego sceptycznie.

– A może byś tak spróbował wytrzeźwieć? – spytał, pociągając nosem i łowiąc zapach nieprzetrawionego jeszcze rumu. – Masz teraz mdłości po przepiciu, na moje oko, a nie od kołysania.

– Myśli pan? – Rusłan spojrzał na kapitana przekrwionymi oczami. – Boję się trochę. Bo jak się okaże, że jest jeszcze gorzej…

– Gorzej chyba być nie może – uciął Jerzy. – Musisz wytrzeźwieć i zobaczymy. Nie pij więcej.

– Czy to rozkaz? – spytał z nadzieją wachmistrz.

– Prośba, stary – rozczarował go Wołłkowicz. Wiedział, że towarzyszowi byłoby łatwiej, gdyby musiał się podporządkować stanowczemu poleceniu, ale nie chciał być dla przyjaciela dowódcą. To była przeszłość. – Tylko prośba.

– No dobrze – mruknął Rusłan. – Od teraz przestaję pić. Zresztą chłopcy nie mają już za wiele zapasów – dodał po chwili. – A trzeci oficer kazał postawić straż przy magazynie z żywnością, żeby więcej rumu nie ginęło.

Wołłkowicz się roześmiał.

– Nie docenili cię, jak widać. Nie wiedzieli, ile może w siebie wlać prawdziwy góral.

– Sami też za kołnierz nie wylewają – burknął Rusłan. – Po równo pijemy.

– Wiem, że po równo. – Wołłkowicz tym razem zachował kamienną twarz. – Dzielicie się dokładnie po równo, to znaczy pół zapasu pijesz ty, pół oni.

Rusłan prychnął, ale nie dyskutował. W końcu to, co powiedział kapitan, wcale tak dalece nie odbiegało od prawdy. W dodatku oficerowie szkunera nieprzyjaźnie popatrywali na intruza, który sprawił, że załoga zaczynała wyłamywać się z dyscypliny.

– Skąd wy tam na Kaukazie macie takie mocne głowy? – spytał Wołłkowicz. – Służyłem przecież w tamtych garnizonach ponad dwa lata, ale chyba nigdy nie widziałem naprawdę pijanego Gruzina. Pamiętam takie zdarzenie – rozgadał się. Lżej mu było na duszy, że ma do kogo usta otworzyć, może odegnać ponure myśli. – Siedziałem w kasynie oficerskim z dwoma towarzyszami. Jakoś to było po wielkich manewrach, więc w garnizonie i obozowisku w pobliżu stacjonowały najrozmaitsze formacje. Nie muszę ci chyba mówić, że kawaleria gruzińska nie przepada za wojskiem rosyjskim, a artylerzystami w szczególności. Mają ich nie za wojsko, ale coś w rodzaju gorszego rodzaju markietanek, z których w dodatku nie ma nawet pożytku, bo ani ugotują, ani sukni zadrą, by wojakowi ulżyć.

– Wiem, wiem – mruknął Rusłan. Słyszał już tę opowieść, ale kapitan nie jemu ją przedstawiał wtedy i mógł nawet nie wiedzieć, że ordynans nasłuchuje, więc nie przerywał. Niech mówi, bo w ostatnich czasach za wiele rozmyślał.

– Przyplątał się taki mocno podpity artylerzysta, bodaj jakiś poruczniczyna, do trzech pijących Gruzinów. Opróżnili już wówczas trzy flaszki, ale siedzieli prosto, jak to tylko oni potrafią: jakby całe kije zjedli na wieczerzę, a nie baraninę w ziołach. Pasy zaciśnięte, że tną kibić na pół, prawie nie gadali ze sobą. Kiedy ów artylerzysta się zbliżył, nawet nań nie popatrzyli. Coś tam do nich mówił, ale i słówkiem nie odpowiedzieli. Lecz on był uparty. Może się z kimś założył, że dotrzyma w piciu tym orłom z Kaukazu? Nie wiem. W każdym razie przysiadł się, postawił kubek na stole. No i się zaczęło. Gruzini nalewali raz po raz. Zawołali po cztery nowe butelki i pili, jakby mieli zamiar morze osuszyć, a nie tych parę naczyń. Artylerzysta twardy był, trzeba mu przyznać. Wytrzymał pierwszą butlę i pół drugiej. Ale potem nagle klasnął w ręce, jakby chciał zawołać o jeszcze, przewrócił oczami i zjechał pod stół. – Jerzy zaśmiał się krótko na wspomnienie komicznego widoku. – Gruzini, jakby nic się nie zdarzyło, rozlali następną kolejkę. Tyle tylko, że kiedy im się pijak na nogi zwalił, unieśli je i postawili na nim. Tak dokończyli dość szybko, wstali i wyszli. Żaden nawet się nie zachwiał, wyobrażasz sobie? Jakby nie mocną wódkę, ale wodę żłopali przez cały wieczór. Aż mi się to wydało niemożliwe. Wstyd przyznać, ale podszedłem do ich stołu, obwąchałem kruże i flasze. Bez wątpienia była w nich taka sama okowita, jaką wszyscyśmy tam spożywali. Pośpieszyłem więc za tymi trzema gierojami. Szli wąską uliczką wciąż wyprostowani, wciąż trzeźwi w ruchach. Już miałem zrezygnować, kiedy jeden, bodaj ten z prawej, zachwiał się. Kompani wzięli go pod ręce i pociągnęli. Skradałem się za nimi, ciekaw, czy i tamtych zmoże ta woda piekielna. Przecież to niemożliwe, żeby tak pić bezkarnie! Lecz na tym się skończyło. Skręcili za róg, słyszałem ich miarowe kroki. Nie wiem, może gdzieś tam poddali się truciźnie i padli bez ducha, może nie, ale od tamtej pory nawet nie próbuję stawać w wódczane szranki z ludźmi gór.

Rusłan pokiwał głową bez uśmiechu.

– To duma, panie kapitanie. Jesteśmy tak dumni, że umiemy zmusić ciało do najwyższego wysiłku, byle nie nadwerężyć poczucia godności. Może pan być pewien, że ci bohaterowie odchorowali tę eskapadę, ale gdzieś się zaszyli, aby nikt ich nie mógł widzieć, a już na pewno Rosjanie. To byłby wstyd, wszak wiadomo, jak ludzie Kaukazu kochają matuszkę Rosję.

– Wiem doskonale – przytaknął Jerzy. – Widać to nawet po tobie. A raczej słychać. Tyle lat w wojsku rosyjskim, przecież trafiłeś do armii, ledwieś piętnaście lat skończył, a wciąż mówisz z tym czerkieskim akcentem. Nie wiem, czy we własnym języku potrafisz coś sensownie powiedzieć, ale będziesz zaznaczał, żeś nie Moskal.

– Przyganiał kocioł garnkowi – burknął wachmistrz. – A pan to co? Wszyscyśmy poddanymi jego imperatorskiej wysokości, a żaden nim być nie chce. Lecz takiej potędze oprzeć się nie sposób. Jest tylko jeden sposób, by przetrwać, a potem pokonać wroga. Nie wolno zapominać, kim człowiek jest i skąd przybył.

Teraz Wołłkowicz pokiwał głową.

– Tak… kim jest i skąd przybył… A tak przy okazji, zdołałeś się czegoś wywiedzieć o naszym tajemniczym przyjacielu, którego kapitan trzyma jak pod korcem?

– Nikt o nim nie potrafi powiedzieć słowa. Marynarze bywają zazwyczaj bardziej gadatliwi i skorzy do plotek niż przekupki, ale nawet oni nie umieli nic wywęszyć. Kapitan w istocie rzeczy strzeże swojego gościa pilniej niż eunuch sułtańskiego haremu. To musi być ktoś naprawdę ważny.

– Może tak, ale możliwe też, że to ktoś, kto musi się ukrywać z innych względów. Gdyby nie zadanie, które nas czeka, nie zastanawiałbym się nad tym, bo to nie moja rzecz, ale obawiam się jednak, że ten pasażer ma jakiś związek z nami.

– Rosyjski szpieg? – Rusłan podrapał się po brodzie. –

Też mi to przyszło do głowy. Jeśli Francuzi wysłali z nami swojego człowieka, dlaczego Moskale nie mieliby z kolei kogoś posłać naszym śladem?

– Jednak to by było zbyt jawne – zauważył z powątpiewaniem Jerzy. – Zbyt ostentacyjne.

– A kto wie, jakimi drogami chodzą myśli carskich opryczników? – prychnął Czerkies. – W końcu zmierzamy ku krajom należącym do nich i od nich uzależnionych.

– Tak. Wiem, że czasem najlepiej stosować zasadę, że najciemniej jest pod latarnią – rzekł z namysłem Wołłkowicz. – Teraz tego nie rozgryziemy. Nie wiemy nawet, jak ten człowiek wygląda, bo w płaszczu z wysokim kołnierzem i pod kapeluszem nie dostrzegłem nawet błysku oka. A nuż to jednak zwyczajny kontrabandzista?

– Dałby Bóg – odrzekł Rusłan. Odetchnął głębiej. – Chyba mi się robi lepiej. Świeże powietrze wywiewa wapory z głowy…

– Nie pij już tyle – powtórzył prośbę Polak. – Bardziej przydasz się trzeźwy.

Rusłan oparł się o poręcz rampy, znów odetchnął.

– Tak, to już nie była morska choroba – oznajmił. – To pochmielie, jak to nazywają Rosjanie.

– A z niemiecka katzenjammer – uzupełnił Jerzy.

– W tym wypadku wolę rosyjską nazwę – skrzywił się Czerkies. – Brzmienie tej drugiej zbyt trafnie oddaje to, co się czuje.

Zamilkł, zapatrzył się w zaciągnięty delikatną mgiełką horyzont.

– Niech ta podróż się już skończy – mruknął, nie wiadomo, czy tylko do siebie, czy także do Wołłkowicza. – Naprawdę nienawidzę morza.

Jerzy poklepał wachmistrza po ramieniu i poszedł w stronę dziobu, gdzie właśnie pojawił się Maximilien.

8

Gruzińska Droga Wojenna istniała już w starożytno-
ści, choć oczywiście nikt jej tak wówczas nie nazywał. Przemierzały ją wojska perskie, macedońskie i rzym-
skie, a później – w średniowieczu – również mongolskie.
Przechodziły tędy całe ludy, wędrując w poszukiwaniu
nowych ziem do zasiedlenia. Współczesne miano zyskała
pod rządami Rosji, zbudowano wzdłuż niej nowoczesne
fortyfikacje, ale już królowie Gruzji solidnie ją zabezpie-
czyli twierdzami i posterunkami.

Jedną z takich twierdz była Ananuri, zbudowana na
przełomie szesnastego i siedemnastego wieku, aczkolwiek
pierwsze umocnienia pochodziły ponoć już ze średniowie-
cza. Rozłożyła się nad rzeką Aragwi, a wznieśli ją książęta,
którzy nazwę rodu wzięli od tej rzeki. Była świadkiem kil-
kunastu bitew i tragedii jednej z gałęzi rodziny Eristawi,
zgładzonej przez niejakiego Szansze z Kasani, należącego
zresztą do rodu, który wymordował. Musiał rządzić w iście
bestialski sposób, skoro już w cztery lata po niesławnym
zwycięstwie poddani zamordowali go wraz z krewniakami
i rządcami, aby poprosić o opiekę króla-poetę Teimuraza II.
Na nim jednak też musieli się srodze zawieść, albowiem po
niecałych dwóch latach chłopi wzniecili rebelię. Doprawdy
krewki lud zamieszkiwał Kaukaz. Krewki i nieustraszony.

I na tyle waleczny, że Teimuraz musiał wezwać na pomoc swojego syna, Herakliusza II, władcę Kartlii, aby stłumić powstanie. Poeta zasiadający na tronie przez całe życie próbował zjednoczyć wschodnią Gruzję, pod koniec życia przybył nawet do Petersburga, aby uzyskać pomoc w sporze o dziedzinę z Iranem. Jednak car był zajęty wówczas Wojną Siedmioletnią i nie ciekawił go los małego kraju na rubieżach imperium. Teimuraz zmarł jako gość w stolicy Rosji, czekając na zmiłowanie jego wysokości.

To było charakterystyczne dla tej ziemi – z jednej strony żyli tu surowi ludzie stawiający honor ponad wszystko, pragnący wolności, z drugiej dręczyła ich konieczność szukania wsparcia na zewnątrz, u silniejszych sąsiadów. Kończyło się to zależnością, czy to od mongolskiego najeźdźcy, czy od islamskich władców, czy wreszcie na koniec od Rosji.

Sam zamek wyglądał zjawiskowo, jakby go wyjęto z jakiejś legendy i postawiono na skałach. Zwarta budowla z pięcioma wieżami różnej wielkości, otoczona solidnym kamiennym murem szczerzyła się do wrogów blankami, straszyła otworami strzelnic. Trudno ją było uznać za warownię nie do zdobycia, ale na pewno budziła respekt. Mogła stanowić poważny punkt oporu, ale przede wszystkim służyła jako etap w przemarszach oddziałów, stacjonował w niej niewielki garnizon.

Zobaczyli ją już z daleka, podążając doliną Aragwi. Ta niewielka rzeka, wpadająca nieco dalej do Kury, wyznaczała tę część Gruzińskiej Drogi Wojennej. Gubernator z jednej strony czuł ulgę, że koszmarnie długa podróż dobiega końca, lecz z drugiej dręczył go niepokój. Czego właściwie od niego chcieli? W jaki sposób miał odkupić rzekomą winę, do której się nie poczuwał? Gdyby tak karano wszystkich gubernatorów, pod których zarządem uciekł jakiś zesłaniec, żaden by się nie ostał na urzędzie. Co ukrywał i co wiedział ten przeklęty Polak? Jaką nosił tajemnicę, żeby zmusić statecznego wyższego czynownika do uganiania się po rubieżach imperium?

– Piękna – westchnął z zachwytem jadący obok Jaszyna Szmit. Teraz wszyscy podróżowali konno, z wyjątkiem Siemiona Siemionowicza, który zamienił kolasę podróżną na kupioną po drodze furę. Tak budzili mniej podejrzeń, wyglądali po prostu na cywilno-wojskową ekspedycję, które dość często zapuszczały się w te rejony. – Widzi pan te umocnienia? Te wieże?

Roman Fiodorowicz pokiwał głową, chociaż niewiele jeszcze dostrzegał szczegółów. Nie miał tak doskonałego wzroku jak kapitan, zawołany strzelec i doświadczony tropiciel. Opowiadał którejś nocy, jak wysyłano go na patrole, gdyż potrafił wypatrzyć znaki zwiastujące niebezpieczeństwo o wiele wcześniej niż inni.

– Zdrowa niewiasta z tej Ananuri. Jest jak ślicznotka, ale z tych solidnie zbudowanych, choć tak proporcjonalnych, że człowiekowi dech zapiera.

Żołnierze od przeszło dwóch tygodni nie mieli okazji obcować z kobietami, dlatego wszystko kojarzyło im się z jednym. Kapitan może ładniej potrafił ubrać to w słowa, pozostali wymieniali mało parlamentarne uwagi, wspominając liczne pobyty w domach uciechy. Po drodze, gdy udało się stanąć na nocleg w jakiejś wsi albo siole, przedsiębiorczy dragoni natychmiast znajdowali sobie chętne kobiety. Proponowali nawet kilka razy Jaszynowi jakąś ciepłą wdówkę czy znudzoną hożą mężatkę, lecz odmawiał. Nie dlatego, by miał coś przeciw podobnym przygodom – jako gubernator miewał kochanki, nierzadko właśnie w niewielkich osiedlach – ale nie godziło się korzystać z usług podwładnych w tym względzie.

Ostatnie kilkaset wiorst pokonywali jednak, stroniąc od osiedli, aby utrudnić zadanie postrzegaczom, gdyby takowych posłano ich śladem. A i ludzie, w miarę zbliżania się do granic Gruzji, stawali się coraz bardziej nieufni na widok rosyjskich mundurów. Jaszyn myślał nawet, czy nie spróbować gdzieś zakupić cywilnych ubrań dla eskorty, ale porzucił ten pomysł. Wątpliwe, aby żołnierze zgodzili się zrzucić uniformy, a poza tym i tak musieli nosić uzbrojenie, od razu też było poznać po ich postawie i zachowaniu, że większą część życia spędzili w koszarach.

Siemion Siemionowicz zatrzymał konie, krzyknął do jadących przodem. Jedno ze zwierząt miało otartą nogę, a woźnica bardzo dbał, aby nie cierpiało. Jaszyn nie był do końca pewien, czy stary troszczył się o konie z dobroci serca czy tylko z wyrachowania. Podejrzewał i jedno, i drugie. Przez tygodnie podróży zdołał nieco poznać Siemiona, nawet go polubił, ale coś dziwnego drzemało w tym na pozór zwykłym mużyku. Niby gruboskórny, rubaszny, chwilami irytujący przez swoją nieokiełznaną gadatliwość, czasem wykazywał dziwną wrażliwość, parę razy gubernator złapał go na jakimś zapatrzeniu, zamyśleniu, zupełnie nielicującym z tępym obliczem. Wtedy chłopska twarz zdawała się wygładzać, nabierała szlachetniejszych rysów. Wystarczyło jednak, żeby pochwycił czyjeś uważne spojrzenie, a natychmiast ożywiał się i na powrót zmieniał w starego plotkarza o przebiegłych oczach.

– Co tam? – Stiopa, żołnierz w stopniu kaprala, podjechał do Siemiona.

– Rano obłożyłem ranę glinką, ale już odpadła – odpowiedział woźnica. – Muszę znów zalepić, bo krew cieknie.

Wyjął z torby ubrudzony białym pyłem woreczek, miseczkę i manierkę z wodą.

– Daj spokój, już niedaleko – rzekł kapral. – Dociągnie przecież wóz, na górze go obmyjesz i opatrzysz.

Siemion spojrzał wściekle.

– A jakby ci się dupsko odparzyło w siodle tak, żebyś musiał krew obcierać, też byś powiedział, żeby cię opatrzyli za godzinę albo dwie? Bo spokojnie dojedziesz, najwyżej swojego wałacha potem z posoki odczyścisz?

Żołnierz wzruszył ramionami.

– Jak sobie chcesz, stary durniu – mruknął. – Tylko się pośpiesz, nie mam chęci wlec się po ciemku.

– Południe dopiero, głupcze – warknął Siemion. – Kilka chwil mi to zajmie, a zwierzę nie musi cierpieć, jak nie potrzeba.

Stiopa zeskoczył z konia, chwycił woźnicę za ubranie na piersi, ściągnął z kozła.

– Kogo nazywasz głupcem, stary capie?!

Siemion zmrużył oczy, spojrzał prosto w twarz wojakowi.

– Ciebie! I nazwę cię tak jeszcze sto razy, jeśli nie rozumiesz, co się mówi!

Konflikt między tymi dwoma wisiał w powietrzu właściwie przez całą drogę. Już po tygodniu podróży na każdym prawie postoju zaczęli się przerzucać złośliwościami i grubymi słowy. Szmit potrafił jednak okiełznać podwładnego, a Jaszyn uspokajał wzburzonego wozaka. Niepotrzebny był im szpital polowy, a zanosiło się na prawdziwą bitwę, jeśliby tych dwóch spuścić z łańcucha.

I teraz gubernator ruszył, żeby interweniować, lecz twarda dłoń kapitana chwyciła wodze jego konia.

– Niech się poczubią – powiedział cicho oficer.

– Łby sobie gotowi porozbijać – odparł zaniepokojony Roman Fiodorowicz.

– Lepiej tutaj, z dala od ludzi, niż gdyby mieli burdę wywołać w twierdzy. Tam musiałbym Stiopę surowo ukarać. Siemionycza zresztą też. A prędzej czy później się pobiją, w polu trudno ich upilnować, a co dopiero wśród zabudowań, gdy stracą się z oczu.

Dowódca mógł sobie pozwolić na tak przydługą przemowę, bo Siemion ze Stiopą zatrzymali się, jakby czekali, aż ich rozdzieli i wygłosi zwyczajną w takich chwilach reprymendę.

– Przecież ten pański kapral wdepcze w ziemię nieszczęsnego dziadygę! – zaoponował Jaszyn i znów trącił konia piętami, ale i tym razem Szmit go powstrzymał.

– Zobaczmy więc, jak to robi – powiedział, a na ustach zaigrał mu okrutny uśmiech. – Obu należy się lanie za ustawiczne granie mi na nerwach. Proszę się nie obawiać, Stiopa nie zakatuje starego, nie jest taki głupi, a kiedy skończy, ja się nim zajmę. Pożałuje, że przyszedł na świat.

Do zwaśnionych wreszcie dotarło, że tym razem nikt im nie zabroni się bić. Stiopa z westchnieniem ulgi i radosnym uśmiechem puścił płaszcz Siemiona i zamachnął się. Potężna pięść wylądowała na szczęce woźnicy. Jaszyn aż przymknął oczy, żeby nie patrzeć, jak stary wypluwa resztki zębów wraz z lejącą się z ust krwią.

Ale Siemion nie zamierzał wcale upaść, zatoczył się tylko lekko, oblizał wargi. Kapral doskoczył, kułak znów poleciał w stronę głowy woźnicy i znów rozległ się głuchy odgłos uderzenia. Ale tym razem stary nie cofnął się, nie czekał na kolejny cios. Krótko, bez rozmachu, ale ostrym ruchem kopnął przeciwnika w goleń twardym butem. Żołnierz zawył krótko, lecz zaraz zacisnął zęby. Odstąpił krok, krzywiąc się z bólu i próbując go opanować. Siemion zupełnie go zaskoczył, żołnierz po dwóch potężnych uderzeniach nie spodziewał się podobnego oporu. Żadnego się chyba nie spodziewał. A stary tymczasem przejął inicjatywę. Nie czekając, aż przeciwnik się otrząśnie, trzasnął go w jądra. Stiopa zdołał skręcić ciało tak, że rozpędzona stopa uderzyła w biodro, ale zachwiał się, a Siemion już był przy nim. Nie próbował bić pięściami. Złapał żołnierza obu dłońmi za tył głowy, pociągnął na siebie i wyciął czołem prosto w twarz. Doświadczony wojak zwalił się na ziemię niczym worek kartofli. Siemion wykonał ruch, jakby chciał go jeszcze kopnąć, ale powstrzymał go ostry krzyk Jaszyna.

– Zostaw!

– Nie rusz! – zawołał zaraz potem Szmit.

Woźnica wzruszył ramionami, splunął krwią i jakby nic się nie stało, wrócił do rozpuszczania glinki. A Stiepan zbierał się ciężko, kręcąc głową. Usiadł, rozejrzał się, z trudem skupiając spojrzenie na zbliżającym się do niego dowódcy.

– Widzisz, baranie? – powiedział kapitan. – Nie doceniłeś starego psa. Taki też potrafi ugryźć, nawet jeśli nie ma już wszystkich zębów.

– Niech go diabli. – Kapral chwycił się za krwawiący nos. – Chyba mi złamał kinol!

– Ciesz się, że nie zaprawił cię w usta, bo byśmy mieli tu kaszę w tomacie na drodze – zauważył trzeźwo Szmit. – A ty – zwrócił się do woźnicy, który już nakładał leczniczą glinkę na końską nogę – nie myśl, że będę tolerował takie bójki z moimi ludźmi.

– Do innych nic nie mam. – Stary wzruszył ramionami. – Do tego szczeniaka też już nic. Dostał nauczkę, niech mnie więcej nie trąca.

– A ty jego – upomniał go surowo Jaszyn.

Siemion popatrzył na gubernatora, otworzył usta, jakby chciał coś powiedzieć, może zaprotestować, ale zamknął je i tylko skinął głową.

– Jak pan każe.

– Niewiele wam mogę kazać Siemionyczu – odparł Roman Fiodorowicz. – Ale proszę o spokój. Nie mam ochoty rozsądzać was w Ananuri. I dla mnie byłby to wstyd, i dla kapitana.

– Teraz uściśnijcie sobie dłonie na zgodę – nakazał Szmit.

– Mowy nie ma! – obaj adwersarze odpowiedzieli prawie jednocześnie.

Szmit machnął ręką.

– Wasza sprawa. Ale jeśli coś podobnego zdarzy się jeszcze raz, pojedziecie za końskim ogonem. Obaj i aż do skutku. To znaczy aż będziecie błagać o litość i możliwość pogodzenia się. Zrozumiano?

Odpowiedziało mu milczenie.

– Zrozumiano?! – ryknął.

Tym razem rozległy się niechętne mruknięcia, które mogły znaczyć wszystko. Dowódca wolał uznać, że oznaczały zgodę. Nie miał ochoty na dalsze spory. Towarzysze ujęli Stiopę pod ręce, dogadując, wsadzili go na konia. Siemion Siemionowicz spakował medykamenty, zasiadł na koźle. Chciał swoim zwyczajem cmoknąć na zwierzęta, ale skrzywił się tylko. Obolała szczęka i rozbite wargi dawały znać o sobie.

Niewielki oddziałek ruszył w stronę twierdzy.

Nastia okazała się bardzo pojętną uczennicą. Irina Pietrowna z zadowoleniem patrzyła na zręczne palce dziewczyny, w których igła z nitką tylko migały, wypełniając wyrysowane na płótnie wzory.

– No, no – powiedziała z uznaniem. – Widzę, że masz dar od Boga, panienko. Może spodoba ci się także tkanie? Mnie już ręce odmawiają posłuszeństwa, ale dla ciebie krosna i czółenko to powinna być fraszka.

– Bardzo chętnie spróbuję – odparła zarumieniona Nastia.

Nareszcie czuła się potrzebna, wreszcie mogła pomóc gospodarzom chociaż tymi swoimi mizernymi haftami. Jeszcze sporo psuła, jeszcze nie wszystko jej się udawało, ale z dnia na dzień było coraz lepiej, na tyle, że Irinie Pietrownie udało się sprzedać jakiejś hrabinie wyszywaną przez dziewczynę chustę. Niewielki to był jeszcze zarobek, ale zawsze jakiś początek. Anastazję gryzła bowiem świadomość, że pozostaje na garnuszku dobroczyńców, nic w zamian nie oferując.

Irina Pietrowna uniosła ku światłu tamborek z naciągniętym lnianym płótnem.

– Chodźże na chwilę, Andriusza! – zawołała.

Z drugiego pokoju wyszedł jej syn. Spojrzał przelotnie na Nastię, ale nie dała się zwieść pozornej obojętności tego spojrzenia. Widziała ten sam żar co wtedy, gdy podszedł do niej na balu. Nie rozmawiali o tym, nie wspominali, nie było zresztą kiedy, ale pamięć wciąż była żywa. W końcu minęło zaledwie parę tygodni... Sześć? Chyba tak. Nie liczyła tutaj każdego dnia, było jej dobrze. Może nie jak w rodzinnym domu, ale przynajmniej czuła się bezpieczna.

– Popatrz, synu. – Gospodyni z dumą pokazała młodzieńcowi dzieło Nastii. – Prawdziwy diament znalazłeś na tej ciemnej ulicy.

Andriej skinął głową. Niewiele znał się na haftach i tkactwie, choć wychował się w domu, w którym matka całe jego życie tym się zajmowała. Potrafił powiedzieć, czy mu się coś podoba czy nie, ale zbyt często się zdarzało, że jego gust kłócił się z tym, co twierdziła Irina Pietrowna. Uznawał coś za udane, a ona na to wyrzekała. Bywało też odwrotnie. Ale tym razem musiał przyznać, że praca dziewczyny okazała się piękna. Każdy listek roślinnego ornamentu tętnił życiem, każdy płatek kwiatów zdawał się miękki jak aksamit.

– Jaki tam ze mnie diament. – Dziewczyna znów się spłoniła. – Każdy by tak potrafił.

– Nie każdy – oświadczył z powagą Andriej. – Różne już mateczka miewała uczennice, ale żeby któraś w tak krótkim czasie osiągnęła podobną biegłość, tego nie bywało.

Dziewczynie aż dech zaparło. Musiała przyznać, że syn jej dobrodziejki był naprawdę pięknym mężczyzną. Tak – stanowczo pięknym i stanowczo mężczyzną. Nadal można było o nim myśleć jak o chłopcu, miał jednak już tę dojrzałą twardość w rysach, charakterystyczną dla ludzi, którzy zaznali w życiu trudności i krzywd. Miał w sobie tę samą szlachetność, która tak ją ujęła u Jerzego.

– Dziękuję – szepnęła, spuszczając skromnie oczy.

Młodzieniec spojrzał na nią przeciągle, po czym wyszedł.

– Och, moje dziecko – westchnęła Irina Pietrowna, patrząc za synem. – Wiesz, kochanieńka, że ten nieszczęsny drab zakochał się w tobie?

– Ależ... – Nastia znów była skonfundowana. Oczywiście, zdawała sobie sprawę, że nie jest obojętna Andriejowi, ale broniła się przed tym. – Gdzież tam ja, prowincjuszka, mogłabym wpaść w oko i zapaść w serce panu z wielkiego miasta.

Irina Pietrowna zaśmiała się szczerze, na cały głos.

– Czasem, jak coś powiesz, Nastiusza... – Otarła dłonią łzawiące oko. – Jak ty coś powiesz... Ślepym by trzeba być, żeby nie widzieć, jak Andriusza wodzi za tobą wzrokiem, jak ściga każdy twój ruch.

– Jakoś nie zauważyłam – szepnęła Nastia.

– Przede mną, dziecko, nie musisz niczego udawać. Wiem, że cię pokochał, ale też wiem, iż twoje serce jest zupełnie gdzie indziej.

– Wie pani? – zdumiała się dziewczyna.

– Wiem doskonale. – Gospodyni pokiwała głową, poważniejąc. – Mam tyle lat i tyle przeżyłam, że pewne rzeczy dostrzegam na pierwszy rzut oka. Jest ktoś, za kim tęsknisz, o kim myślisz, i nie chodzi o twego ojca. On też wiecznie tkwi gdzieś w twojej głowie, ale nie tak, jak ten drugi...

– Matecz... – Nastia aż uderzyła się otwartą dłonią w usta, nie kończąc słowa. Spojrzała na Irinę Pietrowną z przestrachem.

– Miła moja, gołąbeczko – pani domu uśmiechnęła się łagodnie – możesz mnie nazywać mateczką, jeśli chcesz.

– Nie uchodzi. – Nastia pomyślała przelotnie, że to chyba dzień płonienia się i spuszczania oczu.

– Uchodzi, uchodzi, ale nie będę cię do niczego namawiała.

– Dziękuję. – Nastia pochyliła się nad robótką, żeby ukryć wzruszenie.

– Nie myśl sobie, że mam do ciebie żal, iż nie odwzajemniasz uczucia mojego syna. Takie są prawa młodości i miłości. Ale nie powiem, duszko, żebym miała coś przeciw takiej niewiestce jak ty. – Znów się roześmiała, widząc zmieszanie dziewczyny. – Opowiesz mi o nim? O tym twoim wybranku?

Nastia westchnęła ciężko.

– Cóż mam mówić? Nie wiem nawet, czy żyje jeszcze. Czasami wydaje mi się, jakby w ogóle nie istniał. Przemknął przez moje życie jak spadająca gwiazda, ale wyrył w duszy ślad...

– Kim jest? – Słysząc żar w głosie dziewczyny, Irina Pietrowna odłożyła swoją robótkę i przyjrzała się uważnie Nastii.

– To Polak – Nastia mówiła cicho, prawie szeptem, jakby nie chciała, żeby Andriej to usłyszał. – Zesłaniec.

– Też nie miałaś oddać serca komu, tylko przestępcy. – Gospodyni skrzywiła się z niechęcią.

– Jaki tam z niego przestępca – prychnęła Nastia. – Mówi pani, jakby nie wiedziała, kogo się w Rosji na zsyłkę skazuje.

– W takim razie buntownik. – Irina Pietrowna nie zmieniła wyrazu twarzy. – Przeciw carowi knuł. Nie wiem, czy taki nie gorszy od złodzieja i mordercy.

Nastia się żachnęła, ale zaraz opanowała rozdrażnienie.

– Nie każdy zesłaniec to zbrodniarz albo wróg. Różnie się losy plotą.

– Wiem też, że Polaków nie zsyła się pod Ural w nagrodę – mruknęła gospodyni. – Wszyscy zaś wiedzą, że ten naród to odwrotnicy, niespokojne duchy.

Dziewczyna nie odpowiedziała, bo i co miała rzec? Irina Pietrowna powiedziała to samo, co zawsze powtarzał ojciec i wszyscy dookoła. A jednak coś ciągnęło do tych zbuntowanych Polaków nie tylko ją, lecz także gubernatora. Miał rozkazy zajmować się osobiście tymi, którzy znajdowali się pod szczególnym nadzorem, a przecież ostatecznie nie potrafił ich traktować jak zaprzysięgłych wrogów.

– Nie gniewaj się, gołąbeczko – powiedziała łagodnie Irina Pietrowna. – Może ranię twoje serce, ale nie mieści mi się w głowie, żeby córka wysokiego urzędnika kochała się w skazańcu.

– A jednak – odparła Nastia śmiało. – Pokochałam tego człowieka i nie żałuję. Szkoda mi jeno, że srogi los nas rozdzielił, że nie wiem, co się z nim dzieje.

– I może się nie dowiesz – zauważyła gospodyni. – Trzeba by się zastanowić w takim razie, czy nie warto znaleźć nowego obiektu uczuć. Niebawem pora ci iść za mąż.

– Ojciec wysłał mnie do ciotki nie w ostatku po to, żeby mi znalazła jakąś partię, a pani też chce mnie swatać...

– Powinnaś nad tym pomyśleć, dziecko. Jeśli dorośli, doświadczeni ludzie, a tobie życzliwi, chcą tego samego, coś jest na rzeczy.

Nastia znów nie odpowiedziała. Jak sama stwierdziła, zaczynała wątpić, czy Jerzy Wołłkowicz w ogóle istniał, trwał w jej pamięci raczej jak dalekie echo pięknego snu niż realnej osoby. Z każdym tygodniem, a nawet z każdym dniem wspomnienie bladło wśród innych doznań, ale nie chciała go odepchnąć, schować gdzieś głęboko. Miała nadzieję, że żyje, że dane im będzie jeszcze się spotkać, choćby potem miało nastąpić ostateczne rozstanie.

Nie wiedziała już, czy go kocha, czy to także tylko wspomnienie uczucia, równie zamglone jak wspomnienie jego twarzy. Lecz teraz, kiedy usłyszała z ust życzliwej przecież osoby napomnienie, że powinna się przygotować na małżeństwo, bo nadchodzi czas, tamta miłość znów poruszyła się w sercu, odżyła z nową siłą.

Za kogo miałaby niby wyjść? Za Andriuszę, dlatego że okazał jej pomoc i dobroć? To by było małżeństwo tylko z wdzięczności, a wdzięczność to stanowczo za mało... Chociaż, gdyby nie oddała serca Jerzemu, z pewnością mogłaby się zakochać w dzielnym młodzieńcu. A może powinna wyjść za mąż z rozsądku za jakiegoś majętnego szlachcica lub wysoko postawionego czynownika? Kogoś w rodzaju obrzydliwego generała? Aż się wstrząsnęła z odrazy. Wolałaby już chyba śmierć. Plugawy dotyk tego starego kozła, ohydna woń niedomytego, za to rozgrzanego niezdrową żądzą ciała...

– Mam jeszcze czas – wymruczała bodaj bardziej do siebie niż do gospodyni.

– Ale czas biegnie i ucieka, pamiętaj – napomniała ją surowo Irina Pietrowna. – Kawaler może mieć lat trzydzieści, czterdzieści, a nawet pięćdziesiąt, i zawsze znajdzie sobie jakąś korzystną partię. Lecz dziewczyna nie powinna zwlekać zbyt długo, bo im więcej wiosen sobie liczy, tym jej urok tańszy, a posagu trzeba większego.

– Niesprawiedliwe to – powiedziała Nastia i pochyliła się nad robótką, żeby matka Andrieja nie zobaczyła w jej oczach łez.

– Taki jest już ten świat – westchnęła stara kobieta – i nic na to nie poradzisz.

Nagle zrobiło jej się strasznie żal tej nieszczęsnej dziewczyny. Nie dość, że została całkiem sama, nie wiadomo, gdzie jest jej ojciec i czy powróci, nie wiadomo, gdzie ukochany mężczyzna, ani nawet czy w ogóle żyje, to na dobitkę miała przeciwko sobie własną ciotkę i śmietankę towarzyską miasta. Jakże jej znaleźć dobrego męża w takim położeniu?

Wyciągnęła rękę, pogładziła ramię dziewczyny.

– Nie martw się na zapas – powiedziała ciepło. – Wszystko się ułoży.

Nastia skinęła tylko głową, nie mogąc wydobyć głosu.

– Pan dzisiaj nie przyjmuje! Proszę się nie przepychać!

Mickiewicz zmarszczył brwi. Czyżby ktoś chciał się wedrzeć do jego świątyni dumania? Ale na kogóż Wincenty mógłby tak krzyczeć? I dlaczego ktokolwiek miałby zakłócać spokój wieszcza? Chyba że to... Tak, nikt inny, tylko on. Poeta wypuścił ze świstem powietrze. Nie miał ochoty widzieć nikogo, a już najmniej swego najpoważniejszego konkurenta. Tym bardziej że nie spodziewał się niczego innego niż wyrzutów. I nie pomylił się. Stary kamerdyner, chociaż zdeterminowany, nie mógł sprostać energicznemu, młodemu wszak jeszcze człowiekowi, nawet tak schorowanemu jak Słowacki.

Drzwi otworzyły się z trzaskiem, stanął w nich zarumieniony z wysiłku i złości Juliusz.

– Witaj, drogi kolego po piórze – powiedział zjadliwym tonem. – Widzę, że gościnność u ciebie całkiem już zdechła.

Za plecami młodszego poety pojawił się Wincenty, i już wyciągał ręce, żeby wczepić się w intruza, dokonać kolejnej rozpaczliwej próby pozbycia się go, ale Mickiewicz pokręcił głową i odesłał kamerdynera machnięciem ręki.

– Wejdź, skoro już jesteś. – Uczynił zapraszający gest ręką. – A ty, Wincenty, zaparz nam dobrej angielskiej herbaty. Tylko się nie pomyl i nie nasyp do imbryka tych śmieci, które dostaliśmy ostatnio od hrabiny de Lambre. Ponoć to wielce wymyślny smakołyk – zwrócił się do Słowackiego tak, jakby od dłuższej już chwili prowadzili zwyczajną, uprzejmą konwersację. – Czerwona herbata na to mówią. Dobrze ma działać na zdrowie, ale posiada pewną kardynalną wadę: cuchnie, jakbyś naparzył ją nie ze szlachetnych liści, ale z kawałków worka po kartoflach.

– To bardzo zajmujące, lecz nie przyszedłem tutaj degustować herbat brytyjskich ani żadnych innych – skrzywił się Słowacki.

– Domyślam się. – Mistrz Adam zachowywał niewzruszony spokój. Naprawdę nie miał chęci ani na przyjmowanie gości, ani na kłótnie. – Skoro już jednak do mnie zawitałeś, panie Juliuszu, nie godzi się wypuścić cię bez poczęstunku. Wincenty przyniesie znakomite croissanty i ciasto drożdżowe z pobliskiej kawiarenki. Delicje, powiadam ci, prawdziwe delicje.

Słowacki strzepnął niecierpliwie ręką, ale wszedł do gabinetu, zamykając za sobą drzwi. Na zaproszenie gospodarza usiadł w wysokim fotelu, wyciągnął przed siebie nogi, skrzyżował jej w kostkach. Wyglądałby na rozluźnionego, gdyby nie oczy miotające skry.

– Może napijesz się wina? – Mickiewicz zakrzątnął się przy niewielkiej serwantce, w której stały różnego kształtu butelki. – Albo przedniego koniaku? Dojrzewał w prawdziwych limuzynowych beczkach...

– Powtórzę, panie Adamie – przerwał mu Juliusz – że nie przybyłem tu delektować smakiem napojów i potraw.

– A ja powtórzę, iż się tego domyślam. – Mickiewicz usiadł za biurkiem, nie otwierając nawet przeszklonej szafki. – Nie widzę jednak przeszkód, byśmy rozmawiali jak przyjaciele, a nie przeciwnicy. Tego drugiego wystarczy na paryskich salonach, gdy nas wielbiciele szczują przeciw sobie, a my gramy tę komedię pod ich dyktando.

Słowacki wzruszył ramionami, podciągnął nogi, usiadł prosto.

– Unika mnie pan, drogi przyjacielu – oznajmił. – Unika mnie pan od wielu tygodni, przestał pan nawet odwiedzać te salony, o których pan wiesz, że można mnie w nich zastać.

– Unikam? – Mickiewicz pokręcił głową. – Jeśli tak to wygląda, zapewniam...

– Daj już spokój! – parsknął poirytowany Juliusz. – Nie musisz łgać. Wiesz doskonale, o co mi chodzi, gierki i udawanie na nic się zdadzą! Za twoją sprawą i za twoją namową wysłałem szlachetnego człowieka w paszczę lwa, być może na zatracenie! Udawałem przed nim, że chociaż mgliście, ale znam cel misji, aby tylko go wypchnąć z bezpiecznego w miarę Paryża.

– Zapominasz, mój drogi – teraz to starszy z poetów przerwał niegrzecznie młodszemu – że wspaniała stolica Francji wcale nie była dlań bezpieczna. Przeżył tu poważny zamach, w każdej chwili mogli go dopaść siepacze, jeśli nie moskiewscy, to jacyś inni.

– A ty zapomniałeś już, jak tam jest? – Słowacki z oburzenia aż uniósł się lekko na rękach wpartych w poręcze. – Tam człowiek nic nie znaczy! Tam zgładzić jest równie łatwo, jak posmarować chleb świeżym masłem! Nawet jeśli coś mu tutaj groziło, to na pewno mniej niż w krainach, w których rządzą Moskale! Przypomnieć ci, co sam napisałeś?

Odchylił głowę, spojrzał w sufit i przywołał z pamięci potrzebne wersy:

Mam być wolny – tak! nie wiem, skąd przyszła nowina,
Lecz ja znam, co być wolnym z ręki Moskwicina!
Łotry zdejmą mi tylko z rąk i nóg kajdany,
Ale wtłoczą na duszę – ja będę wygnany.

– Tak czynią okrutni Azjaci, jak się przez wieki wyuczyli – mówił dalej Juliusz. – Ale mój krewniak nie zostanie wygnany. Zdejmą mu owe kajdany zapewne, ale wraz z życiem, na szafocie! Bo na duszę już mu je zdołali wcisnąć, zanim tu przybył.

– Widzę, że dobrze znasz moje pieśni – rzekł kwaśno Mickiewicz.

– Zapewne w tej chwili wolałbyś, panie Adamie, żebym je znał nieco gorzej? Niestety, jesteś wieszczem narodowym, przeczyć temu byłoby głupotą ostatnią. Lecz bycie wieszczem nie zwalnia od bycia człowiekiem!

Mickiewicz poderwał się na równe nogi, zaczął przemierzać pokój.

– Czego właściwie ode mnie chcesz, panie Słowacki? Czego żądasz?

Juliusz, widząc, że w końcu udało mu się poruszyć rozmówcę, odpowiedział znów strofami z trzeciej części *Dziadów*:

Pieśń ma była już w grobie, już chłodna,
Krew poczuła – spod ziemi wygląda –
I jak upiór powstaje krwi głodna:
I krwi żąda, krwi żąda, krwi żąda.
Tak! zemsta, zemsta, zemsta na wroga,
Z Bogiem i choćby mimo Boga!

– Skończ już z tymi cytatami – warknął starszy poeta. – Czego chcesz, mów i będziemy to mieli za sobą.

– Czego chcę? Prawdy, panie Mickiewicz! Tylko prawdy.

– I jaka ma być ta prawda?

– Dałbyś spokój – rzekł z politowaniem Słowacki. – Ty, wielki poeta, musisz się uciekać do takich semantycznych wybiegów? Nie obrażaj siebie i mnie, nie jesteśmy panienkami z dobrego domu na pensji u starej dewotki. Mów całą prawdę, brutalną i ostrą, niech wreszcie spłynie na mój umysł pełne oświecenie.

– Oświecenie już dobiegło końca, nie powiedziano ci tego? Teraz światem rządzi romantyczność... – Mickiewicz wykrzywił wargi w drwiącym grymasie.

Słowacki wstał, popatrzył na wieszcza z pogardą.

– Nie spodziewałem się po tobie aż takiego gałgaństwa, panie Adamie. Wpierw tani wybieg, potem tani dowcip. Żegnam w takim razie i smacznej herbaty winszuję.

Skierował się ku drzwiom, ale zatrzymał go głos Mickiewicza, tym razem poważny:

– Siadaj. Opowiem wszystko, co mogę opowiedzieć.

– Gdybyś nie błaznował, pewnie bylibyśmy już po rozmowie.

Mickiewicz roześmiał się zgrzytliwie.

– Jesteśmy poetami, nie oficerami, nie można wymagać, abyśmy gwarzyli w krótkich, żołnierskich słowach. Mów więc, po co przychodzisz?

– Po co? – Słowacki na powrót usiadł. – Powiedziałem już. Chciałbym się wreszcie dowiedzieć, cóż to ma odszukać mój krewniak w kaukaskiej głuszy.

– Jak łatwo się domyślić, to rzecz wielkiej wagi – odparł Mickiewicz. – Wielce polityczna sprawa.

– Rzecz wielkiej wagi – powtórzył drwiąco Juliusz. – Znam was, emigracyjnych pięknoduchów. Sam jestem jednym z nich. I wiem, że może iść o coś naprawdę istotnego, co faktycznie zatrzęsie imperium, ale równie dobrze spodziewać się mogę, że Wołłkowicz odnajdzie jakiś zagubiony rękopis Gribojedowa, w którym zmarły poeta krytycznie się wyraził o carze Aleksandrze.

Mickiewicz pokiwał głową z politowaniem.

– Widzę, że masz nas za durniów – powiedział. – Dobrze, wyjawię ci to i owo. Otóż mamy pewną wiadomość, iż w szkatule, którą powinien odnaleźć nasz przyjaciel, znajdują się dokumenty kompromitujące miłościwie panującego cesarza Wszechrusi w stopniu tak wielkim, że dynastia z domu Holstein-Gottorp-Romanow może znaleźć swój kres wraz z ujawnieniem tych rewelacji. Nie wiem, czy imperium runie, ale na pewno zapanuje w nim kolejna wielka smuta. A zamęt w Rosji zawsze będzie dla nas wielką szansą, aby wybić się na niepodległość.

Mistrz Adam z zadowoleniem ujrzał błyski w oczach rozmówcy. Słowacki pokraśniał z emocji, nabrał głębiej tchu, opanowując kołatanie serca.

– Mówiłeś i przedtem, iż to sprawa wagi narodowej, ale nie wspominałeś, że aż tak istotna. Jakiej natury są te dokumenty?

– Z tego, co zdołaliśmy się wywiedzieć, mają być to listy, które mogą wstrząsnąć w posadach imperium i skruszyć fundamenty, na których je posadowiono.

– Listy? – Słowacki zmrużył oczy. – A jakież to epistoły i kto je stworzył?

– Tego właśnie potrzebujemy się dowiedzieć, jednak jeśli wierzyć słowom ordynansa kapitana Wołłkowicza, rosyjskie służby policyjne i polityczne uznały je za tak kompromitujące, że od paru lat dokładają wszelkich starań, aby je przejąć. A to znaczy, że my musimy być pierwsi.

Zamilkł, a jego twarz nabrała takiego wyrazu, jakby zastanawiał się, czy nie powiedział już zbyt wiele. Słowacki powstał.

– Rozumiem, że niczego więcej się nie dowiem?

– Słusznie rozumujesz, panie Juliuszu. – Mickiewicz uśmiechnął się. – Zresztą stare powiedzenie mówi, że kto mniej wie, lepiej sypia.

Słowacki machnął lekceważąco ręką.

– Dla głupich to przysłowie, albo tchórzy raczej. Ty, panie Adamie, wiesz wiele rzeczy, ale ze snem kłopotów nie miewasz, nieprawdaż?

– Nie sądź pochopnie – odparł Mickiewicz. – To, żem jest okazem zdrowia, czego nie ukrywam, nie znaczy wcale, iż nie przeżywam przeróżnych rozterek. Czasem, uwierz mi, dzień zastaje mnie jeszcze w surducie, a nie nocnym odzieniu. Czasem głowa mnie boli od nadmiaru tytoniu, który niby pobudzać ma umysł, lecz sprowadza na ciało nie mniej przykre konsekwencje niż nadużycie trunków.

– Mnie tytoń nie służy – rzekł Słowacki. – Owszem, próbowali lekarze kurować mnie owym dymem, muszę rzec nawet, iż po pewnym czasie polubiłem jego wdychanie, ale było mi po tym jeszcze gorzej. Nie dla słabych płuc takowe rozrywki. Ale, ale – zreflektował się nagle. – O zdrowym śnie zaczęliśmy, a skończyli na tytoniu. Powiedz mi jednakowoż, panie Adamie, cóż dokładnie znajduje się w owej skrzynce czy szkatułce. Nie turbuj się o mój sen, albowiem bywają noce, że kaszel zupełnie nie daje zmrużyć oka, a miałbym wówczas o czym podumać, może wreszcie snuć marzenia inne niż zaprawione poetyką.

Mickiewicz zastanawiał się przez długą chwilę, zanim odpowiedział:

– Z jednej strony, wiesz już tyle, panie Juliuszu, że prawda zapewne by nie zaszkodziła, z drugiej jednak, wiążą mnie przyrzeczenia. Dałem słowo, że dopóki nie okaże się, iż cenne dokumenty znajdują się w naszych rękach, nie będę o nich rozpowiadał bez potrzeby.

– Rozumiem. – Słowacki skinął głową. – Słowo to słowo. Lecz czy możesz mi wyjawić, skąd ty i twoi sojusznicy, czy też może raczej mocodawcy, dowiedzieliście się o istnieniu owych papierów?

– To mogę powiedzieć – oznajmił mistrz Adam z wyraźną ulgą, że nie musi po raz kolejny odsyłać z kwitkiem użytecznego człowieka. – Wiemy to od pewnego mnicha, który zbiegł był z klasztoru w Gruzji. Mnich ten zresztą za młodu był towarzyszem broni ordynansa kapitana Jerzego Wołłkowicza. Z tego, co wyrozumiałem, razem zawiązywali spisek, obaj współpracowali z dekabrystami, choć nie brali udziału w samym zamachu na cara. Ów mnich zginął w wypadku, rozjechany przez wóz z węglem, ale ostatnio ordynans kapitana potwierdził owe rewelacje. Wiesz, jak to jest z mężczyznami. Nawet najtwardszemu język rozwiązuje się w łożu... Oczywiście jeśli ma do wybranki zupełnie zaufanie.

– Podstawiliście mu niewiastę? – Juliusz skrzywił się z odrazą.

– Ależ skąd! Lecz, jak sam wiesz doskonale, w Paryżu ściany mają uszy. A niektóre nawet dziurki, aby uszy łatwiej sobie radziły. Ten Rusłan nic wielkiego swojej wdówce nie powiedział, ledwie napomknął to i owo, nam jednak wystarczyło to połączyć z posiadaną już wiedzą.

– Wychodzi na to, że jest tak, jak powiedział mój nieszczęsny krewniak – mruknął Słowacki. – Jerzy wie mniej niż ktokolwiek z zainteresowanych tą sprawą.

– A co za różnica? – Mickiewicz wzruszył ramionami. – Nie on jest najważniejszy, choć także i do niego należy spełnienie misji.

– A do kogo jeszcze?

– A to już naprawdę nie twoja rzecz, panie Słowacki. Juliusz wydął wargi.

– Bawicie się w konspiracje i spiski. Gracie z caratem, Austrią i Prusami. Obyście się nie przeliczyli w tej grze. Wiem, że pojedynczy człowiek nic nie znaczy, gdy idzie o wolność ojczyzny, ale zastanów się, panie Adamie, czy koniecznie trzeba go poświęcać.

Mickiewicz wstał zza biurka, tym razem nieśpiesznie, przeszedł się po gabinecie od ściany do okna, a potem spojrzał na nieproszonego gościa.

– Nie wiem, czy trzeba koniecznie – powiedział cicho. – I nie myśl, że mi dobrze ze świadomością, iż ktoś może zginąć. Jak jednak osiągnąć cel, nie ponosząc ofiar? To nie gra, panie Słowacki, to nie zabawa w chowanego z wywiadowcami wroga. To walka na śmierć i życie, prawdziwa wojna, brutalna, bez zasad, za to długa i krwawa.

Słowacki również wstał, podszedł do drzwi, odwrócił się jeszcze i surowo popatrzył na starszego poetę. Nie odezwał się jednak. Mickiewicz stał pod oknem, nie zamierzając się poruszyć. Nigdy nie podawali sobie dłoni, jeśli nie zmusiły ich do tego okoliczności towarzyskie i bezlitosne zasady savoir vivre'u, i teraz także nie zamierzali zmieniać obyczajów. Zbyt wiele ich dzieliło, choć służyli wspólnej sprawie. Słowacki miał w każdym razie nadzieję, iż owa sprawa w istocie rzeczy jest wspólna i naprawdę dotyczy dobra Polski, a nie tylko korzyści Loży Wielkiego Wschodu.

9

Port w Poti przywitał ich słońcem i inspekcją pokładu. Urzędnicy celni przetrząsnęli gruntownie ładunek w poszukiwaniu kontrabandy. Znać było po nich wielką wprawę. Nie znaleźli jednak niczego godnego uwagi, a to, co skonfiskowali kilku marynarzom, wrzucili po prostu do worka i zabrali ze sobą.

Nic dziwnego, że poszukiwania nie przyniosły rezultatu. To, co kapitan wiózł nielegalnego, zostało bez wątpienia przekazane dwie noce wcześniej, kiedy zawinęli do sporej zatoki, w której czekały łodzie i uzbrojeni po zęby ludzie. Jerzy obserwował wszystko bez przeszkód przez bulaj swojej kajuty. Kapitan zakazał wychodzić pasażerom na pokład, ale okien nie polecił zaślepić, choć mógłby. Widocznie nie tyle chodziło mu o utrzymanie tajemnicy, ile o bezpieczeństwo, a może nawet życie tych, którzy powierzyli mu swój los. Zapewne tajemniczy kontrahenci mogli łatwo się zdenerwować lub wpaść w panikę i z byle powodu otworzyć ogień. Nawet załoga została zapędzona do swoich pomieszczeń, a przy rozładunku pracowało zaledwie kilku ludzi, najwidoczniej najbardziej zaufanych.

Tak czy inaczej, patrząc na krzątaninę żołnierzy i urzędników, kapitan uśmiechał się z lekką drwiną. Wołłkowicz był pewien, że to, co zostało znalezione, załoga miała w kajutach na polecenie kapitana tylko po to, aby kontrolujący zdobyli jakiś łup i mieli satysfakcję, nie przetrząsając bardziej gruntownie całej jednostki. Przy takich okazjach zawsze robi się wielki bałagan. No i niewielka w sumie grzywna za odrobinę zakazanych towarów stanowiła coś w rodzaju dodatkowego haraczu.

Na koniec dowódca warty pilnującej trapu na nabrzeżu pogroził lekko palcem paru marynarzom, którzy przewieszeni przez relingi usiłowali zagadywać jego ludzi, i zwinął posterunek.

Oczywiście pasażerów po zejściu z trapu natychmiast poproszono do biura odpraw i sprawdzono dokładnie dokumenty oraz bagaże, ale tego mogli się nie obawiać. Vidocq wyposażył ich w najlepsze z możliwych, bo prawdziwe paszporty francuskie, a w torbach nie mieli w zasadzie niczego poza odzieniem i kilkoma drobiazgami.

– Monsieur George de Lavoise? – spytał celnik w randze kapitana, rozparty na krześle. Mundur miał niedbale rozpięty i rozchełstany na kudłatej piersi.

– To ja – odpowiedział Jerzy. Przynajmniej imię mu zostawiono własne. – A to mój służący...

– Chwileczkę. – Celnik powstrzymał go gestem dłoni. – Monsieur Denis Potin to pan?

Rusłan skinął głową. Wolał się za wiele nie odzywać, na wypadek gdyby się okazało, iż jakiś tutejszy oficerek zbyt dobrze włada francuskim. Rzecz jasna, zawsze mogli wytłumaczyć, że sługa pochodzi z dalekiej prowincji, jednak lepiej było unikać wszelkich nieporozumień.

– Dobrze. – Celnik nudził się najwyraźniej tak, że dla rozrywki zjadłby własne buty, bo najdłużej oglądał paszport Maximiliena, jedyny tak naprawdę i do końca autentyczny dokument, w którym nawet nazwisko było prawdziwe. –

I monsieur Maximilien Rogue – rzekł wreszcie. – Cóż za piękne imię.

– Rodzice nadali mi je na cześć Robespierre'a – wypalił ostro chudy milczek ku zdumieniu Wołłkowicza i Rusłana. – Zamierza się pan ze mnie naigrawać czy też pozwoli nam wreszcie pójść sobie i znaleźć jakiś nocleg! Jeśli zamierza mnie pan nadal nękać, poproszę o rozmowę z pańskim przełożonym!

Jerzy w duchu pokręcił głową z niedowierzaniem, ale nawet nie spojrzał na Francuza. Był pewien, że wybuch agenta Vidocqa musiał mieć jakiś cel. I nie pomylił się.

– Pod oknem stał porucznik – wyjaśnił krótko, kiedy Wołłkowicz zagadnął go na zewnątrz o przyczynę złości. – Bardzo się przyglądał naszemu przyjacielowi. – Brodą wskazał Rusłana. – Ta jego ręka... I kaukaska uroda. Musiałem odwrócić ich uwagę. Jeszcze chwila, a ten porucznik zacząłby zadawać pytania, a tego byśmy nie chcieli.

Nocleg znaleźli niedaleko portu, w niewielkiej, dość obskurnej tawernie. Ponieważ nie zamierzali się zatrzymywać w Poti dłużej niż dwa dni, aby dokonać koniecznych sprawunków i wynająć bądź kupić konie, podłe warunki nie bardzo im przeszkadzały. Rusłanowi nawet posłanie w oborze wprost na gnoju wydawałoby się pałacowym łożem. Zdawało się przez chwilę, że nieborak pogodził się z kołysaniem statku, lecz kiedy przyszła większa fala i szkuner zaczął sztormować, choroba morska wróciła i tym razem ścięła twardego górala z nóg nie mniej skutecznie niż katowski miecz głowę skazańca.

Te dwa dni minęły błyskawicznie na ustawicznych targach z ormiańskimi kupcami, którzy zdawali się mieć w portowym mieście monopol na handel z obcokrajowcami. Wreszcie mogli wyruszyć w dalszą drogę. Każdy dosiadał niezłego wierzchowca, poza tym prowadził jucznego konia. Zanim minęli rogatki miasta, Jerzy odwrócił się i spojrzał w głąb ulicy. Nie zobaczywszy nikogo, wstrzymał konia, a jego towarzysze zrobili to samo.

– Ciekaw jestem, gdzie się podział nasz tajemniczy towarzysz podróży – mruknął Wołłkowicz. – Przecież nie został na statku. Kapitan mówił, że nie płyną dalej, wracają do Francji.

– Niech się pan nim nie zamartwia – odparł Rusłan. – Na pewno zszedł z pokładu, tak jak się pojawił, ukradkiem, z dala od ludzkich spojrzeń.

Maximilien otworzył usta, jakby chciał coś powiedzieć, ale zaraz je zamknął. Nie uszło to uwagi Czerkiesa.

– No powiedzże, milczku jeden, co wiesz! – rzekł zniecierpliwiony. – Jedziemy na jednym wózku, chyba to już zauważyłeś? I chyba dotarło już do ciebie, że nie jesteśmy agentami ani szpiegami, tylko zwykłymi ludźmi, których los uwikłał w jakieś sekretne sprawy! – Kiedy agent nie odpowiadał, ciągnął dalej: – Vidocq kazał ci tak od nas stronić? Ukrywać wszystko, co wiesz albo czego się domyślasz?

Maximilien obrzucił Rusłana ponurym spojrzeniem.

– Nie, nie kazał – odburknął. – Ale nie mam do nikogo zaufania. Nigdy – dodał z naciskiem. – Jeszcze na tym źle nie wyszedłem.

– Ale my możemy wyjść! – Jerzy także stracił cierpliwość. – Nie dość, że wiemy tyle, co kot napłakał, to przez ciebie mamy nie wiedzieć nawet tej marnej reszty? Gadaj, albo się rozstaniemy teraz i zaraz. Tylko Rusłan wie, gdzie jest to, czego szukamy, bez niego możesz sobie jedynie urządzić wędrówkę po górach Kaukazu.

Maximilien wiedział doskonale, że Wołłkowicz nie żartuje, ale próbował jeszcze wić się jak piskorz.

– Obowiązuje mnie przysięga.

– Wsadź sobie tę przysięgę w buty! – prychnął Rusłan. – Albo i wyżej niż buty! Zrobimy, jak powiedział kapitan.

– Kiedy to z waszych kręgów wyszła idea tej wyprawy. Chcecie się wycofać? Zamierzacie się sprzeciwić wpływowym osobistościom?

Wołłkowicz roześmiał się niewesoło.

– Tak się złożyło, że występowałem nie tylko przeciw wielkim osobistościom, ale także przeciw wojskom wielkiego imperium, przeciw samemu carowi. A Rusłan knuł przeciwko niemu, nie zważając na niebezpieczeństwo. Nie przestraszysz nas taką pustą gadaniną. Albo mówisz, co wiesz, albo się rozstaniemy. Najpierw co się tyczy tego tajemniczego jegomościa. Kto to jest?

– Mogę mieć tylko pewne podejrzenia...

– Boże – jęknął Rusłan. – Czy ty naprawdę nie umiesz inaczej?

– Wachmistrzu – rzucił Polak po rosyjsku. – Mam dość tego cudaka. Nie będziemy wracać, to bez sensu. Pojedziemy dalej sami, a najpierw daj pokurczowi po łbie albo najlepiej wsadź mu nóż pod żebra. Powiemy, że celnicy go zdemaskowali, wezwali żołnierzy, a myśmy ledwie zdołali ujść z życiem. Sami zdobędziemy tę szkatułę.

Zanim Rusłan zdołał się w ogóle poruszyć, Maximilien zeskoczył z siodła, przywarł plecami do ściany, w jego ręku pojawiła się srebrzysta lufa.

– No widzisz. – Jerzy się roześmiał. – Okazuje się, że nasz przyjaciel doskonale rozumie po rosyjsku. Jakie jeszcze tajemnice ukrywasz, chuderlaku?

Francuz zaklął pod nosem i schował rewolwer, widząc na twarzach towarzyszy nie groźbę, strach czy zaskoczenie, a tylko drwinę.

– Słuchamy więc – rzekł Wołłkowicz. – Kim jest ten człowiek? I co się z nim stało?

Mały agent wdrapał się na konia, wzruszył lekko ramionami.

– Mogę się tylko domyślać, jak powiedziałem. To szpieg wysłany w ślad za nami.

– Dlaczego więc nie zaokrętowano go w porcie, tylko jak jakiegoś złodzieja przyjęto na pokład w dziwnych okolicznościach?

– Bo to, paradoksalnie, budziło mniej podejrzeń. Sami przypuszczaliście, że to jakiś przestępca. Nie ciekawił was, nie niepokoił, może tylko intrygował. Teraz też zastanawiał się pan tylko ot tak, gdzie on jest, i gdybym się nie wyrywał z niewczesnym wyjaśnieniem, gdyby pan nie zauważył, żem chciał coś powiedzieć, zapomniałby pan o nim po chwili. I o to im chodziło. I dlatego pan Vidocq tak bardzo chciał, żebym jechał z wami. Nie jesteście wprawieni w takich sprawach.

– Szpieg rosyjski? – Rusłan zmarszczył brwi.

– Albo brytyjski. Albo austriacki, albo i francuski zgoła. Nie wiem. Nie wiem też, czy to naprawdę szpieg. Widziałem tylko, że wyprawili go na brzeg razem z kontrabandą, w tamtej zatoce.

– A jak zdołałeś to dostrzec? – spytał Rusłan. – Przecież nie puszczali nas na pokład, a z bulajów niewiele było widać.

– A to już moja rzecz. Nie widziałem, jak schodzi z pokładu. Obserwowałem za to uważnie, jak opuszcza swoją kajutę, zabierając wszystko, co miał.

– Jak to? – Rusłan zastanawiał się przez chwilę. – Ach, to dlatego tak często gdzieś znikałeś? Podglądałeś tamtego człowieka? Co zrobiłeś? Wydrążyłeś dziurkę w deskach, żeby go widzieć? – spytał drwiąco.

– A żebyś wiedział – burknął mały agent. – Tobie by to do głowy nie przyszło?

– Na pewno nie – odparł z pełną powagą Rusłan. – No chyba żeby był smukłą czarnobrewą dziewczyną albo chociaż małą apetyczną blondyneczką. – Czerkies nie wytrzymał i parsknął śmiechem. – Nikt cię nigdy nie przyłapał na tym niecnym procederze? Marynarze niekoniecznie lubią takich o odmiennym guście.

– Znam swój fach. – Maximilien podniósł dumnie głowę.

– To co nam jeszcze powiesz? – zainteresował się Jerzy.

Francuz rozejrzał się po wciąż pustej ulicy.

– Tutaj mam się wam zwierzać? – spytał. – Uważa pan, że to naprawdę właściwe miejsce?

Wołłkowicz skinął głową.

– Racja, nie pora ani miejsce – zgodził się Rusłan. – Ale dobrze, żeś zaczął gadać jak człowiek.

Gubernator Jaszyn musiał przyznać, że Ananuri robiła wrażenie. Nie wytrzymałaby poważnej nawały artyleryjskiej, ale też nikt tego nie wymagał. Rebelianci, którzy czasem przychodzili z dalekich gór, nie mieli szans zdobyć warowni, nie posiadali odpowiedniego uzbrojenia, wiadomo, że takie oddziały nie mają armat, a jeśli nawet jakąś ciągną, to niewielką, przydatną w polu, nie do oblężeń.

Lecz przybyli nie mieli wiele czasu na podziwianie twierdzy od wewnątrz. Dowódca warty natychmiast zaprowadził jego i kapitana Szmita do swojego przełożonego. W ciemnej komnacie, bardziej przypominającej klasztorną celę niż pokój w – bądź co bądź – jednak zamku, czekał na nich zażywny oficer. Nawet w niepewnym blasku świec widoczne były rumieńce na policzkach. Roman Fiodorowicz pomyślał, że do służby w górach ten człowiek mało się nadaje. Spory brzuch i zwiastująca apoplektyczny charakter nalana twarz świadczyły, że każdy większy wysiłek może się dla niego skończyć bardzo źle, zawałem serca, ba śmiercią nawet. Gubernator już nieraz miał okazję się przekonać, że w armii kompetencje oraz osobista przydatność do takiej czy innej formacji są sprawą drugorzędną. Liczą się koneksje, wzajemne animozje i widzimisię dowódców. Aż dziw, że jakiekolwiek wojsko w ogóle jest w stanie funkcjonować w skoordynowany sposób.

Lecz to była tylko taka przelotna myśl. Uleciała czym prędzej, kiedy major przemówił:

– Major piechoty górskiej Denis Lwowicz Karłow. Dobrze, że już jesteście, drodzy panowie. Przybyliście chyba w ostatniej chwili... Jeśli nie za późno zgoła.

Jaszyn zmarszczył brwi.

– Co to znaczy?

– Człowiek, który na was czekał, właśnie dogorywa. Udamy się do niego natychmiast, może jeszcze nie będzie za późno. Mnie nie chciał nic powiedzieć, nawet na łożu śmierci. Chodźmy. – Major wstał i podszedł do drzwi. – Proszę za mną.

Szli korytarzem, a oficer mówił:

– Przybył do nas w bardzo złym stanie. Oddział wpadł w zasadzkę w górach, niedaleko wioski Gadżuri. Nigdy nie bywali tam buntownicy, zdawało się, że to bezpieczna droga, a jednak... W tym przeklętym kraju nigdy nie wiadomo, skąd spadnie cios. W każdym razie wasz emisariusz zdrowo oberwał. Dostał kulę w pierś, na dodatek wdało się zakażenie. Wedle naszego łapiducha powinien już umrzeć, ale jakby go coś trzymało przy życiu. Może właśnie na was tak czekał?

– Diabli – zaklął Szmit. – Czy nic nie może się odbyć jak trzeba?

– Widać nie może – odpowiedział z filozoficznym spokojem gubernator. – Takie jest życie i nic się na to nie poradzi.

Ponieważ nie miał pojęcia, co ma im przekazać ten człowiek, nie czuł szczególnego niepokoju. Tajemnica była tuż-tuż, a jemu zrobiło się jeszcze bardziej wszystko jedno niż do tej pory. Czuł się, jakby tak czy inaczej został już skazany.

Pokój rannego był bodaj jeszcze mniejszy i ciemniejszy niż gabinet majora. Jaszyn pomyślał nawet, że być może w tym miejscu wszystkie pomieszczenia mieszkalne tak właśnie wyglądają. Wewnątrz unosił się mdły zapach ropy i mniej uchwytna woń, kojarząca się tylko z jednym – ze śmiercią. Chory leżał na wąskim łóżku, obok którego ustawiono zydel z kubkiem wody i jakimiś dekoktami. Major Karłow spojrzał pytająco na lekarza stojącego przy oknie i próbującego zaczerpnąć świeżego powietrza. Medyk pokręcił lekko głową.

– Dochodzi już – oznajmił. Na ostrzegawcze syknięcie majora machnął tylko ręką. – Doskonale o tym wie, czeka na śmierć, bo ból stał się nie do zniesienia. Nawet opium już nie pomaga. W środku wszystko mu chyba wygniło.

Jaszyn przyjrzał się rannemu. Blada twarz, w nikłym świetle wręcz biała, okolona zaniedbanymi bokobrodami, zroszona była potem. Nieszczęśnik z wyraźnym wysiłkiem uniósł powieki, poruszył ustami. Lekarz natychmiast podszedł, pochylił się, wsłuchał w niesłyszalny dla pozostałych szept.

– Panie majorze – powiedział do Karłowa, prostując się – musimy wyjść. Pacjent chce zostać sam na sam z naszymi gośćmi.

Major kiwnął głową i bez słowa udał się za lekarzem. Kiedy zostali sami, Jaszyn ze Szmitem zbliżyli się do łóżka. Kapitan już nie próbował udawać, że jest tylko konwojentem gubernatora, a Jaszyn w innych okolicznościach pewnie odegrałby komedię, próbując odesłać oficera, udając, że niczego się nie domyśla, lecz w tej chwili czas stał się najważniejszy. Informator lada chwila mógł zgasnąć i liczyło się tylko wydobycie od niego potrzebnych wiadomości.

Zgodnie schylili się, Jaszyn poczuł mdłości od nasilającego się odoru ropy, ale przemógł odrazę.

– Na rynku w Tbilisi spotkałem chyba pańskiego kuzyna – rzekł Szmit. – Nie dalej jak tydzień temu.

Jaszyn już miał się obruszyć i zrugać kapitana za niewczesne żarty, ale natychmiast zdał sobie sprawę, że to część umówionego hasła.

– Mieszka tam dopiero od roku – odparł wysilonym szeptem ranny. – Ale ponoć nieźle sobie radzi.

Kapitan pochylił się jeszcze niżej. Doświadczonemu żołnierzowi smród widać tak bardzo nie przeszkadzał.

– Mów, człowieku!

– Musicie się udać... – Ranny rozkaszlał się, rozpryskując na wszystkie strony cuchnącą ślinę przemieszaną z krwią. Jaszyn cofnął się odruchowo.

– Dokąd mamy się udać? – dopytywał kapitan. – Mów!

– Do... do... Dżw... Dż... – Wymówienie nazwy najwyraźniej sprawiało mu ogromną trudność.

– Dokąd mamy jechać i jak znaleźć to miejsce?

Ranny nabrał tchu, przemógł słabość.

– Mon... monastyr...

– Tak? – Kapitan w napięciu zacisnął szczęki, mówił przez zęby.

Ale rannemu oczy uciekły w głąb czaszki, zacharczał rozpaczliwie. To było beznadziejne. Jaszyn wiedział, że nieborak już nic więcej nie powie, że przechodzi właśnie na drugą stronę, ale kapitan nie rezygnował.

– Gadaj, człowieku! – wrzasnął prosto w ucho rannego,

lecz ten nawet nie drgnął. Kapitan potrząsnął nim. – Gadaj wreszcie! Do jakiego monastyru? Kogo i czego mamy szukać?

Trząsł bezwładnym ciałem jeszcze przez chwilę, zanim poczuł na ramieniu ciężką rękę Jaszyna.

– Proszę już dać spokój – powiedział gubernator. – On nie żyje.

A potem Jaszyn poczuł narastającą wściekłość, która wyparła tę dziwną obojętność, jaką odczuwał, wchodząc tutaj. Przecież od powodzenia wyprawy zależał nie tylko jego los, ale też dalsze życie Anastazji! Jak mógł o tym zapomnieć chociaż na chwilę?

– Jesteście głupcami, panowie szpiedzy! – wysyczał. – Przeklętymi głupcami! Gdyby nie wasze durne hasła, ten człowiek zdołałby może coś więcej powiedzieć! Ale nie, nie mógł, bo musiał stracić siły, żeby wpierw wysłuchać jednego głupiego zdania, a potem nie mniej głupie samemu wygłosić! Głupcy, głupcy, głupcy!!!

– Gdybym nie podał hasła, równie dobrze mógłbym go od razu dodusić poduszką – odparł nie mniej zdenerwowany Szmit. – Kto mógł wiedzieć, że zemrze, zanim coś powie? Ale przynajmniej wiemy, że przedmiot poszukiwań znajduje się w jakimś monastyrze. A jego nazwa zaczyna się na „Dż", a może nawet na „Dżw", jeśli to nie był tylko charkot.

– Boże! – Jaszyn wzniósł oczy w górę, jakby chciał przebić wzrokiem sufit i sięgnąć nim nieba. – Bez obrazy, kapitanie, ale czy pan w ogóle myśli? Przecież nic nie jest tutaj oczywiste. Po pierwsze, wcale nie wiemy, czy tam właśnie jest ta przeklęta skrzynka bądź szkatuła, czy też to tylko kolejny etap podróży. Bo może powinien tam na nas czekać kolejny emisariusz, który będzie wiedział coś więcej. A po drugie, o ile wiem, w Gruzji może być tysiąc miejsc, których nazwa zaczyna się na „Dż", połowa zaś nich gotowa się okazać klasztorami!

Szmit uspokoił się już, odetchnął głębiej i skrzywił się. Przykry zapach zaczął mu doskwierać dopiero teraz, kiedy napięcie nieco opadło.

– Punkt zaczepienia mamy. Najważniejsze, że ten nieszczęśnik ustalił, iż to, czego szukamy, naprawdę istnieje.

– To wiedziałem i bez niego – burknął Jaszyn. – Złamało mi to karierę.

– Wiemy, że naprawdę istnieje – powtórzył z naciskiem kapitan – i znajduje się na terenie Gruzji. Nie może być daleko stąd, bo wówczas naznaczono by nam inne miejsce spotkania. A to zawęża krąg poszukiwań. Niebawem przybędzie ktoś, kto zdecyduje, co mamy robić dalej.

Gubernator spojrzał bystro na rozmówcę.

– Kto to jest?

– Nie wiem. Ale ma tu przyjechać po naszym przybyciu. Tak zostało ustalone.

– Powiedziano mi, że to ja dowodzę misją – zauważył cierpko Jaszyn. – A tymczasem okazuje się, że nie przekazano mi nawet podstawowych informacji. Na przykład o tym, że od podejmowania ważnych decyzji jest ktoś inny.

– Pan dowodzi? – Szmit prychnął cicho, ale tak zjadliwie, że Jaszyna przeszedł dreszcz ze złości. – Pan jest tylko czymś, co nazywamy przykrywką. Na panu ma się skupiać uwaga postrzegaczy, jeśli tacy gdzieś są. A prawdziwą pracę wykona ten, do kogo władze mają pełne zaufanie.

Roman Fiodorowicz skwitował to milczeniem. Bo i co miał odpowiedzieć? Domyślał się tego od samego początku, a teraz tylko zyskał potwierdzenie podejrzeń. Niemniej jednak, skoro już go wplątano w tę aferę, nie zamierzał pozostawać bierny.

– Wypytam najpierw Karłowa. Siedzi tu od lat, zna okolicę. A nuż się domyśli, o jaki monastyr chodziło zmarłemu?

Szmit aż się wstrząsnął.

– Chce pan powierzać tajemnicę temu człowiekowi? Przecież nie wysłano go do Gruzji w nagrodę! Tutaj służy zawsze niepewny element, szczególnie oficerski. Dlatego zmarły nie chciał mu nic powiedzieć.

– A kto mówi o powierzaniu tajemnicy? Zapytać zawsze można. A jak pan sobie wyobraża podejmowanie dalszych działań?

– Proszę nie robić głupstw, gubernatorze. Ja na pewno nie chcę mieć z tym nic wspólnego. Całkiem lubię swoje odbicie w lustrze, nie mam ochoty oglądać się w nim po raz ostatni w chwili, kiedy cyrulik więzienny będzie mnie golił przed powieszeniem.

– Proszę się nie obawiać, w nic pana nie wciągnę. – Jaszyn wzruszył ramionami. – Nie wiem tylko, ile wart jest oficer, który umyka przed ryzykiem jak zając przed psami.

Szmit poczerwieniał z wściekłości.

– W innych okolicznościach poprosiłbym pana gubernatora o satysfakcję – wycedził.

– Kiedy tylko pan zechce – odparł spokojnie Jaszyn. – A żeby nie pozostawiać wątpliwości, powiem wyraźnie: tak, uważam pana za tchórza, kapitanie. Nie potrafi pan podejmować samodzielnych decyzji, nie jest pan w stanie zapanować nad własnymi ludźmi, czego najlepszy przykład dał pan, pozwalając na utarczki swojego kaprala z Siemionem i wreszcie na bójkę. A wreszcie skompromitował się pan w moich oczach, bezlitośnie pomiatając umierającym. Coś jeszcze?

– Wystarczy. – Głos kapitana przypominał warczenie rozsierdzonego wilka. – Wystarczy w zupełności. Już teraz wyzywam pana na pojedynek. Gdy tylko będzie sposobność...

– I dobrze. – Jaszyn machnął lekceważąco ręką. – Wyzwanie przyjęte, a teraz pozwoli pan, że zrobię coś sensownego. Pan jest wolny.

Wykonał przy tym gest palcami, jakby oddalał nie oficera carskiej armii, lecz najostatniejszego służącego. Szmit poczerwieniał, lecz nie podjął już rękawicy. Zgrzytnął zębami i wyszedł. Kiedy trzasnęły drzwi, Jaszyn się uśmiechnął. Przynajmniej tyle, niech się teraz pan kapitan smaży i dusi w bezsilnej złości. Kiedy nadejdzie czas, gubernator z przyjemnością nadstawi głowę pod ostrze jego szabli. Gardził tymi szpiegami i agentami, całym tym brudem. Czy podczas aktu stworzenia Bóg Ojciec przewidział, że Ziemia zaludni się podobnymi osobnikami? Wątpliwe. Gdyby to wiedział, zatrzymałby się w kreacji świata na rybach i jaszczurkach.

Popatrzył na trupa. Widzisz, przyjacielu, jak ci podziękowano za wierną służbę? Nie szacunkiem i dobrą pamięcią, ale szarpaniem i pretensjami. Poddani jego imperatorskiej mości zawsze i wszędzie powinni być przygotowani na taką właśnie wdzięczność. Nieważne, czyś jest chłopem czy gubernatorem, ciurą obozowym czy oficerem. W oczach opryczników jego wysokości każdy jest równy. To znaczy stanowi mierzwę pod stopami godniejszych.

Jaszyn pokręcił głową odpędzając niebezpieczne myśli. Miał coś do zrobienia i zamierzał to zrobić, wbrew wszystkim i wszystkiemu. A potem niech go sobie kapitan wyzywa na pojedynek.

Jerzy kochał góry, a szczególnie upodobał sobie Kaukaz. Ledwie ujrzał zbliżające się przełęcze i szczyty, poczuł drgnięcie w piersi. Mimo wszelkiego zła, jakie go spotkało, to tutaj spędził najlepszy okres swojego życia po powstaniu. Garnizony kaukaskie służyły nader często do odizolowania niepewnych ludzi od tak zwanego zdrowego trzonu armii, ale dzięki temu czuli się wolni, mimo czyhających niebezpieczeństw. Nigdy nie było wiadomo, skąd padnie strzał, przewodnik mógł okazać się zdrajcą, o awans bywało bardzo trudno, lecz niewielu znalazło się pośród oficerów takich, którzy by lękali się mówić głośno to, co myślą. Bo cóż gorszego ich mogło spotkać? Tylko zesłanie. A wszystkich żołnierzy zesłać nie dałby rady nawet wszechwładny ojczulek car. Poza tym w rejonie Kaukazu potrzebni byli ludzie odważni, obdarzeni inicjatywą, a tymi przymiotami cechują się zazwyczaj ci, którzy popadają w konflikty z przełożonymi, mający skłonności do sprzeciwiania się władzy. Z jednej strony armia potrzebowała takiego żywiołu, z drugiej starała się go pozbyć. Kaukaz okazał się znakomitym miejscem. Tutaj zawsze coś wrzało, a wysłani do oddziałów oficerowie najpierw musieli zajmować się zapewnieniem bezpieczeństwa podwładnym, a dopiero potem myśleć o własnych poglądach. W ostateczności, jeśli któryś zaczynał zanadto bruździć, można z nim było zrobić to, co uczyniono niedawno z Lermontowem, a co odbiło się głośnym echem w całym świecie sztuki, to znaczy sprowokować pojedynek i ostatecznie pozbyć się niepożądanego człowieka.

Zrobiło się chłodniej, bo weszli w nieco wyższe partie gór, droga wiła się po zboczu wzdłuż koryta rzeki, prowadząc w stronę Morza Czarnego. Wołłkowicz zadrżał, otulił się szczelniej burką. Poczuł nadchodzącą febrę, gdzieś na granicy świadomości rozległo się wilcze wycie.

Jak to się stało, że głodne drapieżniki pozostawiły go przy życiu? Nie wierzył w żadne nadprzyrodzone wyjaśnienia, w legendę, jaką to wydarzenie obrosło wśród zesłańców.

Nie był nikim szczególnym, nie miał w sobie krwi mitycznych Wilków, starożytnych mieszkańców stepów Ukrainy. Stało się wtedy coś, co uratowało mu życie. A raczej przyczynił się do tego ktoś, komu zależało na życiu Polaka. W przypadek Jerzy w tym względzie absolutnie nie wierzył.

– Prawie jak w domu – powiedział Rusłan, patrząc z zadowoleniem na strome zbocza porośnięte rzadką roślinnością. Minęli już poziom lasów, z wolna pięli się coraz wyżej.

– Powtarzasz to setny raz – zauważył cierpko Maximilien. W górach czuł się o wiele mniej pewnie niż na morzu, zupełnie odwrotnie niż jego towarzysze podróży.

– I powtórzę jeszcze tysiąc razy! – Rusłan klepnął małego agenta w ramię z takim rozmachem, że o mały włos zrzuciłby go z siodła. Sam zachwiał się przy tym i szybko chwycił wodze. – Ciągle zapominam, żeby obwiązać je wokół kikuta – mruknął.

Maximilien, krzywiąc się, rozcierał odrętwiałą od uderzenia rękę.

– Zapominasz też, że w tej zdrowej masz siły za dwie zwykłe! – powiedział z wyrzutem. – Zrób tak jeszcze raz, a cię zastrzelę!

Od chwili, kiedy zmusili Francuza do zwierzeń, stał się bardziej rozmowny. Zupełnie jakby przedtem konieczność utrzymywania tajemnicy skuwała mu usta.

– Musiałbyś najpierw trafić z tej swojej pukawki na pestki słonecznika – zaśmiał się Czerkies.

– Czaszkę te pestki przebiją – odparował Francuz. – Nawet taką grubą jak twoja.

Jerzy słuchał ich przekomarzań i czuł, jak atak gorączki ustępuje, jeszcze zanim się na dobre zaczął. Obawiał się przedtem, że ostre górskie powietrze ułatwi przystęp chorobie, tymczasem zdawało się ono bardziej leczyć niż wszelkie kuracje, jakie przeszedł.

– Moją może i przebije z niejakim trudem – zgodził się Rusłan. – Ale dobrego wilka z tej pukawki na pewno nie zastrzelisz. Otrząśnie się tylko, a potem zrobi sobie z szanownego pana małą przekąskę. Bo na porządną kolację to ciebie trochę za mało.

– Może i za mało, ale też i trudniej celować w moje plecy niźli w twoje, co szerokie są jak kuchenny kredens. A na dobrą kulę nie ma mocnych, sam wiesz. A do mojej, jak ją nazywasz, pukawki, naboje mam nieco inne niż te, które miałeś okazję poznać w wojsku.

Maximilien zamilkł i z bezczelnym półuśmiechem spoglądał na adwersarza. Lecz Rusłan udawał, że sprawa zupełnie go nie interesuje. Rozglądał się po okolicy, poświstując cicho pod nosem jakąś skoczną melodię.

– To znaczy jakie? – zaciekawił się Jerzy, przerywając ciszę. – Wzmocniony ładunek? To musi przy tym maleństwie być silna lufa. I mocny bęben.

– Wzmocniony ładunek oczywiście, lufa też jest odpowiednio hartowana – przyznał Maximilien. – Lecz to nie wszystko. Pociski także nie są zwykłe.

Najwidoczniej nie tylko morze stanowiło pasję małego Francuza. Kiedy opowiadał o rewolwerze, oczy mu się świeciły. Zresztą samo to, iż posiadał nowoczesną kapiszonową konstrukcję, świadczyło o znajomości sprawy. A także niewątpliwej zamożności. Chyba że Vidocq zwykł tak właśnie wyposażać swoich agentów, nie żałując grosza. Ale w to Wołłkowicz jakoś nie mógł uwierzyć. Zresztą następne słowa Maximiliena potwierdziły jego przypuszczenia.

– Zamówiłem to cacko u najlepszego rusznikarza w Paryżu, wedle planów uzyskanych z Ameryki. Jak to rzemieślnik, kiedy kazać mu zrobić coś nowego, od razu oświadczył, że się nie da, a potem piętrzył problemy. Alem się uparł i w końcu zrobił. Rzecz jasna, tanio nie było, za to mam broń niezawodną, mocną i lekką. W dodatku łatwo ją ukryć. Na pewno o wiele łatwiej niż te wasze wielkie samopały.

– Za to z tego mojego samopału – nie wytrzymał wreszcie Rusłan, porzucając obojętną pozę – trafię w kartę z pięćdziesięciu. A to, co tam trzymasz za pazuchą czy zgoła w gaciach, nawet na taką odległość nie doleci.

Maximilien wzruszył ramionami.

– Nie zwykłem strzelać do kart – mruknął. – Raczej do ludzi. I to z bliska, a nie ze stu kroków.

Wołłkowicz wciąż nie mógł się oswoić z przemianą, jaka zaszła w tym milczku. Która z jego twarzy była prawdziwa? A może żadna? Może miał jeszcze inne oblicze? To by nie stanowiło wyjątku w świecie tajemnic, szpiegów i skrytobójców. A niech tam – machnął ręką w duchu – lepszy już taki dowcipkujący mały Francuz niż ten mruk ze statku. Nawet jeśli jego dowcip bywał mocno przyciężki.

– No popatrz – prychnął drwiąco Rusłan. – A ja przywykłem strzelać do nich i z daleka, i z bliska, i krwi własną ręką upuszczać. Widziałeś ty kiedy, jak się człowiekowi flaki na buty wylewają? – dodał z wyższością.

Maximilien nie odpowiedział. Nie dlatego, że zabrakło mu języka w gębie, ale powstrzymał go dochodzący zza ich pleców głos:

– Nie ruszać się! Kto zechce się bawić w bohatera, zginie!

Mężczyzna mówił po rosyjsku, ale z silnym kaukaskim akcentem. I nie był sam. Wprawne oczy trójki cudzoziemców wypatrzyły postacie ukryte za skałami, w załomach zboczy.

– Kim jesteście? – padło pytanie.

– Podróżnymi. Zmierzamy w interesach do Tbilisi.

– Chyba nie kupcami? – spytał drwiąco mężczyzna.

Wołłkowicz odwrócił lekko głowę. Kątem oka dostrzegł wytartą wojskową kurtkę jazdy gruzińskiej, bryczesy i wysokie buty. Twarz mówiący miał przystojną, ale nie jakąś wyjątkową. W rejonie Kaukazu można spotkać wielu podobnych, te góry zamieszkiwały wyjątkowo urodziwe nacje.

– Nie, nie kupcami – syknął Rusłan po gruzińsku. Wołłkowicz rozumiał go, ale z wielkim trudem. Nigdy nie nauczył się tutejszych dialektów, rozumiał tylko trochę niektóre najważniejsze. A było ich kilkanaście tylko w obrębie głównego języka. – Głupi całkiem jesteś czy ślepy? Widziałeś kiedyś kupców bez towarów i należytej eskorty?

– Kto jest głupi, to się jeszcze okaże – rzucił groźnie Gruzin. – Powyjmować teraz wszystkie pistolety, rzucić na ziemię. Szable, szpady i noże też.

Widząc, że się wahają, dał sygnał krótkim gwizdnięciem. Zagrzmiało kilka strzałów, pod końskimi nogami zakłębił się kurz, wzniecony przez kule.

– Przestańcie, psie dupy, bo ktoś oberwie rykoszetem! – wrzasnął Rusłan.

– Robić, co każę, bo nie rykoszetem zaraz dostaniesz!

Na kamienisty grunt posypał się oręż. Chociaż „posypał się" nie jest właściwym określeniem. Oswojeni z bronią ludzie nie rzucali jej jak popadnie, ale raczej zsuwali na ziemię tak, by nie uległa uszkodzeniu ani zbytniemu zabrudzeniu. Napastnicy nie protestowali, widząc taką pieczołowitość. Sami nie postąpiliby inaczej.

Kiedy trzech podróżnych wreszcie się rozbroiło, dowódca zbliżył się do nich wraz z dwoma jeszcze ludźmi. Rośli górale stanęli przy koniach Rusłana i Jerzego, a herszt wyciągnął rękę do Maximiliena.

– Oddaj tę sakiewkę, którą tam chowasz, pokurczu! Myślisz, że masz do czynienia z byle chmyzami?

Maximilien opuścił głowę z rezygnacją, sięgnął w zanadrze. Jerzy natychmiast spiął się w sobie i nieznacznie wysunął nogi ze strzemion; widział, że Czerkies także jest czujny. A mały Francuz z niezwykłą zwinnością przetoczył się przez siodło, jednym skokiem znalazł się za plecami Gruzina. Dwóch ludzi stojących przy Rusłanie i Jerzym padło prawie równocześnie, kiedy ich głów dosięgły solidne kopnięcia.

– Do mnie! – ryknął Maximilien.

Uwiesił się na szyi wysokiego mężczyzny, pociągnął go na siebie, przykładając mu do skroni srebrzysty rewolwer. Jerzy od razu zrozumiał, o co mu chodzi. Wszak ze wszystkich stron sterczały lufy, gotowe do strzału. Każdy ułamek sekundy był cenny, musieli wykorzystać zaskoczenie, zanim zbóje się otrząsną. A poza tym Gruzin mógł w każdej chwili rozerwać uścisk Francuza.

– Rusłan! – syknął. – Za plecy.

Ale wachmistrz także już wiedział, co robić, nie na darmo obaj nabyli doświadczenia w walkach górskich, sami zarówno czyhali w ukryciu na przeciwnika, jak i wpadali w różne zasadzki. Zeskoczyli na ziemię. Rusłan natychmiast wykonał przewrót, po czym błyskawicznie przemierzył kilka kroków dzielących go od Maximiliena. Wołłkowicz z kolei podkurczył nogi i potężnym wybiciem przetoczył się przez koński zad. Celna kula wbiła się w łęk siodła, gdyby spóźnił się choć o mgnienie oka, dostałby postrzał w krzyż. Wylądował na kamieniach, nie zważając na ból w plecach, zrobił fikołka, a kiedy stanął, wystarczył jeden ruch i już przywarł do pleców Maximiliena. Osłaniali małego Francuza z Rusłanem tak szczelnie, że nie było go widać. Poza dłonią pewnie trzymającą broń przy głowie pojmanego. Palba od razu ucichła. Doświadczeni górscy rozbójnicy wiedzieli doskonale, że nie mają szans uwolnić herszta inaczej, niż znajdując wspólny język z tymi trzema przeklętymi wędrowcami. Nawet gdyby teraz zabili tych dwóch, trzeci zdążyłby pociągnąć za spust.

Wszyscy pojęli sytuację w lot, nie trzeba było słów.

– I co zrobimy, panie zbójco? – spytał zjadliwie Jerzy. – Chyba mamy mały problem?

Zapadła cisza, przerywana jedynie chrzęstem kamieni pod kopytami zaniepokojonych koni. W tej ciszy rozległ się naraz dźwięk tak absurdalny, że z początku Wołłkowicz uznał, iż tylko mu się wydaje. Jakby ktoś klaskał, miarowo, nieśpiesznie. Tak zwykła się rozpoczynać owacja w teatrze po udanym przedstawieniu. Ale tu trudno było spodziewać się publiczności, na scenie życia stali jedynie uczestnicy dramatu.

Zza skały wyszedł szpakowaty mężczyzna średniego wzrostu, w takim samym mundurze jak pojmany.

– Brawo, przybysze! – zawołał, wciąż klaszcząc. – Wybaczcie, że moi ludzie nie przyłączą się do braw, muszą jednakowoż krzepko dzierżyć karabiny. Możecie już puścić tego biedaka. Żaden z niego zakładnik. Wprawdzie go lubię i żal byłoby żegnać tak znakomitego wojownika i pieśniarza, ale to nie powstrzyma mnie od rozkazu otworzenia ognia.

– Czemu więc tego nie robisz? – zawołał Jerzy.

– Sam nie wiem – roześmiał się szpakowaty. – A może wiem? Wykazaliście się męstwem, sprytem i rozsądkiem. To rzadkie. Szkoda zabijać ludzi, którzy tyle potrafią.

– Co zatem proponujesz?

– Porozmawiajmy. Ale najpierw puśćcie Temuriego.

Jerzy poczuł, jak Rusłan rozluźnia uścisk, a Maximilien powoli odsuwa lufę od skroni jeńca. Wtedy zobaczył triumfalny uśmiech na twarzy szpakowatego.

– Nie! – zawołał. – Trzymać go! To podstęp!

Natychmiast zwarli się jeszcze mocniej niż przedtem.

Uśmiech zniknął z ust tego, który przed chwilą bił brawo.

– Tak... – powiedział powoli. – Dopiero teraz zasłuży-
liście na uznanie.

– Naprawdę masz na imię Temuri? – spytał Wołłkowicz Gruzina.

– Tak – wycharczał tamten. Niski Francuz wciąż wisiał
na nim, zaciskając dłoń na jego szyi.

– To co robimy dalej, Temuri? Maximilienowi wreszcie zdrętwieją palce, a wtedy gotów nieświadomie nacisnąć spust.

– Dogadamy się. Jakoś się dogadamy.

– To chciałem usłyszeć. Ale to dogadywanie odbędzie
się, zanim cię wypuścimy.

Zabawnie musiało wyglądać, kiedy kroczek po kroczku
przesuwali się w stronę skalnego nawisu z prawej strony,
który częściowo osłaniał ich przed ostrzałem. Lecz chociaż
widok był iście komiczny, nikt się jakoś nie roześmiał. Temuri charczał, kiedy Maximilien naciskał mu na grdykę,
ale nie protestował nawet słowem. Z pewnością wiedział,
że to i tak nie ma sensu, w takim położeniu nikogo nie
interesowało jego samopoczucie ani ból. Kiedy dotarli na
miejsce, Jerzy oderwał się od jeńca, stanął przed nim, do-
datkowo jeszcze zasłaniając jego i towarzyszy.

– Czekam zatem, panie Temuri. Co pan powie o naszym położeniu?

Herszt bandy łypnął przekrwionymi oczami. Czerwo-
ny i lekko podduszony nie wyglądał już tak imponująco
jak na początku.

– Mam pewną propozycję – oświadczył.

– Oczywiście, zdajesz sobie sprawę, że to nie ty dyk-
tujesz warunki? – zastrzegł Maximilien. – Lepiej, żeby ta
propozycja nam odpowiadała. I trzymaj swoich ludzi z daleka.

– Nie jestem tak szalony, żeby czegoś próbować – burknął Temuri. – Nawet ja nie jestem tak szalony. Krótki, każ ludziom opuścić stanowiska i zbierz oddział – powiedział do szpakowatego.

Roman Fiodorowicz pociągnął tęgi łyk wina. Do tej pory nie miewał wielu okazji, aby próbować gruzińskich trunków, i musiał przyznać, że są znakomite. Czerwone wino zdawało się w smaku ciężkie, wręcz zawiesiste, ale przez gardło przepływało niesamowicie lekko, pozostawiając bardzo przyjemny posmak. Wbrew pierwszemu wrażeniu nie mąciło umysłu, ale wręcz orzeźwiało. Major Karłow siedział w milczeniu, czekając, co gość ma do powiedzenia. Przecież to Jaszyn prosił o rozmowę. A gubernator nie śpieszył się. Może nie wiedział, jak zacząć? Nie wyglądał jednak na zmieszanego czy niepewnego. Czy chodziło mu o to, by zbić rozmówcę z pantałyku? Lecz przecież jeszcze nie zaczęli nawet konwersacji, więc nie miał go z czego zbijać, a chyba się nie spodziewał, że w ten sposób sprawi, że tak doświadczony oficer poczuje się niepewnie.

– A zatem mówi pan, że siedzi tutaj od przeszło dwóch lat, Denisie Lwowiczu? – spytał wreszcie Jaszyn.

– Owszem, dowodzę w tym kurniku dwa lata, trzy miesiące i siedem dni – odpowiedział Karłow. – Ale nie ja o tym panu powiedziałem, gubernatorze. Uzyskał pan tę informację od kapitana Szmita albo któregoś z moich ludzi.

– Pudło – rzekł Roman Fiodorowicz z uśmiechem. – Wiem to od mojego woźnicy, Siemiona. A on być może właśnie od Szmita. Zresztą kapitan nic by mi nie powiedział, bośmy się bardzo mocno ścięli.

Karłow ożywił się nieco. Wyglądało na to, że nie przepada za przybyłym oficerem. Zaraz jednak z powrotem przybrał maskę obojętności.

– Nie moja rzecz – powiedział. – Prosił pan o rozmowę, a wypytuje mnie o przebieg służby. Nie rozumiem.

– Tak tylko spytałem, żeby zagaić. – Gubernator znów pociągnął łyk z rzeźbionego kubka. Przedmiot był starej roboty, jakiś rzemieślnik włożył wiele serca i umiejętności, aby go stworzyć. – Ale i to pytanie ma swój sens. Rozumiem, że przebywa pan w Gruzji wystarczająco długo, aby zyskać pojęcie o panujących tutaj stosunkach.

Teraz to Karłow napił się wina. Przyjrzał się uważnie nieproszonemu gościowi.

– W Gruzji służę dziesięć lat, Romanie Fiodorowiczu – wyjaśnił. – Poznałem większość garnizonów, przeszedłem bodaj wszystkie szlaki. W Ananuri zostałem osadzony... Tak, nazywam rzecz po imieniu, zostałem tutaj osadzony w związku z podejrzeniami, jakobym sprzedawał proch i amunicję bandom napływającym z Czeczenii i Osetii. Przyjechał jeden taki, wypisz wymaluj jak pański oficerek Szmit, i zaczął węszyć. Nic wynaleźć nie zdołał, bo i nie było co, ale chyba poznał już pan tych psów z Ochrany. Dla nich podejrzenie jest czymś na kształt pewnika, a byle donos zyskuje wagę wielkiego dowodu. Wydają wyroki, zanim padnie oskarżenie. Chyba miał pan okazję sam się o tym przekonać?

Jaszyn przypomniał sobie rozmowy z Rokickim i Manuchinem.

– Tak, niewątpliwie ma pan rację, Denisie Lwowiczu. To nic przyjemnego obcować z tymi ludźmi. Ale skąd panu przyszło do głowy, że kapitan Szmit jest z nimi związany?

– Poznam szpicla na sto mil – odparł Karłow, wydymając wargi, co nadało jego nalanej twarzy komiczny wyraz. Jednak ten komizm był tylko powierzchowny, oczy oficera pozostawały zimne i twarde jak bryłki lodu. – A od niego aż cuchnie delatorstwem. Pan tego nie zauważył?

– Początkowo rzeczywiście nie. Zdawało się, że to taki dowódca brat-łata, jacy się czasem zdarzają. Myślałem, że wysłano ze mną zwykłą eskortę, złożoną z ludzi doświadczonych i pewnych. Ale potem zaczęło do mnie docierać, że ten oficer wcale nie jest zwykłym żołnierzem. Nie wiem dlaczego, a właściwie to chyba jednak wiem. W końcu miałem do czynienia z różnej maści wojskowymi, wiem, jak się zachowują. I w jaki sposób utrzymują dyscyplinę. On nie ma nawyków oficera ani koszarowego, ani liniowego. I te jego opowieści o służbie... było w nich coś fałszywego, jakby nie mówił o własnym życiu, ale przekazywał zasłyszane historie.

Karłow nie odpowiedział. Zamiast tego dolał wina do kubków, trącił lekko naczynie gościa.

– Tak, wypijmy. – Jaszyn westchnął. – Nie na mój urzędniczy rozum to wszystko.

Przez chwilę sączyli trunek w milczeniu.

– Czego właściwie chce się pan ode mnie dowiedzieć?

Teraz major nie był tak opryskliwy jak na początku rozmowy. Zrozumiał, że ma przed sobą nie ślepe narzędzie imperium, gotowe uczynić wszystko, aby zadowolić mocodawców, ale zagubionego człowieka. Może i wysokiego urzędnika, samego gubernatora, jeden z filarów państwa, lecz przede wszystkim kogoś, kto został wrzucony w wir wydarzeń, z których pewnie niewiele rozumiał. Ale starał się – to było widać – spełnić pokładane w nim nadzieje.

– Czego chcę się dowiedzieć? – powtórzył pytanie Jaszyn. – Może najpierw tego, czy tamten człowiek zginął przypadkiem, czy...

Przerwało mu machnięcie ręki.

– To była zasadzka, ale nie na niego tylko. Tutaj ciągle wrze niby w kotle czarownic. Wiem, o co panu idzie, gubernatorze, jednak nie mam najmniejszych podstaw, aby sądzić, żeby ten biedak był celem ataku. Zginęło dwóch ludzi, a pięciu zostało rannych. To była zwyczajna potyczka z rebeliantami.

– Gruzini podnoszą głowy?

– Czeczeni. To akurat byli Czeczeni. Ponoć nawet Mongołowie, gdy zajmowali Kaukaz, koniec końców zostawili ten lud samemu sobie, nie chcąc wdawać się w ustawiczne utarczki z tymi wariatami. My jednak próbujemy ich okiełznać, bo przecież imperium powinno umieć wymuszać posłuch. Skutek zaś jest taki, że co jakiś czas urządzają powstania, a ich zbrojne oddziały zawsze krążą, zapuszczając się czasem dość daleko od swoich sadyb. Wilka mają w godle i jak te wilki zawsze są groźni i gotowi kąsać.

– W takim razie mieliśmy wielkiego pecha – zauważył Jaszyn. – Czy ranny doprawdy nic panu nie powiedział? Ani słowa?

Karłow zaśmiał się ponuro.

– Mnie? Prędzej by język połknął. Wiadomo wszak powszechnie, że tutaj osadza się oficerów pozostających w niełasce, niepewnych. Takim nie powierza się tajemnic państwowych ani nawet wiadomości, które mogłyby do takich sekretów prowadzić. A wam nic nie powiedział?

– Nie zdążył.

Gubernator pokrótce streścił majorowi przebieg zdarzeń. Żołnierz kiwał głową z lekko kpiącym uśmiechem. O sposobach działania szpiegów miał takie samo zdanie jak rozmówca.

– Jest pan pewien, Romanie Fiodorowiczu, że powinien mi pan o tym mówić? Jak już powiedziałem...

– Wiem, wiem – wpadł mu w słowo Jaszyn. – Niepewny element *et caetera, et caetera*. Tylko że ja, niestety, nieraz miałem okazję się przekonać, że ci, do których władza nie ma zaufania, są bardziej godni powierzania im ważnych spraw niż całkowicie posłuszni, gotowi służyć bez cienia myśli. A poza tym nie bardzo sobie wyobrażam, jak mamy odgadnąć cel naszej dalszej podróży bez pańskiej pomocy.

– Jak rozumiem, ten ostatni argument jest najistotniejszy. – Major się uśmiechnął.

– Oczywiście. – Jaszyn wzruszył lekko ramionami. – Ale gdybym uznał, że nie mogę panu ufać, że jest pan jakąś armijną swołoczą, nawet słowa by pan ode mnie nie usłyszał.

– Dobrze już. – Karłow spoważniał. – Co zatem powiedział ten człowiek?

– Zaczął mówić o jakimś miejscu zaczynającym się na „Dż", a może bardziej „Dżw". A potem powiedział, że to monastyr. Tak przynajmniej zrozumiałem, że ta nazwa jest związana z klasztorem.

Karłow zmrużył oczy, uniósł do ust kubek.

– Coś mi się kojarzy – mruknął. – Coś mi się kojarzy... Miszka! – krzyknął tak głośno i niespodziewanie, aż Jaszyn podskoczył. Kiedy wszedł ordynans, major rozkazał: – Przynieś no mapy.

– Jakie mapy? – spytał młody żołnierz o grubych wiejskich rysach i tępym spojrzeniu.

– Te, które leżą na biurku kwatermistrza.

– A, to mam iść do jego pokoju? – domyślił się ordynans.

– Możesz pofrunąć, jeśli bardzo chcesz – warknął Karłow. – Możesz też się poczołgać. Byle szybko, durna pało! Skaranie boskie z tym chłopakiem – rzekł po wyjściu ordynansa. – Jest głupszy od górskiego kozła. Ale za to ładnie śpiewa, więc go przy sobie trzymam. Kiedy przyjdzie słota, potrafi umilić czas.

Jaszyn pokiwał głową. Tak, w podobnym miejscu plucha musiała być straszliwym koszmarem, istną symfonią nudy.

* * *

Ciotka, jak się okazało, nie zamierzała tak łatwo rezygnować. Po przeszło miesiącu od wizyty u Gałsztów przysłała Nastii bilecik z zaproszeniem na spotkanie. Prosiła, aby bratanica przybyła niezawodnie do jej rezydencji. Irina Pietrowna aż furknęła na taką bezczelność, z miejsca zaprotestowała, Andriej tylko wzruszył ramionami. Jednak po przemyśleniu gospodyni powiedziała do dziewczyny:

– Wiesz, gołąbeczko, może byś się jednak wybrała do pani Nadieżdy? Kto wie, może coś przemyślała, zechce cię przeprosić, wyjaśnić tamto zajście...

– Przestałabym być dla was ciężarem. Wróciłabym do niej... – Nastia skinęła głową ze zrozumieniem.

Andriej nie dał jej dokończyć.

– Ależ co pani opowiada, Anastazjo! – zawołał gorąco. – Zawsze znajdzie się miejsce w naszym domu! Prawda, mateczko?

– Oczywiście – zapewniła Irina Pietrowna i zwróciła się surowo do dziewczyny: – Co też ci przychodzi do głowy, dziecko? Nawet mi myśl nie zaświtała, aby oddawać cię tej podłej rajfurce. Wybacz, dziecko, że tak o niej mówię, ale gdyby twój ojciec wiedział, jaką jego siostra cieszy się opinią, prędzej by cię oddał siostrom zakonnym na przechowanie, niż umieścił w domu krewniaczki.

– Nie mam powodu się gniewać za te gorzkie słowa, Irino Pietrowna – odparła cicho Nastia. – Wdzięczna tylko jestem za poratowanie i gościnę, lecz wiem, iż gość nie w porę gorszy Tatarzyna, a gość nazbyt długo siedzący bardziej udręczyć potrafi niż mistrz katowski.

– Nie gościem tu jesteś, lecz domownikiem – odezwał się znowu Andriej. – Lecz mateczka ma słuszność, trzeba pójść na spotkanie, żeby nikt później nie zarzucił, iż zlekceważyła pani ofertę porozumienia. Ale mowy nie ma, by się tam panienka udała sama!

Irina Pietrowna odłożyła tambor, podeszła do okna, odchyliła ciężką zasłonę i wyjrzała na ciemną ulicę.

– Dobrze mówisz, synu. Dlatego pojadę z Anastazją i będę przy całej rozmowie. Taki postawimy warunek.

– Oboje pojedziemy – oświadczył Andriej. – Tak będzie bezpieczniej. Wezmę też ze sobą szpadę, nigdy nie wiadomo, co wielkiemu państwu przyjdzie do głowy.

Obie kobiety starały się odwieść młodzieńca od tego postanowienia, ale uparł się i nie było z nim dyskusji. Czas miał pokazać, że racja była po jego stronie.

Nadieżda Josifowna przyjęła całą trójkę w pokoju gościnnym, zastawionym zupełnie nowymi, wyszukanymi meblami, których Nastia nie pamiętała. W porównaniu z tym wystrojem dom Gałsztów mógł się wydawać obskurną norą. Ale ani Irina Pietrowna, ani Andriej nie wydawali się zbici z tropu czy olśnieni tym przepychem. Pani Gałszt usiadła na wskazanym fotelu, jej syn odmówił zajęcia miejsca, stanął za matką. Zresztą, aby zasiąść w głębokim meblu, musiałby odpiąć szpadę, a tego nie zamierzał czynić. Szczególnie odkąd ujrzał w korytarzu młodego oficera w mundurze huzarów.

Po chwili do salonu, ku zaskoczeniu gości, wszedł nie kto inny, jak generał Michaił Rudolfowicz Jagudin. Właściwie najpierw pojawił się jego brzuch, a dopiero potem on sam. Towarzyszył mu huzar napotkany w korytarzu.

– Państwo pozwolą – zadudnił generał – że mój adiutant również weźmie udział w rozmowie, skoro panna Anastazja przybyła ze zbrojną eskortą.

Obrzucił Andrieja lekceważącym spojrzeniem. Przy jego oficerze ten chłoptaś wyglądał szaro i niepozornie. Nie mógł się z nim równać ani postawą, ani ubiorem, ani nawet wzrostem.

Nastia zadrżała z obrzydzenia. Miała nadzieję, że ciotka

zechce się pojednać, a nie sprowadzi tutaj tego spasionego, obleśnego wieprza.

– Nie mamy nic przeciwko temu – odparła wdowa.

– A z kim właściwie przychodzi mi rozmawiać? – spytał Jagudin.

– Panu? – zdumiała się Irina Pietrowna. – O ile się mogłam zorientować, to pani Nadieżda Josifowna zamierzała dojść do porozumienia z bratanicą.

– Powiedzmy, że nie tylko nasza urocza gospodyni chce rozmawiać z piękną podopieczną.

– W takim razie doskonale pan wie, kim jesteśmy, i nie ma sensu dokonywać prezentacji – odezwał się Andriej. – Nie jesteśmy na przyjęciu u ambasadora.

– Jak sobie życzycie, moi drodzy.

Generał ciężko usiadł w fotelu, solidny mebel aż zatrzeszczał pod jego ciężarem, a Nastia pomyślała, że to cud prawdziwy, iż zdołała się uwolnić spod tego cielska. Adiutant zajął miejsce za nim, w takiej samej pozycji, jaką przybrał Andriej.

– O ile wiem – zaczął generał, patrząc na Nastię tak, jakby nic między nimi nie zaszło – gubernator Jaszyn oddał córkę pod opiekę swojej siostrze, a nie państwu Gałszt. Nie jesteście dla panny Anastazji ani rodziną, ani nawet powinowatymi, więc jej pobyt w waszym domu budzi pewne wątpliwości.

– Jakie mianowicie? – spytała sucho Irina Pietrowna. – Ma pan coś do zarzucenia prowadzeniu się mojemu lub mojego syna?

– Ale gdzieżbym śmiał! – Jagudin aż klasnął w tłuste dłonie. – Rodzina Gałsztów zawsze słynęła z nienagannej opinii, tym bardziej nie rozumiem, dlaczego miałaby ją narażać na szwank. A pobyt młodziutkiej dziewczyny w domu, w którym mieszka przystojny młodzian, musi budzić wątpliwości i stanowić pożywkę dla plotek.

– Kto śmie… – zaczął Andriej, ale matka uciszyła go niecierpliwym gestem.

– Rozumiem, że zamierza pan coś zaproponować, panie generale? – spytała, siląc się na uprzejmość, choć „panie generale" bardziej wycedziła przez zęby, niż wypowiedziała.

– Oczywiście, dlatego właśnie się tutaj spotkaliśmy – uśmiechnął się Jagudin. – A propozycja jest jedna, bardzo prosta i oczywista. Panna Anastazja powinna z powrotem zamieszkać u ciotki. Albowiem tylko ona jest uprawniona do sprawowania nad nią opieki i może zapewnić panience odpowiednie warunki. Poza tym, z tego, co wywnioskowałem z listu gubernatora, nie miałby on nic przeciwko temu, aby znaleźć dla panienki odpowiednią partię. A tutaj i Nadieżda Josifowna, i ja możemy służyć wielką pomocą. Nie wydaje mi się, żeby pani, Irino Pietrowna, posiadała odpowiednie koneksje i znajomości, aby korzystnie wydać za mąż pannę Anastazję.

– Nie zamierzam wychodzić za mąż! – zawołała Nastia oburzona. – A już na pewno nie wcześniej, niż wróci ojciec i zechce pobłogosławić mój związek! Tylko jemu będę posłuszna, bo wiem, że nie chce mojej krzywdy.

– Ależ nie ma się co ekscytować i denerwować, panienko – rzekł spokojnie generał. – Tym bardziej że nie wiadomo, czy szanowny rodzic w ogóle wróci. Z tego, co mi powiedziano o jego misji, może się okazać śmiertelną…

– Milcz, ty knurze!

Nastia nie zdołała się powstrzymać. Adiutant Jagudina poruszył się niespokojnie, Andriej położył dłoń na rękojeści szpady, generał zatchnął się z oburzenia, a Nadieżda Josifowna poczerwieniała.

– Jak śmiesz?! – pisnęła histerycznie. – Jak ty się odzywasz do pana generała?!

– Tak, jak na to zasłużył – oświadczyła z pełnym spokojem wdowa Gałszt, zanim Nastia zdążyła zareagować. – Dziwi mnie, że po tym, co pan zrobił, ma pan czelność pokazywać się na oczy temu nieszczęsnemu dziecku. Jeśli to już wszystko, pozwolą państwo, że wyjdziemy.

– Pozwolimy. – Jagudin odzyskał głos. – Pani z synem może natychmiast opuścić ten dom, lecz panna Anastazja zostanie.

– Na pewno nie! – powiedziała z mocą Irina Pietrowna. – Nie jest niczyją niewolnicą. Jeśli oczywiście sama tego nie zechce. – Odwróciła się do podopiecznej. – Nastiu, życzysz sobie pozostać w domu pani Milunin?

Dziewczyna pokręciła gniewnie głową.

– A zatem wszystko jasne – podsumowała pani Gałszt. – Jej krewna zawiodła pokładane w niej zaufanie, nie zasługuje więc na to, aby powierzyć jej opiekę nad tą panną!

– A ja powtarzam, że panna Anastazja zostanie tutaj! – warknął generał.

– Ciekawe, jak zamierza pan tego dokonać? – spytał drwiąco Andriej. – Chyba nie siłą?

– Jeśli zajdzie taka potrzeba… – Generał zawiesił głos. – Dlatego radzę podporządkować się po dobroci. Inaczej Jurij dopilnuje, aby sprawiedliwości stało się zadość

Adiutant wyszedł zza fotela, wydobył szpadę. Andriej uczynił to samo.

– Odsuń się, żołnierzyku – powiedział sykliwie. – Nie chcę ci zrobić krzywdy, uznaję, że to nie twoja wina, iż służysz tej starej świni. Nie ma sensu krwawić się o takie łajno.

Huzar zgrzytnął zębami z wściekłości i bez ostrzeżenia uczynił wypad, pchnął nisko, na udo przeciwnika, lecz zaraz poderwał szpadę, błyskawicznym ruchem przeniósł sztych na dół brzucha. Mniej wprawnego szermierza mógłby tym niewątpliwie zaskoczyć, ale Andriej w ogóle nie zamierzał parować ciosu ani nawet czynić uniku, cofnął się jedynie pół kroku i ostrze tylko musnęło połę surduta. Adiutant generała natychmiast przedłużył pchnięcie, wkładając w nie całą długość ramienia, ale wtedy wąska klinga ześliznęła się po zasłonie i odchyliła w bok. Andriej podstawił przedramię, odepchnął ostrze jeszcze dalej, a potem sam uderzył. Nie zadał pchnięcia, nie ciął, lecz grzmotnął żołnierza osłoną rękojeści w szczękę. Trafił jednak na godnego przeciwnika, kawalerzysta znał takie sztuczki. Odchylił głowę, wykonał krótki balans ciałem, unikając ciosu, i zaatakował lewym barkiem oraz łokciem. Andriej zablokował cios, zachwiał się i mimo woli postąpił jeszcze krok do tyłu. Huzar dostrzegł swoją szansę, wiedział już, że ma do czynienia z trudnym przeciwnikiem i musi się wysilić, więc natarł mocniej, widząc, że cywil niebezpiecznie zbliża się do pustego fotela, lada chwila oprze się o poręcz i straci równowagę.

Młody Gałszt nie zamierzał się biernie poddawać naporowi wroga. Zwarł klingę swojej szpady z ostrzem tamtego, nacisnął, nagle odpuścił i odskoczył w bok, uderzając huzara w ramię lewą ręką. Kiedy adiutant poleciał do przodu, Andriej uderzył go głowicą broni między łopatki. Huzar jęknął, wylądował na oparciu fotela. To uratowało go przed upadkiem, ale nie przed brutalnym kopnięciem, które wylądowało wprost na jego kości ogonowej. Kawalerzysta wciągnął głęboko powietrze, z bólu nie był w stanie wydobyć głosu.

Nie tak wyobrażała sobie Nastia rycerski pojedynek. Tym bardziej że Andriej nie poprzestał na pozbawieniu przeciwnika tchu. Zanim tamten zdołał się pozbierać, Gałszt obrócił go w swoją stronę i bez litości walnął pięścią w nos. Rozległo się głośne chrupnięcie, huzar legł jak długi. Przecież to wcale nie był pojedynek. Ta myśl natychmiast uderzyła Nastię. Andriusza stawał w jej obronie, nikt tu nikogo nie wyzywał do walki. Huzar na pewno nie potraktowałby przeciwnika lepiej, a może nie bawiłby się w uderzanie pięścią, lecz po prostu go zaszlachtował?

Wszystko trwało bardzo krótko, zaledwie kilka uderzeń serca. Generał, gdy tylko się zorientował, że jego pupil przegrał, wrzasnął na całe gardło:

– Larum! Do mnie!!!

Załomotały kroki w korytarzu, drzwi rozwarły się z trzaskiem, do salonu wpadło czterech ludzi z bronią w ręku. Ale Andriej nie zasypiał gruszek w popiele. Nie był pewien od początku, czy gdzieś w pokojach nie czai się więcej takich bohaterów jak leżący bez przytomności Jurij, ledwie więc Jagudin wydał z siebie pierwszy dźwięk, był już przy nim.

Eskorta generała stanęła skonfundowana. Ich patron bowiem zastygł z uniesioną głową, tuż nad jego grdyką wpierał się w szyję czubek szpady.

– Odwołaj ich – wywarczał Andriej. – Mają natychmiast wyjść! Inaczej ślij od razu po jakiegoś diaka! Niech ci udzieli ostatniego sakramentu, wieprzu!

– Wyjść! – Generał zachrypiał niby zarzynany kogut. Widział zacięte, pobladłe wargi młodzieńca, czuł drżenie dłoni, przenoszące się przez żelazo na lekko naciętą już skórę. Zabicie dostojnika byłoby skrajną głupotą, ale stary żołnierz wiedział doskonale, że w takich chwilach na rozsądek nie ma co liczyć. Był kiedyś młodym oficerem, poznał smak bitewnego szału. A ten szczeniak właśnie znajdował się w takim nieobliczalnym stanie. – Wyjść, słyszycie?!

Żołnierze wycofali się z ociąganiem.

– Drzwi zamknąć! – zawołał jeszcze Andriej. Nie miał ochoty ryzykować, że któryś z wojaków zdecyduje się użyć pistoletu.

Spojrzał na Jagudina.

– Opanował się pan już, generale? – spytał spokojnie.

– Ja? – Dostojnik z trudem przełknął ślinę. Wiedział, że stal już na pewno ogrzała się od dotyku skóry, ale jemu zdawała się wciąż zimna jak lód. – To niby ja sam siebie trzymam na sztychu?

– Zostałem do tego zmuszony, musi pan przyznać uczciwie. Chociaż, co ja wygaduję, przecież pan nie ma z uczciwością nic wspólnego.

– Zdejmiesz mi to ostrze z szyi, młody człowieku?

– Pomyślę jeszcze.

Ale generał już widział, że Andriej sto razy się zastanowi, zanim go zabije. Oczywiście, jeśli nie zostanie znów sprowokowany. Jagudin poruszył się, patrząc Gałsztowi prosto w oczy, podniósł się z fotela. Młodzieniec cofnął się nieco, odprowadzając przy tym rękę ze szpadą. Nie mógł odmówić pewnej odwagi temu obrzydliwemu tłuściochowi.

– Popełniłem błąd – oznajmił generał. Chwycił ostrze, odepchnął je od szyi, do małej ranki przycisnął chustkę. – Popełniłem błąd w ocenie. Uznałem cię, panie Gałszt, za zwykłego urzędniczynę, który lubi potrząsać szabelką, ale widzę, że drzemie w tobie lew. Przyjdzie mi chyba zmienić adiutanta, skoro pokonał go byle cywil.

– Nie moja rzecz. – Andriej wzruszył ramionami. – Choć muszę przyznać, że ten pana Jurij to naprawdę znakomity szermierz. Lecz, jak już powiedziałem, nie do mnie należy decyzja. Teraz musimy ustalić, co dalej. Obawiam się, że muszę wziąć pana jako zakładnika, nie mam chęci potykać się z tymi osiłkami.

– Wystarczy już krwi w moim domu – powiedziała histerycznym tonem Nadieżda Josifowna.

Nastia zdała sobie nagle sprawę, że ciotka odezwała się po raz pierwszy od chwili, gdy wydała z siebie okrzyk oburzenia z powodu spostponowania generała.

– I nie będzie żadnej krwi – zapewnił ją generał. – Nie

mogę pani udzielić, droga moja, dalej idącej pomocy. Ja też muszę dbać o reputację. Gdyby wyszło na jaw, że wdałem się w podobną awanturę w czyimś domu, że pozwoliłem na użycie broni, miałbym spore kłopoty. A już na pewno wezwano by mnie do ministra wojny i straciłbym twarz. Co innego gdyby mój adiutant przetrzepał skórę jakiemuś fircykowi. Druga rzecz, że sam oberwał, a mogło się skończyć o wiele gorzej. – Popatrzył po kolei na Nastię, Irinę Pietrowną i Andrieja. – Państwo wybaczą – rzekł lekkim tonem, jakby nic się nie stało – ale na mnie już czas. Mam nadzieję, że wieść o tym, co się tutaj wydarzyło, nie wyjdzie poza próg tego domu. To leży w interesie nas wszystkich. Czy państwo to rozumieją?

– Oczywiście – pośpieszyła z odpowiedzią pani Gałszt, zanim zdążył się odezwać jej syn. – Rozumiemy to doskonale.

Teraz Jagudin obrzucił wściekłym wzrokiem Nadieżdę Josifowną.

– A pani, moja droga, radzę, aby w najbliższym czasie nie pokazywała się na salonach. To zrobi dobrze i pani, i towarzystwu. Czasem trzeba odpocząć, wyjechać na wieś...

Gospodyni najpierw poczerwieniała, a potem zbladła, nie odpowiedziała jednak nawet słowem, skinęła tylko głową.

– Jurij, zbieraj się – rzucił Jagudin niecierpliwie w stronę huzara, który siedział na podłodze, próbując zatamować krwotok z nosa. – I zrób coś z gębą, człowieku! Wyglądasz, jakbyś wyszedł z miejskich jatek. Wprawdzie wieczór już zapadł, ale jeszcze cię ktoś zobaczy w takim stanie. No już! – Podał żołnierzowi własną, nieco pokrwawioną chustkę.

Jurij wstał ciężko, przyciskając do twarzy kawałek materiału, gwałtownie nasączający się czerwienią. Ruszył za generałem, nie patrząc nawet w stronę pogromcy.

– A co do ciebie, chłopcze – generał odwrócił się jeszcze w drzwiach, popatrzył uważnie na Andrieja – myślę, że będzie jeszcze okazja się spotkać.

– Zawsze do usług – odparował Gałszt. – Jestem do dyspozycji w każdej chwili.

– Zapewniam, że nie chcesz, aby ta chwila nadeszła.

Kiedy Jagudin wyszedł, Nadieżda Josifowna z jękiem osunęła się na sofę i ukryła twarz w dłoniach.

– Nie czas teraz na rozpacz, pani Milunin – powiedziała Irina Pietrowna.

Gospodyni podniosła na nią wzrok. Nie płakała, absolutnie, wyglądała raczej na wściekłą, miała twarde, zacięte rysy.

– Rozpacz? – wycedziła. – Nie znam takiego słowa. Ale przysięgam, że znajdę sposób, aby się zemścić za to upokorzenie!

Nastia poczuła dreszcz. Boże, jakże się zmieniła ta miła przecież na początku, serdeczna wręcz kobieta! Wszelkie wątpliwości i nadzieje, jakie dziewczyna mogła jeszcze żywić, prysły pod wpływem tego spojrzenia. Zupełnie jakby ze źrenic ciotki wyjrzał sam szatan z najgłębszej otchłani piekła.

– Zemsta? – Irina Pietrowna pokręciła głową. – Nie dość, że chciała pani skrzywdzić to dziecko, nie dość, że dziś zastawiła na Anastazję kolejną pułapkę, śmie jeszcze pani mówić o zemście? Ja na pani miejscu zastanowiłabym się, co uczyni gubernator po powrocie. Nawet generał Jagudin, choć powiadają o nim jak najgorzej, wiedział, kiedy się cofnąć.

– On też nie daruje – przerwała jej gospodyni. – Dopadnie was prędzej czy później. I módlcie się, żeby to było później, żebym to ja była pierwsza.

Andriej schował szpadę, tupnął jak rozgniewany chłopiec.

– Dość tego straszenia – oznajmił. – Jeśli spróbuje pani jeszcze jakichś sztuczek, Nadieżdo Josifowna, proszę pamiętać o tym, co tu się stało. Potrafimy się obronić, a w imperium obowiązuje jeszcze prawo.

Gospodyni nie odpowiedziała. Poderwała się z miejsca i prawie wybiegła z pokoju.

– Chodźmy także – powiedziała wdowa Gałszt. – Jednakowoż, nie obawiasz się, Andriusza, że na dworze czekają na nas ludzie generała?

– Na pewno nie. – Młodzieniec pokręcił głową. – Nie dziś. Generał naprawdę rozgniewał się na panią Milunin. Oczywiście musimy zachować ostrożność, ale nie przypuszczam, żeby coś nam groziło.

Wyszli na zewnątrz i bez przygód dotarli do wynajętego powozu, Andriej usiadł na koźle, szarpnął lejcami.

I wtedy z ciemności padł strzał, po nim rozległ się tupot nóg. Andriej obejrzał się, a potem chwycił za ramię, próbując sięgnąć za plecy. Zachwiał się, oparł się ciężko o niską poręcz kozła.

– Matko Przenajświętsza! Synku! – zawołała Irina Pietrowna.

Nastia nie zwlekała ani chwili. Wskoczyła na miejsce obok Andrieja, wyjęła z jego rąk lejce.

– Proszę go trzymać! – krzyknęła do tyłu.

Jak to dobrze, że ojciec wpoił jej różne umiejętności, do których zazwyczaj przyucza się chłopców! Po chwili powóz pędził w dół ulicy.

10

Siedzieli przy niewielkim ognisku. Maximilien i Rusłan gwarzyli z partyzantami, a Jerzy walczył z kolejnym atakiem gorączki. Chłodna noc sprzyjała chorobie, a już bliżej ognia przysunąć się nie mógł. Mróz wpełzał w kości, choć nie tak jak dawniej, kiedy zdawał się zbliżać od ziemi i pełznąć ku górze. Teraz nakrywał ciało niby wielka śnieżna czapa. Rusłan, który widział, co się dzieje z Wołłkowiczem, tym gorliwiej zagadywał górali.

– Powiadasz więc, Temuri, że wojujesz z Rosjanami już trzeci rok? Jak to się stało, żeście jeszcze nie zostali rozbici? I ja, i mój kapitan służyliśmy na Kaukazie i wiemy, jak się rozprawić z powstańczymi oddziałami.

– Myślisz, że ja nie służyłem? – roześmiał się dowódca. – To bodaj obyczaj tej ziemi, że najsprawniejsi przywódcy rebeliantów wpierw nabierają doświadczenia w armii wroga, zwalczając nawet swoich. Dochrapałem się stopnia porucznika, ale nie chciałem pozostawać w wojsku dłużej, niż to konieczne dla nabrania doświadczenia.

– Uciekłeś?

– Dezercja to nie dla mnie. Zostałem ranny w brzuch podczas pewnej potyczki. Rana się goiła dość długo, samo wojsko zaproponowało mi małą rentę. Chcieli mnie wprawdzie wziąć do kwatermistrzostwa, potem nawet do jakie-goś sztabu, ale wybrałem tę głodową rentę i powrót do domu. – Twarz mu zmierzchła, kiedy nadleciały wspomnie-nia. – Tyle że domu już nie było... Pochodzę wprawdzie z Osetii, ale moja rodzina to czystej krwi Gruzini. Zresz-tą na tamtych terenach Osetyńcy zawsze stanowili mniej-szość. Nieważne... Dość, że domu nie było, pozostały tylko wypalone belki. Nie było też całej wioski. Znałem takie widoki doskonale. Podobnie wyglądały wszystkie zbunto-wane osiedla, przez które przeszli kozacy dońscy generała majora Paszkina, zwanego Rzeźnikiem.

– Znamy, znamy – mruknął Jerzy, z trudem powstrzy-mując szczękanie zębami. – Ale myśmy go nazywali inaczej.

– Jak? – zainteresował się Temuri.

– Kanalia. – Rusłan wyręczył kapitana, który znów miał trudności z mówieniem. – A to z takiego powodu, iż rzeźnik nie musi być od razu ostatnią swołoczą, a swo-ją nieprzyjemną skądinąd pracę jest w stanie wykonywać, nie stając się bestią, nie przysparzając ofierze niepotrzeb-nych cierpień. Paszkin to zwyrodnialec, ale też nie można mu odmówić sprytu.

– Kanalia... – Temuri przez chwilę obracał w ustach to słowo, jakby smakując jego brzmienie. – Tak, to lepiej do niego pasuje. Lecz ja już tak nawykłem nazywać go Rzeź-nikiem, że obyczaju nie zmienię.

Wołłkowicz zadrżał na całym ciele, zaczął oddychać głę-boko, równomiernie. Zamierzał po raz kolejny poradzić so-bie ze słabością. Najważniejsze to się nie poddawać. Tak jak to wypraktykował na morzu, skupił się, przywołał wszyst-kie siły, aby opanować dreszcze. Przecież ten mróz był tyl-ko w głowie. Tylko w głowie... A może to gorzej, niż gdy-by był w ciele? Odejdź... odejdź... Nie ma cię, mrozie, nie jest aż tak zimno, byś zyskał przystęp do opornego ducha...

Mimo wewnętrznej walki usłyszał w słowach Temuriego dźwięczącą stal. Ciekawość dodała mu niespodziewanie sił, pomogła przemóc nadciągające cierpienie.

– Szukasz go? – spytał Jerzy lekko drżącym głosem. – Chcesz znaleźć tego gada i dopełnić na nim zemsty?

Temuri zamyślił się, spojrzał w bok, na tego, który przedtem podawał się za przywódcę partyzantów. Krótki odpowiedział lekkim zmarszczeniem brwi.

– Taki był początkowo mój cel – przyznał dowódca. – Ale Rzeźnik pilnuje się doskonale, trudno go dopaść, jeśli wychodzi w góry, to tylko z dużymi oddziałami. A teraz ponoć wyjechał do Rosji, do sztabu głównego. Mam nadzieję, że jeszcze zawita na Kaukaz i wtedy wreszcie go dopadnę, jednakowoż teraz skupiamy się na tym, aby przetrwać. Ostatnimi czasy sporo wojska kręci się po okolicach, w których zwykliśmy się poruszać.

– Zdaje się, że do zabicia tego waszego Rzeźnika chętnie przyczyniłaby się cała rzesza ludzi – zauważył Maximilien. Milczał dotąd, wydawał się pogrążony we własnych myślach, zupełnie jak na początku wyprawy.

– Krzywda dopomina się sprawiedliwości. – Teraz Krótki zabrał głos. – Lecz aby dokonać pomsty, najpierw trzeba przeżyć. A Temuri jednak czasem o tym zapomina. Odkąd Rosja zawładnęła Gruzją, coraz trudniej w niej mieszkać ludziom miłującym wolność.

– A wy miłujecie bardziej wolność czy pieniądze? – spytał z krzywym uśmiechem Rusłan. – Bo nas usiłowaliście po prostu obrabować.

Krótki zaśmiał się chrapliwie.

– Skądś musimy mieć pieniądze na broń i żywność. Darmo nic nie dają.

Rusłan pokiwał głową.

– Ale rabując, w dodatku tak bez wyboru, raczej nie spotkacie się ze zrozumieniem rabowanych.

– Na biednych to nie trafia – mruknął Temuri. – A bogaci niech mają swój wkład w naszą sprawę.

– Taki podatek od waszej wolności? – zaśmiał się Francuz. – Myśmy przerabiali coś podobnego podczas rewolucji, ale na o wiele większą skalę i z błogosławieństwem całego kraju. Majątki mordowanej arystokracji wspomagały rozwój państwa powołanego do życia przez zbuntowanych.

– Francuski jakobinizm jest mi tak samo wstrętny jak rosyjski imperializm. – Temuri się skrzywił. – Prawdę rzekłszy, gdybyśmy wiedzieli, że mamy do czynienia z Polakiem i Czerkiesem, przepuścilibyśmy was przez zasadzkę. Służyłem z Polakami w kilku miejscach i miło to wspominam. Ale żeśmy też ułowili Francuza, to aż mi dziwne. – Zacmokał na znak podziwu. – Rzadko tu bywają tacy goście.

– Raczej to Francuz ułowił ciebie – sprostował Jerzy. Poczuł się już lepiej, choć wciąż czuł, że gorączka czai się w pobliżu, gotowa w każdej chwili zaatakować.

– Niech i tak będzie – przywódca partyzantów nie zamierzał się spierać. – Niemniej jednak, jak powiedziałem, rzadki to gość. Jeśli już przyjedzie ktoś stamtąd, podróżuje w silnej eskorcie, a nie samotrzeć. Widać, że sprowadza was tutaj coś więcej niż interesy.

Wołłkowicz nie mógł odmówić Temuriemu rozumu. Kiedy doszli do porozumienia i puścili go, od razu spytał, czy aby nie przybyli z jakąś tajną misją. A kiedy Jerzy zaprzeczył, zaśmiał się tylko i powiedział: „Powiedz to mojemu łoszakowi, może on uwierzy". Ale nie dopytywał więcej. Na dodatek zaprosił ich do obozu w górach, jakoby chcąc zadośćuczynić za napaść. Na pewno miało to swoje znaczenie, ale tak naprawdę liczył, że przy ognisku rozwiążą im się języki. Ale to, że nie chcieli nic powiedzieć, także miało swój wydźwięk. Prosty sposób, lecz skuteczny.

– Cokolwiek nas sprowadza, nie obraź się, Temuri, nie twoja to rzecz.

– Nie moja. – Dowódca Gruzinów był najwyraźniej w nastroju nader koncyliacyjnym. – Lecz ciekawość jest rzeczą ludzką. Poza tym, jeśli podacie chociaż kierunek, poradzę, jak dotrzeć najkrócej i najbezpieczniej.

Jerzy wymienił spojrzenia z Rusłanem i Maximilienem. Czerkies powoli skinął głową, a Francuz wzruszył lekko ramionami.

– Mamy zamiar dotrzeć do Mcchety.

– Do Mcchety? – Temuri popatrzył na Krótkiego. – Słyszysz? I pewnie chcą przejść przez Gruzińską Drogę Wojenną?

Rusłan prychnął z wyższością.

– Na pewno nie! Zapominasz, że znam Kaukaz. Może nie tak dobrze jak ty, ale znam.

– Dobrze. – Temuri wziął sakwę, wygrzebał z niej wojskową mapę. – Pokaż mi zatem, którędy masz zamiar poprowadzić towarzyszy?

Rusłan przysunął sobie bliżej mapę, podłożył pod nią kikut i przechylił kartę tak, aby światło z ogniska padało na barwną płaszczyznę.

– Tutaj zejdziemy ze szlaku, przejdziemy tędy, przełęczą Hara, potem mamy całkiem wygodną drogę pasterzy, mam nadzieję, że nie popadła w ruinę i zapomnienie przez ostatnie lata...

– Nie popadła – wtrącił Krótki. – Nie dalej jak dwa miesiące temu korzystałem z niej w drodze do Rustawi.

– Znakomicie. W tym miejscu góry wydają się trudne

do przebycia. – Rusłan stuknął palcem w punkt na mapie. – Ale znam przejście. A potem pójdzie już lekko, zejście w dolinę, parę wzniesień i jesteśmy prawie na miejscu. Podczas kiedy Rusłan mówił, Temuri kiwał głową. Na koniec się roześmiał.

– Znasz góry, znasz dobrze, nie kłamałeś. Ale ja na waszym miejscu poszedłbym tędy. – Wykreślił palcem linię. – Zejdzie wam dzień, góra dwa dłużej, ale za to małe prawdopodobieństwo, że natkniecie się na patrole, rzadko się tam zapuszczają. Ale jeśli zejdziesz tutaj, w dolinę, trafisz prosto na niedawno założony garnizon. Niewielki, bo niewielki, ale zawsze to banda wojaków. Może przejdziecie spokojnie, a może właśnie napatoczycie się pechowo na jakichś zbrojnych. A Drogę Wojenną omijajcie z daleka. Wciąż nowe tam porządki robią Rosjanie, niedawno postrzelaliśmy się z jednym oddziałem. Trzech ludzi im zabiliśmy, ale sam straciłem dwóch...

Gdyby Jerzy nie wiedział, że rozmówca służył w armii i dowodził oddziałem, teraz musiałby to odgadnąć. Mówił bowiem jak prawdziwy oficer liniowy. I to dobry oficer. „Zabiliśmy trzech, ale straciłem dwóch". Powodzenie jest sukcesem całego oddziału, ale za straty odpowiada dowódca. To on bierze na siebie odpowiedzialność. Wołłkowicz zatęsknił nagle za koszarowo-obozowym życiem. Wszystko było tam ułożone zgodnie z regulaminami, nie trzeba było myśleć i zastanawiać się, co czynić. Rozkaz jest w wojsku prawem, a wola przełożonego wolą boską. Zaraz, ale przecież właśnie to go tak mierziło! To pozostawienie wszystkiego decyzjom ludzi, którzy wcale nie musieli być od niego lepsi, a już na pewno mądrzejsi. W końcu wciąż miał na pieńku z przełożonymi.

Temuri tłumaczył Rusłanowi szczegóły drogi, określał punkty orientacyjne. Czerkies słuchał bardzo uważnie, ale też i Maximilien podsunął się do nich i w małym notesie zapisywał słowa dowódcy partyzantów.

Jerzy położył się na miękkim kocu z wielbłądziej sierści. Był pewnie łupem z jakiejś zasadzki na wschodnich kupców.

– Dobrze, skoro już wiemy, jaką drogę powinniście obrać, napijmy się jak Pan Bóg przykazał – oświadczył Temuri. – Niech przyniosą nam parę butelek najlepszego kolkheti. I trochę baraniny. Trzeba należycie podjąć gości.

Wołłkowicz usiadł. Kolkheti? Pamiętał smak tego wina i nieraz wspominał noce spędzone z towarzyszami broni nad aromatycznym płynem. Było mocne, lecz wchodziło łagodnie, pieszcząc niczym czuła kochanka. Ciekawe, czy to, które mieli partyzanci, przypominało choć w przybliżeniu trunek, jaki spożywali w garnizonie w Gori.

Jaszyn z pewnym rozbawieniem patrzył na wzburzonego Szmita. Siedzieli naprzeciwko siebie przy solidnej ławie, przed każdym stał kubek z winem. Szmit to bladł, to czerwieniał na przemian.

– Jak pan śmiał, gubernatorze, rozmawiać o naszych sprawach z tym majorem?! Przecież wyraźnie przed tym ostrzegałem! Tak jakby pan nie wiedział, że przynajmniej trzy czwarte oficerów służących na tych terenach nie jest godnych zaufania! To zdrada. Zamelduję o tym przełożonym. Generał Kriabin...

– Proszę mnie nie straszyć, kapitanie, a już na pewno nie jakimś tam generałem Kriabinem. Trzeba było inaczej rozmawiać z rannym, wtedy mielibyśmy może jakieś konkretne wieści. Dzięki mojej rozmowie z majorem możemy przypuszczać, że celem podróży jest monastyr Dżwari.

– Jest pan głupcem, gubernatorze – wycedził Szmit. – Jest pan przeklętym głupcem! Głupcem i zdrajcą!

Roman Fiodorowicz poczuł, jak twarz mu tężeje, a przed oczami zaczynają tańczyć barwne płatki.

– Odwołaj to – warknął, z jego gardła wydobył się bulgot, jakby zaraz miał ryknąć niczym rozwścieczony tygrys. – Odwołaj to, malowany żołnierzyku... Bo ci kości porachuję!

Stanęli naprzeciwko siebie, dysząc, gotowi do ataku.

– Niczego nie odwołam – rzekł twardo Szmit. – Jesteś głupcem, panie gubernatorze!

Do Jaszyna nagle dotarła cała absurdalność sytuacji. Gdyby wrogowie mogli ich teraz zobaczyć, mieliby wszelkie powody do radości. Nic bowiem korzystniejszego na wojnie niż spór sojuszników. Opuścił ręce, ze świstem wypuścił powietrze. Szmit z ulgą również się rozluźnił. Dla niego bójka z tym mężczyzną mogłaby być wielką przeszkodą w karierze. I nie chodziło o wpływy Jaszyna, był pewien, że nawet gdyby przegrał z kretesem, gubernator nie próbowałby się mścić na przeciwniku w żaden sposób. Na tyle zdążył go już poznać. Ale oficerowi mającemu aspiracje zajść wyżej niż tylko do sztabu armii wszelka wieść o tym, że podczas wykonywania arcyważnego zadania dał się ponieść zbytecznym emocjom, nie zdołał zapanować nad temperamentem, mogła bardzo zaszkodzić. Nie przebywali w wielkim świecie, na salonach, gdzie każda zniewaga musiała się kończyć pojedynkiem. Znaleźli się razem na szlaku, skazani na siebie, nie mogli sobie pozwolić na niepotrzebne straty, a taką na pewno byłaby poważna kontuzja lub śmierć któregoś z nich.

– Dobrze, panie kapitanie – powiedział gubernator spokojnie, choć jego głos wibrował jeszcze wściekłością. – Powiedz mi, dlaczegoż to jestem tak wielkim głupcem.

Szmit usiadł z powrotem przy stole, gestem poprosił Jaszyna, aby uczynił to samo.

– Przecież mówiłem, gubernatorze, że przybędzie ktoś, kto podejmie decyzję, co robić dalej. I przyjechał godzinę temu. Także on posiada informację o celu naszej wyprawy. W naszej pracy zawsze zabezpieczamy się z wielu stron.

Roman Fiodorowicz zmarszczył brwi.

– Nie znam się na tych waszych szpiegowskich wybiegach. Może powinienem, jako urzędnik jego cesarskiej wysokości, ale się nie znam. Zgodnie z tym, co mi powiedziano przed wyjazdem, właśnie w Ananuri mieliśmy uzyskać potrzebne wiadomości. Powiedziano mi także, że czas jest bardzo ważny, tymczasem...

– Tymczasem zwrócił się pan do majora. Co prawda kariery już mu pan nie złamie, bo wyżej obecnego stopnia nie awansuje, ale życie zawsze można komuś zatruć jeszcze bardziej. Są miejsca w Rosji gorsze od Kaukazu.

– Za co ma zostać ukarany? – zirytował się znowu Jaszyn. – Za to, że chciał pomóc?!

– Proszę się nie unosić. W tym nie ma nic osobistego. Po prostu Karłow nie może się z nikim podzielić uzyskaną wiedzą.

– Przecież właściwie nic nie wie!

– Nie jest ważne, ile wie. Ważne, że w takiej sprawie nawet absolutne minimum wiedzy może się okazać zgubne.

Gubernator wziął kubek, umoczył wargi i natychmiast odstawił naczynie, odsunął je przedramieniem na bok, jakby było czymś nieopisanie wstrętnym. Miał wrażenie, że wino nabrało smaku piołunu. Wolałby teraz napić się mocnej gorzałki, spłukać to wrażenie.

– Jesteście bestiami – powiedział powoli, dobitnie. – Nie świniami, nie psami nawet. Uwłaczałbym tym pożytecznym zwierzętom, porównując was do nich. Jesteście potworami i mam nadzieję, że jeśli nie na tym świecie, to na tamtym znajdzie się dla was odpowiednia kara.

– Ani na tym, ani na tamtym. – Szmit machnął ręką. – Pracujemy dla dobra państwa, dla jego wysokości cara. Kto ma nas ukarać? Car za wierną służbę jemu czy Bóg za służbę carowi, skoro wszelka władza pochodzi właśnie od Stworzyciela?

Jaszyn nie wiedział, czy kapitan kpi, czy o drogę pyta. Wycieranie sobie gęby państwem i Bogiem zawsze było modne wśród różnorakiej maści swołoczy. On, jako wysoki urzędnik, powinien przecież z całej siły wspierać tych, którzy służą Mikołajowi I. Ale nie potrafił się pogodzić z tym, jak ci ludzie łatwo szafują cudzym życiem. Żeby to jeszcze życiem, ale przede wszystkim losem.

– Dobrze, panie obrońco słusznej sprawy – rzucił. – Jestem poruszony pańskim oddaniem jego wysokości. A teraz czekam na dalsze wiadomości.

– No cóż. – W odróżnieniu od rozmówcy Szmit sączył wino ze smakiem. – Jak już powiedziałem, nieboszczyk nie był naszym jedynym zabezpieczeniem, a niedawno do twierdzy przybył ktoś, kto ma dla nas dyspozycje. Zjawił się wcześniej, niż przypuszczałem, i bardzo dobrze się stało.

– Kto?

– Cierpliwości, niebawem powinien nadejść. Miał się przebrać z drogi i nas odwiedzić.

– Po co więc ta cała rozmowa?

– Żeby panu uświadomić, że wszelka samowola podczas misji jest niewskazana. A nawet wielce szkodliwa.

– Zaraz... – Jaszyn zmrużył oczy, wpatrując się uważnie w twarz Szmita. – Pan wcale nie był do końca pewien, czy ten ktoś przyjedzie, czy nie zaginie gdzieś po drodze. I nie miał pan pojęcia, że dysponuje potrzebnymi informacjami. Inaczej nie panikowałby pan aż tak przy łożu umierającego.

A potem starał się pan mnie usilnie odwieść od rozmowy z majorem, żebym nie uzyskał wiadomości wcześniej od pana! Nie brałem pod uwagę pańskiej chorobliwej ambicji. Kiedyś właśnie ona pana zabije.

Kapitanowi nawet brew nie drgnęła, gdy odparł:

– Oczywiście, że się pan myli. Byłem pewien.

– Może pan opowiadać takie dyrdymały swoim żołnierzom. Wie pan akurat tyle co kot napłakał! Czy wy naprawdę zawsze i wszędzie musicie uciekać się do takich sztuczek? Przecież gdyby ten tajemniczy ktoś nie przybył, sam by pan chciał wypytywać Karłowa o ten monastyr!

– Panie gubernatorze – zaczął drwiąco Szmit, ale przerwało mu stukanie do drzwi.

Zanim któryś z mężczyzn zdążył cokolwiek powiedzieć, otworzyły się. Przybysz przekroczył próg, znalazł się w kręgu światła. Jaszyn wstrzymał na chwilę oddech, a potem powiedział:

– Ach, to pan. Znowu się spotykamy.

W jego głosie próżno by się doszukiwać najmarniejszej choćby nuty radości.

– Także się cieszę, że pana widzę – odparł przybyły. – Nie jestem jednak sam. Panowie, poznajcie pułkownika Siergieja Matwiejewicza Strogana.

Na wsi Nastia czuła się wreszcie trochę jak w domu. Dopiero kiedy przyjechała do Markuszek, zdała sobie sprawę, jak bardzo zmęczył ją pobyt w dużym mieście. Minął zachwyt nowym miejscem, w dodatku nadeszły kłopoty i cały czar prysł. Budząc się rano i patrząc w pobieloną, choć miejscami nieco już zakopconą powałę, czuła ulgę. Im dalej od Riazania, tym lepiej.

Od razu następnego dnia wyjechali na wieś. Andriej miał tutaj pozostać do wyzdrowienia i wracać do pracy. Nie mógł sobie pozwolić na porzucenie stanowiska. Rana okazała się na szczęście niegroźna i nie przeszkodziła mu w podróży, chociaż odbył ją nie na koźle, lecz w koszu, razem z matką, gdyż musiał oszczędzać przestrzeloną rękę. Powoziła Nastia. Nie chcieli, aby ktokolwiek wiedział, dokąd się udają. Dlatego też tym razem nie pożyczali pojazdu, ale Andriej zakupił tę rozklekotaną karocę od pewnego Żyda z przedmieścia. Targ nie trwał długo, handlarz doskonale wiedział, że sprzedaje zupełną ruinę, zdawał też sobie sprawę, iż kupujący młodzian nie da więcej, niż zaoferował na początku. Kupiec pokrzyczał i pojojczył odpowiednio długo, aby nie stracić twarzy, po czym machnął ręką. Stara chabetka była bodaj jeszcze tańsza od powozu, ale dzielnie sobie radziła w podróży. Tak czy inaczej, zakup pochłonął sporą część środków, jakimi dysponowali dobroczyńcy Nastii. Postanowiła, że gdy tylko ojciec powróci, odda im wszystko z naprawdę porządną nawiązką. Obawiała się jedynie, że nie przyjmą ani grosza. I przede wszystkim, że ojciec może nie wrócić...

Nikt za nimi nie jechał, nikt ich nie śledził nawet w mieście. Bardzo możliwe, że Andriej miał rację, kiedy powiedział, że ani generał, ani ciotka dziewczyny nie spodziewają się, aby ich niedoszła ofiara tak szybko opuściła miasto. W końcu ten, kto strzelał, musiał widzieć, że zranił młodzieńca, tak też doniósł zleceniodawcy. Cyrulik, którego wezwał stróż, bardzo szybko poradził sobie z postrzałem, widać było, że ma w tym wprawę. W końcu możni panowie pojedynkowali się przynajmniej raz w tygodniu, a bywało, że i częściej, a zatem podobne rany widywał bardzo często. Zabronił tylko nadwerężać rękę przez najbliższe kilka dni i poszedł, z rozczarowaniem biorąc dwa ruble honorarium. Mruczał nawet pod nosem, że jeśli kogo nie stać, to niech nie lezie do pojedynków, ale Andriej huknął na niego, pokazując mu, że lewą rękę ma zdrową, więc wymknął się czym prędzej.

Nie spali całą noc. Nastia pakowała rzeczy razem z Iriną Pietrowną, a syn gospodyni siedział w fotelu, przyglądając się ich krzątaninie. Chciał pomagać, ale obie ofuknęły go, żeby lepiej dbał o rękę, bo może mu się jeszcze przydać. A o świcie, nie zważając na ból, pobiegł kupić wóz i konia.

– Może pożyczymy jakąś kolasę od pani Milunin? – zażartowała Irina Pietrowna, zanim Andriej wyszedł. – W końcu powinna wspomagać krewniaczkę.

– Od razu możemy jej też powiedzieć, dokąd się udajemy – zaśmiał się młodzieniec. – Wysłałaby za nami umyślnego. A poważnie mówiąc, im szybciej zejdziemy im z oczu, tym lepiej.

Poranek był nieco mglisty. Nastia, stojąc w koszuli nocnej przy oknie, próbowała zgadnąć, czy opar opadnie ku ziemi, zwiastując słoneczny dzień, czy uniesie się, aby zawisnąć chmurami nad rozległą równiną. Za drzwiami słyszała krzątaninę gospodyni. Zażywna niewiasta, wdowa, podobnie jak pani Gałszt, była jej daleką krewniaczką. Z tego, co wyrozumiała dziewczyna, kobiety łączyła niegdyś wielka zażyłość, mieszkały niedaleko siebie, ale Irina Pietrowna została w Riazaniu, a Natasza Michajłowna po śmierci męża przejęła jego niewielki wiejski majątek. Przyjęła uciekinierów z otwartymi ramionami, a kiedy słuchała o podłościach ciotki dziewczyny i obleśnego generała, aż zgrzytała zębami.

– Znałam Jagudina, gdy jeszcze był młodym oficerkiem – powiedziała. – Zawsze był pies na niewiasty, jednakowoż znał wówczas jakiś umiar. W każdym razie nie słyszałam, żeby brał jaką po niewoli. Ale też jako poruczniczyna czy nawet kapitan musiał się liczyć z przełożonymi, choćby nie wiadomo jak możnych miał protektorów. Lecz teraz, jak słyszę, zrobiło się zeń wielkie panisko. Zła krew zawsze wyjdzie z człowieka, tym prędzej, jeśli ktoś się nie pilnuje. Ojciec Jagudina był wielkim okrutnikiem, w swoich włościach poczynał sobie niby udzielny książę. Chłopów bił i zabijał, niewiasty niewolił, nawet *ius primae noctis* wprowadził, choć na Rusi nigdy takowe nie było stosowane. Widać z wiekiem w naszym generałku zbudziło się ojcowskie wszeteczeństwo. Nie myślcie sobie, smalił cholewki i do mnie, chociaż służył przecież pod moim małżonkiem. I ze wstydem przyznam, iż mi się to wonczas podobało. Któraż niewiasta nie lubi hołdów? Lecz nigdy nie był zanadto natrętny.

Nastię zastanowiło owo „zanadto", ale nie rozważała zbyt długo, dlaczego gospodyni użyła właśnie tego słowa. Kto wie, jak jej się w małżeństwie układało? Skoro imponowały jej umizgi oficera, mąż mógł ją zaniedbywać. A poza tym nie jej sądzić niewiastę znajdującą się w jesieni życia, która na dobitkę przyjęła ją pod swój dach na jedno słowo Iriny Pietrowny.

– Musisz wiedzieć, duszko – wyjaśniła później wdowa Gałszt – że moja przyjaciółka była wielką pięknością. Uganiali się za nią oficerowie i możni panowie, a ileż pojedynków ma na sumieniu… Ale to niewiasta o złotym sercu, choć jęzor miewa wcale nie złoty.

Jednak o języku gospodyni Nastia jak na razie nie miała okazji się przekonać. Natasza Michajłowna obchodziła się z gościem jak z jajkiem i jak dotąd nie sprawiła jej najmniejszej przykrości.

Nastia obmyła się, ubrała i wyszła do kuchni, do której przylegał jej pokoik.

– Pomogę, Nataszo Michajłowna – zaproponowała, widząc, że pani domu dźwiga ciężki gar z wodą.

Nie czekając na odpowiedź, podskoczyła, chwyciła jedno ucho naczynia i razem dźwignęły je na płytę pieca.

– Dziękuję, Nastiu – powiedziała nieco zdyszana Natasza Michajłowna. – Dawniej sama taki sagan potrafiłam przytaszczyć od studni i postawić na kuchni, jakbym worek pierza niosła. Starość nie radość.

– Gdzie wam tam jeszcze do starości. – Dziewczyna uśmiechnęła się serdecznie.

Rzeczywiście, Natasza nie wyglądała na swoje lata. Była wprawdzie rówieśnicą Iriny Pietrowny, ale prezentowała się o niebo młodziej, jakby jej jeszcze pięćdziesiąty krzyżyk nie zszedł. Wprawdzie rozrosła się w biodrach, a obfite piersi stały się ciężkie, ale jej twarz wciąż nosiła ślady dawnej urody, a poza tym mimo pewnej tuszy poruszała się z wielką gracją, zupełnie jakby nie była odziana w prawie chłopską suknię, ale w elegancką kreację wprost ze stołecznych salonów. W niczym nie przypominała swojej przyjaciółki, postarzałej już i zasuszonej, kroczącej sztywno jakby kij połknęła. Mimo to było widać, że kobiety się lubią i doskonale rozumieją.

Andriej wszedł do izby mokry, parskając jeszcze wodą. Bandaż na jego ramieniu był zaróżowiony w jednym tylko miejscu, rana goiła się doskonale.

– No, cioteczko – zawołał. – Jeszcze parę dni i będę mógł wracać do Riazania. Witaj, Nastiu. Wyspałaś się?

– Wyspałam – odparła dziewczyna. – A ty, widzę, już zdążyłeś obejść gospodarkę. Słyszałam o świtaniu, jak oprawiasz leniwego koniucha.

Od wydarzeń u Nadieżdy Josifowny przestali sobie „panować" i „pannować", a zaczęli się do siebie zwracać jak na młodych ludzi przystało. W niemałym stopniu o tej poufałości zdecydowało to, iż Andriej znów zobaczył, że w tej ślicznej panience drzemie prawdziwa lwica, gdy wzięła sprawy w swoje ręce, kiedy on osłabł po postrzale. Zeszła z wysokiego piedestału, ale za to stała mu się jeszcze bardziej bliska.

– Zostałbyś u mnie – mruknęła gospodyni. – Przydałby mi się dobry rządca, a ty potrafisz zadać ludziom pieprzu pod ogon. Widać wojskowe wychowanie. Ja już sobie z nimi nie radzę, parobkowie rozłażą się jak wszy po starej szubie, a dziewki patrzą tylko, gdzie by tu pod którym legnąć na sianie.

– Wieś nie dla mnie. – Andriej pokręcił głową. – Co innego pobyć tu tydzień, miesiąc nawet, a inna rzecz osiedlić się i wieść to powolne życie.

– A jako urzędnik wiedziesz życie o wiele ciekawsze? – spytała drwiąco Natasza Michajłowna.

– Tam są i przyjaciele, i teatr, i kawiarnie. Życie tętni, a nie wlecze się niby smród za wojskiem. Nie obraź się, cioteczko.

– Nie obrażam się, sokole, dlaczegóż by? W końcu młodość ma swoje prawa. Jeszcze z wiekiem docenisz ten spokój i nudę wsi. A ty, córciu – zwróciła się do Nastii – tak samo tęsknisz za Riazaniem?

Nastia westchnęła ciężko.

– Dojadło mi już miastowe życie, Nataszo Michajłowna. Nie żeby mi się nie podobały uroki miasta, lecz inaczej bym to wszystko pewnie oceniała, gdybym była bezpieczna. A w tej sytuacji wolę przebywać tutaj, choć słusznie mówi Andriej, że czasem można by z nudów własne buty zjeść.

– Młodzi, młodzi – powiedziała ze śmiechem gospodyni. – Tak się zarzekacie, a może kiedyś zamieszkacie tutaj? Nie mam komu zostawić mająteczku, Bóg nie pobłogosławił dziećmi mojego małżeństwa. Komu zostawię schedę, gdy przyjdzie czas zamknąć oczy?

Nastia spłoniła się i spuściła oczy, Andriej zmieszał się wyraźnie i czym prędzej zmienił temat:

– Koniki masz bardzo ładne, cioteczko. Troszkę niewyrośnięte może, jakby miały w sobie odrobinę krwi huculskiej.

– Bo i mają. Mój małżonek na gospodarce wcale się nie znał, za to na koniach doskonale. Sprowadzał różne rasy, mieszał je i cieszył się jak dziecko, jeśli mu wyszło coś ciekawego. Ja z kolei się na tym nie znam, ale podobno niektóre z jego pomysłów były bardzo udane.

Nastia z ulgą słuchała paplaniny Nataszy Michajłowny. Najwyraźniej kobieta uznała, że Anastazja i Andriej mają się ku sobie i łączy już ich większa zażyłość, taka, przy której można mówić nawet o małżeństwie. Zresztą młody mężczyzna popatrywał na nią teraz z ukosa, ze znaczącym wyrazem twarzy, ale udawała, że tego nie dostrzega.

Mcchetę ominęli szerokim łukiem. Rusłan nawet przez chwilę nie zamierzał wchodzić do miasta. Partyzantom powiedział, w jakim kierunku zmierzają, ale nie podał prawdziwego celu podróży. Jerzy był pewien, że Temuri i Krótki doskonale o tym wiedzieli, ale nie spodziewali się rzetelnej odpowiedzi. Nie ich rzecz. Sami też nie powiedzieliby prawdy zapytani o stałe miejsce stacjonowania swojego zbrojnego oddziału.

Dwudniowy pobyt u Gruzinów Wołłkowicz z jednej strony wspominał miło, ale z drugiej aż nim wstrząsało, kiedy pamięć przywoływała to, co działo się nazajutrz po biesiadzie. Mocne wino zrobiło swoje, tym bardziej że Jerzy nie był przyzwyczajony do takiego picia. Ostatni raz brał udział w podobnej alkoholowej libacji właśnie tutaj, na Kaukazie, krótko przed zesłaniem. Nic dziwnego więc, że głowa bolała go tak, iż miał ochotę wziąć rozpęd i rozbić ją o najbliższą skałę. Nie zrobił tego chyba tylko z tej przyczyny, że nie był w stanie wykonać dwóch kroków, żeby się nie przewrócić. Rusłan oczywiście zniósł popijawę o wiele lepiej, ale przecież i w Paryżu za kołnierz nie wylewał, i wychylił prawdziwe morze rumu z marynarzami na szkunerze. A Maximilien okazał się nad wyraz odporny na trucicielskie działanie alkoholu. Wołłkowicz słyszał, że Francuzi mają słabe głowy. Jeśli tak, ich towarzysz stanowił prawdziwy wyjątek. Kapitan nie był tylko pewien, czy może go z czystym sumieniem określić mianem chlubnego.

– Gdzie jest to miejsce? – spytał Rusłana, który zsiadł z konia i oglądał mapę.

– Tutaj. – Czerkies postukał palcem w papier. – Dokładnie w tym punkcie oznaczonym krzyżykiem. Monastyr Dżwari.

– Byłem tam kiedyś.

Dziwne, ale do tej pory nie myślał o tym, wspomnienia nadleciały, dopiero kiedy znaleźli się tak blisko. Monastyr pochodził sprzed tysiąca trzystu prawie lat. Opowieść, zapewne legendarna, głosiła, że święta Nino, która dokonała dzieła nawrócenia Gruzji na chrześcijaństwo, zatknęła krzyż na najwyższym wzniesieniu w pobliżu Mcchety. Potem w tym miejscu zbudowano kościół, a następnie cały klasztor.

– Obaj byliśmy – uzupełnił Rusłan. – Przecież stacjonowaliśmy niedaleko.

– Tak, obaj. – Jerzy spojrzał na ordynansa. – I pamiętam, że przepadałeś wtedy na całe dnie, kiedy tylko miałeś wolne od służby.

– Spiskowałem. – Czerkies się zaśmiał. – To nie tylko wasza polska namiętność. My tutaj też lubimy walczyć z wszechmocną władzą wbrew wszystkim i na przekór wszystkiemu.

– To akurat wiem. – W końcu wodziliśmy się z tutejszymi partyzantami – odpowiedział z uśmiechem Wołłkowicz.

– Z kim ja się zadaję – mruknął Maximilien. – Rebelianci, powstańcy i zbóje.

Kiedy przebywali wśród partyzantów, znów stał się milczący i mrukliwy, ale gdy znaleźli się na szlaku, ożywił się. Jerzy zaczął podejrzewać, że mały Francuz jest po prostu chorobliwie nieśmiały, wśród nieznanych ludzi zapomina języka w gębie i musi się oswoić z otoczeniem, zanim zacznie odnosić się do innych mniej więcej normalnie. Albo naprawdę był tak czujny i nieufny, co na jedno wychodziło.

– Ciesz się, że nie mamy właśnie jakiegoś powstania. – Rusłan podniósł wzrok znad mapy, spojrzał na Maximiliena z uśmiechem. – Na przykład Czeczeni mniej więcej co dwa lata potrafią wszcząć niezłą ruchawkę. A takie górskie bandy jak ta Temuriego w niespokojnym czasie wyrastają niby grzyby po deszczu. Tygiel, mój mały przyjacielu, to dobre określenie tego regionu. Tygiel albo garnek z wrzątkiem. I biada temu, kto próbuje ten garnek chwycić za uszy i zestawić z ognia.

– Zresztą wśród Francuzów też zdarzają się nieźli wariaci – zauważył Jerzy. – Gdyby nie mieli w sobie tego szaleństwa, Bonaparte niewiele by wskórał.

– Prawie wszyscy ci wariaci zginęli w stepach Rosji, w Hiszpanii i pod Waterloo – skrzywił się Maximilien. – Nie ma już dzielnych ludzi wśród moich rodaków, nieskorzy się stali do poświęceń.

– Doprawdy? A słyszałeś o niejakim Karolu Levittoux?

– Nazwisko francuskie. – Maximilien kiwnął głową. – A kto to jest?

– Syn pewnego wachmistrza, który osiadł w zaborze rosyjskim po wielkiej wojnie. Młody chłopiec to był, minęło mu ledwie dwadzieścia lat, gdy aresztowali go carscy opryćznicy. A mieli za co go zamknąć, oczywiście wedle nich, bo działał w gimnazjalnym i studenckim ruchu wolnościowym. Poddano go niezwykle okrutnym przesłuchaniom, a zapewniam cię, Maximilien, że kto jak kto, ale moskiewscy siepacze wiedzą doskonale, jak zadawać ból. Otóż ten młody człowiek, kiedy czuł, że duch w nim słabnie i może wydać towarzyszy walki, poświęcił życie. Nie mając innej możliwości zabicia się, podpalił łóżko od kaganka i spłonął żywcem.

– Nie słyszałem tej historii – powiedział Francuz. – Czy jest prawdziwa?

– Niestety tak – westchnął Wołłkowicz. – Car znęca się nawet nad dziećmi.

Rusłan przysłuchiwał się rozmowie z ciekawością, ale teraz wtrącił:

– Jednakże jaki z tego Levittoux Francuz, skoro to za Polskę oddał życie? Po prostu dzielny syn z dzielnej krwi. Twoi ziomkowie, Maximilien, kiedy przyszło Sto Dni Napoleona, w lwiej części nie chcieli go oddawać nawet za Francję. Do dzisiaj potrafią pluć na cesarza, żeby się przypodobać czy to Anglikom, czy to Rosjanom, czy Austriakom wreszcie.

– Powiedz lepiej, mądralo, kiedy dotrzemy do Dżwari, jak dostaniemy się do środka i znajdziemy to, czego szukamy – rzekł zimno Maximilien. – Co innego mówić gorzkie rzeczy o swoim narodzie samemu, a inna sprawa słuchać ich z obcych ust.

Rusłan złożył mapę, rozprostował ramiona, założył ręce za głowę i przeciągnął się, aż zatrzeszczały stawy.

– Przenocujemy gdzieś niedaleko stąd, a jutro do południa powinniśmy się znaleźć pod górą klasztorną. Do środka wejdziemy bez problemów, nie bój się, a szkatułkę znajdziemy wedle odpowiednich wskazówek, które mam tutaj. – Stuknął się palcem w skroń.

Nie wspomniał o tym, że także kapitan na wszelki wypadek poznał miejsce ukrycia tajemniczej skrzynki oraz potrzebne hasła. Maximilien zresztą o to nie dopytywał, zdając sobie sprawę, że znalezisko będzie cenne, tylko jeśli przejmą je siły wrogie caratowi, a nie agent najlepszego detektywa wszech czasów. Jemu wystarczy sama informacja, co szkatułka zawiera. A najprawdopodobniej Vidocq i tak do niczego tej wiadomości nie wykorzysta. Stary lis powtarzał zawsze, że nieważne, czy w danej chwili informacja jest przydatna czy nie, bo może się okazać użyteczna w najmniej spodziewanym momencie. Szczególnie jeśli jest związana z wielką polityką.

Ruszyli dalej. Jerzy oddychał pełną piersią. Choroba jak dotąd nie wracała. Opanował jej atak najpierw na statku, a potem przy ognisku. Czyżby to coś, co mroziło mu kości, w końcu zrezygnowało? Jakoś nie chciało mu się wierzyć. Ale też nie zamierzał się nad tym zbytnio zastanawiać. Najważniejsze, że ataki zdarzały się coraz rzadziej. W Paryżu przecież nie było właściwie dnia bez cierpienia. Może dla zdrowia potrzebna mu była właśnie taka podróż? Gdyby jeszcze nie ta straszliwa tęsknota... Nie potrafił się jej pozbyć, była silniejsza od wszystkiego i z każdym dniem stawała się jeszcze boleśniejsza. O ile jeszcze kilka miesięcy temu wspomnienie cudownych rysów twarzy Anastazji zaczęło się nieco zacierać i zdawało mu się, że będzie potrafił zapomnieć, o tyle teraz wracało w snach, w natrętnych myślach. Może to świadomość, że znajduje się w tej chwili o wiele bliżej dziewczyny, niż przebywając na zachodzie

Europy? A może po prostu tak wygląda miłość? Na myśl o Nastii serce zaczynało mu mocniej bić, robiło się zarazem ciepło na duszy, jak i boleśnie. Powinien o niej zapomnieć, przecież nie potrafi dać jej szczęścia. Na próżno to sobie powtarzał, wszak stare mądre powiedzenie twierdzi, iż serce nie sługa.

Dopiero po dłuższej chwili zdał sobie sprawę, że Maximilien coś do niego mówi.

– ...trzeba będzie dokądś pojechać. Ja wrócę do Paryża, a wy?

Jerzy domyślił się, że chodzi o to, co zrobią po wypełnieniu misji.

– Któryś z nas dwóch na pewno musi wrócić do Francji, żeby zdać sprawę mocodawcom. Może wrócimy obaj, to zależy od zbyt wielu rzeczy, by teraz o tym orzekać. A co potem, też zobaczymy. Los wygnańców przypomina dolę jesiennego liścia na wietrze. Nigdy nie wiadomo, czy poleci gdzieś daleko, czy utknie wśród innych liści u stóp drzewa, czy też utopi się w kałuży, a może zostanie zgarnięty na stos innych braci i bezlitośnie spalony – odparł.

– Nie nazbyt ponuro pan do tego podchodzi? Przecież we Francji mieszka wielu pańskich rodaków, radzą sobie doskonale.

– Tak. – Polak roześmiał się gorzko. – Mieszkają i radzą sobie. Przy tym tęsknią za udręczoną ojczyzną, tworzą organizacje i koterie, bawią się w wysyłanie emisariuszy na cały świat. Nie chcę dla siebie takiego życia, Rusłan pewnie też. Lecz on ma przynajmniej swoją wdówkę i może zechce do niej wrócić. A ja?

– A panu sam Vidocq zaproponował pracę, prawda? – spytał bardzo poważnie Maximilien.

– Powiedział ci o tym? – zdumiał się Wołłkowicz. –

Myślałem, że to z jego strony jednak bardziej kurtuazja niż cokolwiek innego.

– Vidocq i kurtuazja w takiej sprawie! – Francuz parsknął śmiechem. – Nie przeczę, kiedy chce, potrafi być uprzejmy i ujmujący, to w naszej pracy nieodzowne. Lecz jeśli idzie o sprawy fachowe, prędzej połknie język, niż wygłosi czczy komplement. Skoro uznał, że jest pan dość dobry, aby się do niego zgłosić po zatrudnienie, musiał być o tym święcie przekonany. Nie zwykł utrzymywać darmozjadów.

Jerzy nie odpowiedział, zamyślił się. Może to będzie jakieś wyjście mimo wszystko? Podjąć pracę u starego lisa? Cóż miałby do stracenia? Nastia zapewne już jest mężatką albo niebawem nią będzie. Jaszyn nie zwykł zwlekać z załatwianiem spraw, a córka była wszak jego oczkiem w głowie. Na pewno zadbał, aby zabezpieczyć jej przyszłość, a przede wszystkim pozbawić marzeń o dumnym Polaku, który mógł jej zaofiarować tylko smutek i cierpienie. Wołłkowicz zdawał sobie sprawę, co może myśleć gubernator: taka miłość dobra i piękna jest tylko w romantycznych poematach. W prawdziwym życiu nie może być mowy o budowaniu związku na tak kruchej podstawie. Do szczęścia domu potrzeba nie tylko miłości, ale także chociaż minimum środków utrzymania. A on, jako zesłaniec i banita, nie posiadał nic.

Pracując dla Vidocqa, z pewnością zyskałby zabezpieczenie finansowe. Po co mu jednak ono, skoro nie ma dla kogo się starać? Chyba żeby zatracić się w przygodzie, nieść własną głowę wszędzie tam, gdzie łatwo ją stracić. To także jakiś sposób na życie, chociaż musiał przyznać, że w tej chwili bardzo mało pociągający.

Zbliżył się do Rusłana tak, że jechali strzemię w strzemię.

– Co chcesz później zrobić, stary? – spytał.

– Szczerze mówiąc, kusi mnie powrót do mojej wdówki – mruknął Rusłan. – Zresztą obiecałem jej, że zamieszkam u niej.

– No to musisz dotrzymać słowa – Jerzy smutno się uśmiechnął.

– Jednakowoż nie chcę zostawiać pana samemu sobie.

– Daj spokój! – Wołłkowicz machnął ręką. – Dość, że mi pomogłeś, gdym był w potrzebie, znalazłeś i podałeś dłoń...

– Żeby przez to potem wpakować w tę całą kabałę – wpadł mu w słowo Czerkies. – Przecież gdyby nie ja...

– Nie gadaj byle czego! – teraz Jerzy nie dał dokończyć przyjacielowi. – Oni wszyscy najwyraźniej od początku byli przekonani, że to ja znam tajemnicę ukrycia szkatuły. Gdybym cię nie znał, pomyślałbym nawet, że posłużyłeś się mną jak tarczą.

– Bo poniekąd tak było – mruknął Rusłan i opuścił wzrok, wpatrzył się w końską grzywę.

Jerzy spojrzał na niego bystro.

– Przecież to nieważne – rzekł po chwili zastanowienia.

– Właśnie, że ważne – wymamrotał wachmistrz. – Nie sam to wymyśliłem, dostałem rozkaz od władz sprzysiężenia. Władz, których już nie ma – dodał gorzko – bo zostały wyłapane i albo zostały rozstrzelane, albo zdychają gdzieś na dalekiej Północy.

– Tym bardziej nie powinieneś siebie winić, przyjacielu.

– Winić? To złe słowo. Musiałem wybrać między wiernością przysiędze a wiernością przyjaźni. W końcu obu się sprzeniewierzyłem. Przysięgę złamałem, ujawniając pańskim rodakom miejsce ukrycia tajemnicy, a przyjaźń splugawiłem, mieszając pana w to wszystko.

Jerzy słuchał tej niespodziewanej spowiedzi z nachmurzonym czołem. Kiedy Rusłan skończył, kapitan pokręcił głową, a potem poklepał ordynansa po plecach.

– Nie przejmuj się, stary. Jeśli ci ulży, to wiedz, iż nie mam do ciebie najmniejszego żalu. Oby tylko takie krzywdy mi czyniono… Doskonale wiesz, że gdybym nawet miał pełną świadomość tego, co się wokół mnie dzieje, postąpiłbym tak samo.

– Wiem, panie kapitanie. Ale co innego pozwolić komuś decydować o sobie, a co innego zmuszać go, by robił coś, czego być może wcale nie chce.

Jechali przez chwilę w milczeniu, przerwał je Rusłan:

– Dziękuję, że mi pan to wszystko wybaczył. Ale ja na pewno nie wybaczę sobie, panie kapitanie.

Jerzy chwycił za wodze wierzchowca Czerkiesa i zatrzymał swojego konia, zmuszając do przystanięcia także zwierzę towarzysza.

– Posłuchaj uważnie, Rusłanie – oświadczył, patrząc prosto w oczy ordynansa. – Od teraz ilekroć nazwiesz mnie panem kapitanem, dostaniesz w łeb, i to porządnie. Nie jestem już dla ciebie żadnym kapitanem.

– Tak jest. – Na twarzy Rusłana odmalowała się przykrość. – Rozumiem pana doskonale.

– Zamilcz i wysłuchaj mnie do końca! – Jerzy strzepnął palcami z irytacji. – Tyle razem przeszliśmy, żyjemy w przyjaźni od tylu lat, że już dawno miałem to zaproponować, ale jakoś się nigdy nie zgadało. – Wołłkowicz zdjął rękawicę, wyciągnął dłoń do towarzysza. – Jestem Jerzy i tak masz się do mnie od tej pory zwracać. To ostatni rozkaz, jaki ci wydaję, zrozumiałeś?

Rusłan najpierw popatrzył z niedowierzaniem na wyciągniętą rękę, przez chwilę docierało do niego znaczenie słów, a kiedy wreszcie dotarło, w pośpiechu zębami ściągnął rękawicę i uścisnął dłoń kapitana.

– To dla mnie zaszczyt. Chociaż pewnie będę się jeszcze czasem mylił…

Maximilien, obserwujący scenę z boku, z pewnym zdumieniem skonstatował, że w oczach obu tych twardych mężczyzn zalśniły łzy wzruszenia. Zresztą, co tu dużo gadać, i jemu zrobiło się jakoś miękko na sercu. A miał je przecież nie mniej zahartowane niż tamci dwaj.

– Mów! – Postać w czerni pochyliła się nad człowiekiem przymocowanym szerokimi pasami do solidnej dębowej ławy. – Mów, ścierwo, bo będzie jeszcze bardziej bolało!

Jaszyn patrzył z odrazą na poczynania mężczyzny, który przybył razem z majorem Rokickim. Znać było po nim wielką wprawę w prowadzeniu brutalnych przesłuchań. Już samo przywiązanie ofiary do blatu i zupełne unieruchomienie stanowiło znakomity wstęp do jej zmiękczenia. Nieszczęsny mnich został bowiem nie tylko skrępowany długimi pasami na wysokości ud, piersi i czoła, ale także unieruchomiono mu nogi w kostkach i ręce w nadgarstkach. Ponieważ stół – co oczywiste – nie był wyposażony w odpowiednie pasy, jak to bywa w przypadku łóżek dla szczególnie niebezpiecznych pacjentów domów dla obłąkanych, Strogan kazał sporządzić ze sznurów prowizoryczne pęta – kostki i nadgarstki zostały umieszczone w pętlach, a sznury przeciągnięto pod blatem ciasno, tak aby ręce i nogi przylegały ściśle do powierzchni. Aby zaś ofiara nie mogła ich luzować chociażby zwykłym rozłożeniem rąk czy szerszym rozkrokiem, połączono je od góry dwoma rzemieniami. W ten sposób nieborak musiał mieć poczucie zupełnej utraty kontroli nad własnym ciałem, a bezradność bywa gorsza od fizycznego bólu.

Twardy był jednak mniszek. Albo po prostu nic nie wiedział. Widząc, jakie tortury znosi, gubernator dochodził coraz bardziej do przekonania, że ten człowiek po prostu nic nie wie. Ale pułkownik Strogan nie zamierzał się poddawać. Na jego rozkaz dwóch potężnie zbudowanych żołnierzy biło pałkami odsłonięty brzuch duchownego. Bili mocno, aby sprawić jak największy ból, ale tak, by zbytnio nie uszkodzić narządów wewnętrznych. Oprawcy godni głównego mistrza ceremonii.

Potem sam Strogan przystąpił do dzieła. Jaszyn z przerażeniem patrzył, jak wbija żelazne igły pod paznokcie stóp nieszczęśnika. Mnich wył i błagał o litość, ale równie dobrze mógłby prosić kamień na polu, aby sam się zaniósł na stertę. Ból musiał być potworny, bo w pewnej chwili przesłuchiwany zemdlał. Ocknął się, gdy jeden z byczków podstawił mu pod nos flaszeczkę z amoniakiem. A pułkownik, gdy już skończył wbijać igły, obok nich zaczął umieszczać drewniane drzazgi, grubsze i z pewnością powodujące jeszcze większe cierpienie. Było tak wielkie, że ofiara nie mogła już uciec w omdlenie. Nawet w chwili, kiedy kat zapuszczał krople zaprawionego solą octu w okropne rany.

Przyszedł czas na ręce. Strogan zręcznie umieszczał igły pod paznokciami biedaka. Kiedy oprawił wszystkie palce lewej dłoni, kazał ją odwiązać.

– Przypatrz się – rzekł przez zęby, zginając rękę mnicha tak, żeby mógł ją zobaczyć. – Jesteś zręcznym skrybą ponoć, ale jeśli zabiorę się do twojej prawej ręki, długo nie utrzymasz pióra. Jeśli w ogóle kiedyś dasz radę!

Mnich z przerażeniem patrzył na żelazne i drewniane kolce sterczące spod paznokci. Jaszyn brzydził się Stroganem, który miał nie tylko krzywy uśmiech, ale też taką duszę. Brzydził się Szmitem, który przyglądał się kaźni z szeroko otwartymi oczami, chłonąc każdą sekundę widowiska, a z kącika ust ściekała mu strużka śliny, zupełnie jakby wygłodniały włóczęga przyglądał się przez szybę wspaniałej uczcie. Brzydził się Rokickim, który z kolei patrzył na to obojętnie, z miną tak znudzoną, że zdawało się, iż za chwilę zacznie ziewać. Brzydził się dwoma osiłkami, bezmyślnie i precyzyjnie wypełniającymi każdy rozkaz pułkownika. Ale przede wszystkim brzydził się samym sobą. Z jednej strony wiedział, że zeznania mnicha są bardzo ważne, w tej chwili nawet arcyważne, ale z drugiej czuł, że powinien zaprotestować, przerwać tę barbarzyńską kaźń. Zdawał sobie sprawę, że jego protest nie na wiele się zda, jednak nabrałby więcej szacunku do siebie, gdyby przynajmniej spróbował. Mógł oczywiście wyjść, lecz to z kolei jego towarzysze poczytaliby za słabość, a na coś podobnego nie mógł sobie pozwolić.

– Słyszysz, mniszku? – zasyczał Strogan, biorąc szmatkę nasączoną octem z solą i wycierając nią krwawiące opuszki. Mnich zawył. – Słyszysz, braciszku? Masz jeszcze sprawną prawicę, zastanów się, czy warto...

Nieoczekiwanie na twarzy duchownego pojawił się blady uśmiech.

– Za późno – wyszeptał z wysiłkiem, hamując krzyk.

– Co znaczy „za późno"? – Kamienna twarz Strogana drgnęła.

– Ja... ja... piszę lewą ręką...

Pułkownikiem aż podrzuciło.

– Nie wypytaliście tego starego dziada igumena o wszystko dokładnie? – Spojrzał ze złością na Szmita i Rokickiego.

Szmit skulił się ze strachu przed gniewem przełożonego, ale major tylko wzruszył ramionami i prychnął:

– A komu by przyszło do głowy pytać, którą ręką się posługuje? Sam mogłeś to ustalić.

– Nie pyszcz mi tutaj! – warknął Strogan. – Pokpiłeś sprawę i jeśli nie wydobędziemy od tego ścierwa potrzebnych wiadomości, wszystko się skomplikuje!

– Wierzę w twoją inwencję i umiejętności – zaśmiał się Rokicki.

W ponurej scenerii lochu, w zapachu krwi, octu i przerażenia ten śmiech zabrzmiał niczym głos okrutnego demona z samego dna piekła.

Strogan spojrzał na mnicha.

– Dobrze, przyjacielu – wycedził – skoro tak, coś ci pokażę. – Tę łapę – potrząsnął okaleczoną dłonią ofiary – jeszcze zdołasz uratować, jeśli zostawię ją w spokoju i każę opatrzyć. Ale uważaj...

Przekazał rękę mnicha jednemu z osiłków, przeszedł na drugą stronę stołu, chwycił prawą dłoń duchownego. Błysnął szeroki, rzeźnicki nóż, z gardła torturowanego wydobył się kolejny straszny krzyk, trysnęła krew, a pułkownik schylił się i podniósł z ziemi odcięty kciuk. Podstawił go pod nos przesłuchiwanego.

– Teraz odrąbię paluszki tej dłoni, a potem zacznę od małego palca tej cenniejszej. Gdy skończę, już na pewno nic nigdy nie naskrobiesz! Będziesz gadał?

Mnich powstrzymał skowyt, dyszał ciężko przez długą chwilę.

– Nie mogę – wyjęczał wreszcie. – Składałem przysięgę...

– A zatem mamy jakiś postęp! – stwierdził ze swoim krzywym uśmieszkiem Strogan. Za ten podły grymas Jaszyn byłby gotów go zaszlachtować. – Czyli coś wiesz, ale nie chcesz wyjawić!

– Nie mogę – powtórzył mnich. – Choćbyście mi wszystkie palce ucięli, a potem głowę...

– Na to nie licz – rzekł surowo pułkownik. – Wiem, że śmierć ci niestraszna, od tegoś mnich. Nie dziwię się zresztą, bo wieść takie życie jak twoje, to lepiej sobie faktycznie w łeb palnąć. Będziesz żył, ale zadaj sobie pytanie, czy chcesz spędzić resztę dni w łóżku albo sadzany na krześle przez litościwych współbraci. Może cię czasem nawet wyniosą na dziedziniec, żebyś zażył powietrza i słońca. Muszę powiedzieć, że twój brat w niedoli klasztornej wykazał się większym rozsądkiem. Przekazał nam wszystko, czego potrzebowaliśmy.

– Niech będzie, co ma być… – wyszeptał mnich. – Brat Georgi nie wiedział właściwie nic.

– Nie do końca, mój drogi. Wiedział wystarczająco wiele, abyśmy przez niego doszli do ciebie, mój drogi – oświadczył Strogan. – Zastanów się.

– Nie! – To słowo mnich wypowiedział bardzo głośno i wyraźnie, jakby dodając sobie ducha.

A potem już tylko krzyczał, kiedy Strogan wypełniał swoją obietnicę. Krzyczał coraz ciszej, jakby z każdym zmasakrowanym palcem odczuwał coraz mniejszy ból. Ale Jaszyn w to nie wierzył. Po prostu mnich obojętniał, wiedząc już, że nie ma ratunku. Straconych palców przecież nie odzyska.

Dlaczego, dlaczego, dlaczego?! Dlaczego wspomniał o tym, że jest związany przysięgą?! Gdyby nie to, gubernator mógłby wreszcie zaprotestować, spróbować przekonać tego obrzydliwego rzeźnika, że dalsza jatka nie ma sensu! Ale jednym nieopatrznym zdaniem mnich wytrącił broń z ręki Jaszyna. Chociaż czy Strogan przychyliłby się do próśb Romana Fiodorowicza? Wątpliwe. Wyglądało na to, że dręczenie sprawia mu wielką rozkosz. Gdy palce spadały z obrzydliwym mlaskiem na posadzkę, wprost w kałużę krwi, wyglądał, jakby przeżywał rozkosz, jaką zwykły mężczyzna jest w stanie osiągnąć, tylko obcując z kobietą.

Lekko zdyszany Strogan odstąpił dwa kroki od ławy, spojrzał na krwawiące dłonie mnicha. Jeden z osiłków przypalał ranę żelazem, żeby ofiara nie straciła zbyt wiele krwi.

– Takiś twardy, przyjacielu? – zamruczał pułkownik. – Zobaczymy. Każdy ma jakiś słaby punkt. U naszego przyjaciela gubernatora to córeczka. – Zlekceważył ostre słowo, które w tej chwili rzucił do niego Jaszyn. – Kapitan Szmit wyznałby wszystko, gdybym mu chciał uciąć fujarkę, bo prawdziwy sens życia dla niego to dopaść dziewkę i posiąść ją byle jak i byle gdzie. Major Rokicki załamałby się zapewne już przy szpilach w palcach stóp, bo dla niego z kolei sensem istnienia jest jazda konna... Tych dwóch baranów – machnął ręką w stronę osiłków – nie wytrzymałoby nawet pałek, bo to każdy by sprzedał własną matkę, byle uniknąć bólu. Ale ty, molu książkowy... Ty też musisz mieć coś, co cię zaboli naprawdę... Tak... mól książkowy z ciebie przecież...

Pułkownik wyglądał teraz jak zadowolony kocur bawiący się na wpół żywą myszą.

– Mam! – wykrzyknął nagle odkrywczo, chociaż ta myśl musiała dawno zrodzić się w jego głowie. Odgrywał ten teatr wcale nie po to, aby się popisać przed widzami, ale by wywrzeć jeszcze mocniejsze wrażenie na torturowanym. – Co jest najcenniejsze dla mola książkowego?

Podszedł do ławy, pochylił się nad twarzą mnicha.

– Brzytwa! – rozkazał.

Dwóch osiłków spojrzało na siebie z niezrozumieniem.

– Brzytwa! – powtórzył Strogan. – Chyba któryś z was ma brzytwę, co? Przecież się golicie, głupcy!

Po chwili trzymał w dłoni ostrze. Błyskawicznym ruchem chwycił powiekę mnicha, ciął. Krew spłynęła na skroń, ciało wyprężyło się i opadło bezsilnie. Pułkownik starannie otarł posokę.

– Będziesz patrzył do ostatniej chwili, jak ci wycinam oko. Najpierw jedno, potem drugie. Nie przeczytasz już w życiu ani jednej literki, nie zerkniesz na ukochane woluminy!

Powoli, nie śpiesząc się, zaczął zbliżać brzytwę do oka mnicha. Tego Jaszyn już znieść nie potrafił. Zanim ktokolwiek zdołał się ruszyć, podskoczył do Strogana, szarpnął go ku sobie i strzelił pięścią w rozjaśnioną rozkoszą gębę. Pułkownik poleciał na ścianę, a jego podwładni z miejsca chwycili gubernatora, wielka pięść uniosła się, ale nie opadła, powstrzymana okrzykiem samego Strogana:

– Zostaw! Trzymać go tylko!

Pułkownik wstał, podszedł do Jaszyna, unieruchomionego przez osiłków.

– Posłuchaj no, panie gubernatorze. Nie wiem, co ci się w głowie roi, ale posłuchaj mnie uważnie. Generał Kriabin wysłał Rokickiego, żeby patrzył na ręce mnie i Szmitowi. Ciebie, żebyś pilnował Rokickiego i nas też przy okazji. Jesteś tak zwanym jedynym sprawiedliwym, bo jako jedyny nie masz nad sobą tak naprawdę innej władzy niż jego wysokość. Powinieneś być zatem gwarantem, nie kłodą rzuconą pod nogi. Ja z kolei z ramienia ministra spraw wewnętrznych mam pilnować was, każdego z osobna i wszystkich naraz. Takie szachy szpiegów i wywiadowców. Dzięki temu ojczulek car może spać spokojnie, że mu się spiski nie zalęgną. Po doświadczeniach z dekabrystami bardzo jest na to wyczulony. Tak naprawdę służysz jemu, a nie Kriabinowi, prawda?

– Wasz Kriabin czy minister to dla mnie…

– Nie kończ lepiej – warknął Strogan. – Nikogo zresztą nie ciekawi twoja cenna opinia. Posłuchaj dalej. Możesz sobie lekceważyć własne życie, dla mnie nie ma ono najmniejszej wartości, podobnie jak twoja śmierć. Ale pamiętaj, że w każdej chwili możemy dopaść twoją Nastię, choćbyś ją ukrył pod ziemią. Zrób coś, co nam pomiesza szyki, a znajdziemy ją i potraktujemy tak, że nikt na nią więcej nie spojrzy.

– Ty kurwi synu! – Jaszyn szarpnął się, ale trzymały go krzepkie ręce.

– Skoro mamy jasność – rzucił Strogan tonem swobodnej konwersacji – wróćmy do rzeczy.

Zbliżył się do mnicha i znów zaczął bardzo powoli opuszczać brzytwę, ocierając przy tym co chwila twarz ofiary, aby dobrze widziała, co ją czeka. Jaszyn zamknął oczy. Mnich zawył tak rozpaczliwie, jak jeszcze mu się do tej pory nie zdarzyło.

– A teraz drugie oczko. – Głos pułkownika był aksamitny, prawie pieszczotliwy. Przemawiał tak, jakby matka ocierała łezki ukochanemu dziecięciu. – Zastanów się, mój miły, czy aby warto. Najpierw powieczka…

Gdyby Jaszyn mógł, zasłoniłby uszy.

– Nie! – Krzyk mnicha poruszyłby skałę. Lecz Strogan był o wiele twardszy od granitu. Tylko człowiek potrafi być aż tak nieczuły. – Nie, błagam! Powiem wszystko, co chcecie! Powiem!!!

Gubernator poczuł ulgę. Nareszcie koniec. Otworzył oczy. Strogan z radosnym uśmiechem przyglądał się swojemu dziełu.

– Bardzo dobrze – wymruczał. – Grzeczny chłopaczek. Mów więc, mój kochany. Mów wszystko po kolei.

11

Podziemia monastyru okazały się imponujące. Nie były to lochy tuż pod powierzchnią, dostępne wszystkim braciom i gościom, ale głębsze, wykute w skale wcześniej bodaj, niż powstał sam klasztor, a potem coraz rzadziej wykorzystywane przez mnichów, wreszcie zapomniane. Zapomniane oczywiście przez zwykłych członków zakonu, lecz znane igumenowi i kilku wybranym braciom. Jerzy z podziwem patrzył na wysokie sklepienie obszernego pomieszczenia. Kiedy tu szli, zdawało mu się, że zmierzają w głąb góry, do samego jej serca, a może nawet korzeni. Wiedział, że na pewno nie zeszli aż tak nisko, ale wrażenie było nieodparte. Mnich, który ich tutaj sprowadził, bardziej przypominał budową ciała kirasjera niż pobożnego braciszka. Jednak Wołłkowicz wiedział, że w eremach często można spotkać byłych żołnierzy. Furtian zresztą także wyglądał na takiego, który z niejednego pieca chleb jadł i niejedno widział. A może i niejedno sam miał na sumieniu. Jak powiadają mądrzy ludzie, na pokutę nigdy nie jest za wcześnie. Może być jedynie za późno.

– To właśnie tutaj? – spytał Maximilien Rusłana.

Czerkies rozglądał się ze zmarszczonymi brwiami. W świetle pochodni ściany zdawały się żyć własnym ży-

255

ciem, cienie tańczyły na chropawych, nierównych powierzchniach.

– Wszystko wskazuje, że tak.

– Czyli nigdy tutaj nie byłeś? – spytał sykliwym głosem Francuz.

– A czy twierdziłem kiedykolwiek, że byłem? – prychnął Rusłan. – Gdybym był, nie potrzebowalibyśmy przewodnika, tej całej głupawej wymiany haseł. Opowiedzielibyśmy się furtianowi i tyle.

– Logiczne – mruknął Maximilien. – Ale myślałem…

– Tutaj! – Rusłan wreszcie znalazł to, czego szukał. Stanął pod jedną ze ścian, przyświecił sobie pochodnią. – Widzisz? Wyryty łeb lwa.

Maximilien podszedł, przyjrzał się.

– Wygląda raczej jak świnia z przerośniętym karkiem – zauważył zgryźliwie.

– Mówiłem ci już kiedyś, że jesteś dokuczliwy niby moskit wiosną? – spytał Rusłan.

– Tego jeszcze nie słyszałem. Ale zapamiętam sobie, bo to celne określenie. Jednakowoż lepiej być moskitem niźli osłem, z którego ów owad krew wypija.

Rusłan oderwał wzrok od wzoru na skale i spojrzał groźnie na małego Francuza.

– Co chciałeś przez to powiedzieć, karzełku?

– Nic więcej, niż powiedziałem – zaśmiał się krótko Maximilien. – Moskit jest mały, ja jestem mały, a osioł to spore zwierzę. Coś trzeba jeszcze dopowiadać?

– Obawiam się, że nie umrzesz śmiercią naturalną – rzekł z powagą Rusłan. – Nadejdzie taka chwila, że powiesz o jedno słowo za dużo i ktoś straci do ciebie cierpliwość. Chyba już wolałem, kiedy siedziałeś cicho i udawałeś głupszego, niż jesteś.

Jerzy zaczął się niecierpliwić.

– Będziecie się teraz przekomarzać czy zaczniemy szukać?

Maximilien, który zbierał się już do ciętej odpowiedzi, zamknął usta. To prawda, im prędzej zrobią, co mają zrobić, tym lepiej. Niepokoiło go, że człowiek, który wyokrętował się w zatoce, zniknął gdzieś. Już by wolał, żeby ich śledził. Jakoś nie mógł się pozbyć przekonania, że nie znalazł się z nimi na szkunerze zwykłym zbiegiem okoliczności.

Również Rusłan, najwyraźniej chcący dorzucić jeszcze jakąś złośliwość, umilkł pod karcącym spojrzeniem kapitana.

– Dobrze, w takim razie, skoro już skończyliście, znajdźmy to wreszcie. Nie ukrywam, że jestem ciekaw, jakąż to tajemnicę skrywa ta szkatułka. Jeżeli oczywiście w ogóle istnieje.

Rusłan przymknął oczy, po raz tysięczny przypominając sobie instrukcje. Wypowiedział je na głos po raz pierwszy, od kiedy podzielił się tajemnicą z Wołłkowiczem.

– Uczyń cztery długie kroki na wprost znaku. Czekaj. – Powstrzymał Maximiliena, widząc, że ten zabiera się do odmierzania. – Kroki, nie kroczki, mały przyjacielu. Musiałbyś chyba skakać jak pchła, żeby im dorównać. Dobrze już, nie ciskaj się, to niezupełnie złośliwość! Odmierzał je gruziński zuch, więc muszą być naprawdę długie. A zatem cztery długie kroki na wprost znaku.

Przeszedł żądany dystans, zdrowo wyciągając nogi. Stał teraz mniej więcej w jednej czwartej pomieszczenia

– Potem obróć się w lewo. – Wykonał obrót. – Dwa kroki.

Zatrzymał się, spojrzał na kamienną podłogę.

– Gdzieś tutaj powinno być pęknięcie, przypominające łacińską literę Y, każde ramię długości mniej więcej łokcia... – Pochylił się, szukając pod nogami. – Jest! – oznajmił z ulgą.

– Takich pęknięć może tu być mnóstwo – zauważył trzeźwo Maximilien.

– Zapewne – zgodził się Jerzy, wyręczając Czerkiesa. – Lecz właśnie o to chodzi. Mam nadzieję – dodał po chwili.

Rusłan nie słuchał ich, skupiony na wykonywaniu instrukcji.

– Teraz wzdłuż prawego ramienia, zgodnie z jego kierunkiem, od środka figury dwa kroki. – Odmierzył je. – Zwrot w lewo i prosto aż do ściany.

Po chwili dotarł we wskazane miejsce. Jerzy pomyślał przelotnie, że gdyby śladem jego przyjaciela płynął węgorz, mógłby sobie grzbiet zwichnąć. A wystarczyło, z tego co widać, kazać przejść bodaj osiem kroków na wprost, uczynić ćwierć obrotu i podejść do ściany. Ale to by było zapewne zbyt proste.

Obaj z Maximilienem podeszli do miejsca, w którym stał Rusłan.

– A teraz musimy szukać półtora sążnia nad ziemią – oświadczył Czerkies.

Francuz aż sapnął ze złości.

– Co za pomysł! Jakiego sążnia? Francuskiego? Rosyjskiego? Angielskiego?

– Jest jeszcze staropolski i nowopolski – dodał Jerzy. – Pamiętam też coś z lekcji greki o ich sążniach...

– Jakikolwiek ma być – przerwał im Rusłan – tak czy inaczej jeden z nas musi któremuś stanąć na ramionach, żeby obszukać skałę. Powinien tam być otwór średnicy palca, a w nim zapadka, mechanizm ponoć pochodzi jeszcze z czasów mongolskich...

– Przyjrzyj się tym ścianom – syknął Maximilien. – Znajdziesz w nich milion takich otworów!

– Nie puszczykuj, tylko właź mi na barki i szukaj! Tak trudno wepchnąć paluch nawet w setkę dziur? Gdyby to

258

były dziewki, nawet byś słowem się nie zająknął. I inny zgoła paluch skwapliwie wystawiłbyś ku próbowaniu.

– Ale to nie są dziewki, jeśliś jeszcze nie zauważył – odparował Francuz. – Zbyt wiele naczytałem się o sposobach ukrywania skarbów, by tak bezmyślnie tkać palce byle gdzie. A jeśli w tym otworze jest ostrze nasączone trucizną? Bywają tak zabezpieczone skrytki.

– Ma słuszność. – Jerzy nie dopuścił do głosu Rusłana. – Nie wiemy, czy nie przygotowano dla intruzów jakichś niespodzianek.

– Wiedziałbym – mruknął wachmistrz.

– Strzeżonego Pan Bóg strzeże. A poza tym, dlaczego Maximilien ma się wspinać na twoje plecy, a nie na moje? Albo ty wejdź na mnie. Albo niech on wejdzie.

– Tak się nie godzi – zaprotestował Rusłan. – Nie będę się wspinał na własnego dowódcę, jeśli jest inna możliwość. A poza tym tam się trzeba zaprzeć jedną ręką, a ja nie mam jak, chyba łokciem. Nie będzie też ta pchła skakała po kapitanie kawalerii. Możemy zrobić tak, że pan… wybacz – poprawił się zaraz na gniewne burknięcie Wołłkowicza – że ty staniesz na moich ramionach.

Jerzy z pewnym wzruszeniem po raz kolejny skonstatował, jak bardzo stary druh jest do niego przywiązany.

– A może zagramy o to w skata? – zaproponował zgryźliwie Maximilien. – Kto na kogo, dlaczego…

– Sam nie chcesz.

– Nie powiedziałem, że nie chcę, ale nie mam zamiaru pchać palców nie wiadomo gdzie.

– Włożysz rękawicę.

– Po pierwsze, palec wtedy może być zbyt gruby, a po drugie, co jeśli ostrze okaże się na tyle długie, by przebić się przez wyprawioną skórę?

– To wpychaj lufę swojego rewolwerka – rzucił Rusłan.

Jerzy pokiwał głową.

– Możeś i zakpił, ale to jest jakiś pomysł.

Maximilien skrzywił się na myśl o takim wykorzystaniu jego ukochanej broni, ale w końcu się zgodził. Cóż mogli lepszego wymyślić na poczekaniu?

Rusłan przykucnął, Francuz wspiął mu się na ramiona, a Czerkies powstał bez najmniejszego wysiłku.

– To jaki sążeń mam brać za miarę? – spytał Maksymilian. – Wolałbym jednakowoż wiedzieć.

– Nie urządzaj sobie facecji, tylko macaj pas ściany o przyzwoitej szerokości – rzekł dość ostro Jerzy. – Te sążnie aż tak się nie różnią. Gdyby chodziło o dziesięć, mielibyśmy problem. Ale gdy idzie o jeden lub półtora, bez trudu sobie poradzimy. Zresztą bierz na kieł sążeń rosyjski. Czyli trzy arszyny.

– Aha. Bardzo wiele mi to mówi. To, że znam rosyjski, nie oznacza, że wiem wszystko!

– Jezu Chryste – jęknął Rusłan. – Kieruj się więc francuskim! Niewiele od rosyjskiego się różni. Tylko zacznij szukać, człowieku!

Maximilien zamilkł, słychać było tylko stukanie lufy, zagłębiającej się w otwory w ścianie. Jerzy z podziwem pokiwał głową. Dawni budowniczowie wykazali się sprytem. Wykorzystali naturalne właściwości tego miejsca, żeby ukryć mechanizm. Może dałoby się znaleźć zarys skrytki, ale trzeba by bardzo mocno oświetlić pomieszczenie, a poza tym przodkowie potrafili dokonywać prawdziwych cudów, jeśli im zależało. Na przygotowanie takiej kryjówki mieli przecież mnóstwo czasu.

– Jest! – rozległ się w pewnej chwili podniecony głos Francuza. – To chyba to. Coś się poddało, ale nie idzie do końca. Muszę się mocno zaprzeć. Dasz radę, Rusłan?

– Dam!

– Zaraz. – Jerzy wsparł się rękami o plecy Czerkiesa, podtrzymując go. – Teraz.

Francuz sapnął z wysiłku, zaklął, lufa zazgrzytała głośno, a potem rozległo się jakby pyknięcie i cichy zgrzyt.

– Poszło – oznajmił Maximilien. – Ale nie widzę, żeby coś się otworzyło. Podajcie mi światło, ale porządne.

Jerzy odpalił nową pochodnię od dogasającej, poczekał, aż się rozjarzy, a potem wspiął się na palce i wetknął drewno w rękę Francuza.

– Tutaj nic nie ma. Ale przecież czułem, jak zapadka włącza mechanizm, było też coś słychać.

– Było – potwierdził Jerzy – ale może… – Już miał powiedzieć „zdawało nam się", kiedy przyszła mu do głowy pewna myśl. – Zaraz, a kto powiedział, że skrytka musi być umieszczona obok zapadki? Złaź, Maximilien, trzeba dokładnie obszukać całą jaskinię. To może być wszędzie.

Zaczęli powoli okrążać pomieszczenie. Pochodnie wydobywały z mroku kolejne fragmenty ściany.

– Żeby chociaż było dokładnie słychać, skąd doszedł ten zgrzyt – mruknął Jerzy. – Ale tutaj pogłos płata figle. Możemy tak szukać jeszcze długo. Nie wiadomo, jak to jest wysoko…

– Chwileczkę. – Maximilien się zatrzymał. – A tamten niby lew? Ryt wygląda na stary…

Rzucili się w tamtą stronę. Ale przeczucie omyliło Francuza.

– Dobrze, wracajmy szukać dalej – powiedział nieco zniechęconym tonem Rusłan. – Tam, skąd… – Nagle krzyknął i wypuścił pochodnię. Rozległ się odgłos padającego ciała. – Niech to wszyscy diabli! – zaklął Czerkies. – Skąd tu nagle ta dziura?! To jest… Och ty, w cara Mikołaja!

Zamilkł, a towarzysze podskoczyli do niego.

W miejscu, gdzie przedtem znajdowało się pęknięcie w kształcie litery Y, ział ciemny otwór. W nim utkwiła noga wachmistrza.

– A więc to tak – mruknął Maximilien. – Logiczne. Jakże sprytnie schowane przed oczami niepowołanych. I jaki doskonały mechanizm.

– Dobra, stary – powiedział Jerzy. – Wyjmuj giczoł z pułapki. Nic sobie nie zrobiłeś?

– Skręciłem trochę kostkę, ale będę żył. Głęboko nie wpadłem, bo nasza szkatułka tu jest. Najważniejsze, że…

Przerwało mu skrzypienie otwieranych drzwi. Już miał ofuknąć mnicha, że miał im nie przeszkadzać, ale ubiegł go aksamitny, choć ociekający jadem głos:

– Najważniejsze, żeście wreszcie znaleźli to, czego wszyscy szukamy w pocie czoła.

Do podziemnej sali weszło sześciu ludzi. Każdy trzymał w jednej dłoni pochodnię, a w drugiej pistolet.

Nastia nie mogła zasnąć. Położyła się dość wcześnie, bo czuła się zmęczona, ale Morfeusz jakoś nie chciał wziąć jej w objęcia i utulić, zesłać błogosławionej nieświadomości. Tego wieczoru odbyła zasadniczą i niezbyt przyjemną rozmowę z Nataszą Michajłowną. Kobieta wciąż i wciąż nawracała do tematu dziewczyny i Andrieja, jakby sobie założyła, że tych dwoje z całą pewnością musi się pobrać. Nastia zdawała sobie sprawę, że młodzieniec nie miałby nic przeciwko temu, ale gdyby nawet ona sama była skłonna za niego wyjść, powinna poczekać na powrót ojca. Przecież nie musieli się śpieszyć.

– To wspaniały młody człowiek – mówiła Natasza Michajłowna, krojąc warzywa. Nastia siedziała przy stole nad szklanką mocnej, aromatycznej herbaty. – Każda panna powinna być dumna, kiedy ktoś taki zwróci na nią uwagę. A ciebie nie tylko pokochał, ale i uratował z opresji.

Nastia pokręciła głową.

– I jestem mu za to dozgonnie wdzięczna. Lecz nie mogę tak lekko decydować o własnym losie, tym bardziej nie wiedząc, gdzie przebywa mój rodzic i kiedy wróci. Jeśli mam wyjść za mąż, to tylko z jego błogosławieństwem.

Z zaskoczeniem stwierdziła, że nie odżegnuje się zupełnie od myśli o ślubie z Andriejem, ale najważniejsze jest dla niej to, by ojciec zaakceptował jej decyzję. A przecież wciąż kochała Jerzego... Czy to skutek ciągłego gadania starszych kobiet? Wciąż powtarzały, że panience w jej wieku pora już wstąpić w związek małżeński. Jak powiadają, kropla drąży skałę, a słowo umysł.

– Bardzo to chwalebne, że liczysz się ze zdaniem ojczulka – powiedziała gospodyni. – Jednakowoż zanim dojdzie do zawarcia małżeństwa, trzeba jeszcze ogłosić zaręczyny, odczekać odpowiedni czas. Zdążyłby pan gubernator powrócić, nim przyjdzie co do czego.

– Nataszo Michajłowna. – Nastia objęła obiema dłońmi gorącą szklankę. Było ciepło, na dworze nawet upalnie, ale z jakiegoś powodu nagle zmarzły jej palce. – Dlaczego pani tak naciska? Jeśliby komuś na tym miało tak bardzo zależeć, to chyba przede wszystkim Andriuszy. A przecież nie oświadczył się o moją rękę.

– Zbyt nieśmiały widać jest – odparła kobieta. – Ale trudno nie zauważyć, jak na ciebie patrzy, jak wodzi za tobą wzrokiem. Irina jest zbyt dumna, aby wywierać na ciebie presję, ale ja uważam, że młodych trzeba czasem popchnąć ku sobie, bo nader często zachowują się tak, jakby każde wypowiedziane słowo miało wagę większą niźli cała nasza ziemia. Powiedz, nie podoba ci się nasz Andriusza?

Nastia wzruszyła lekko ramionami.

– Jakże może się nie podobać? To piękny mężczyzna.

– Czemu więc nie chcesz się do niego zbliżyć?

Dziewczyna milczała długą chwilę, zanim zdecydowała się odpowiedzieć.

– Bo moje serce należy do innego. – Po chwili zastanowienia dodała: – W każdym razie wciąż jeszcze tak mi się wydaje.

– Widzisz, drogie dziecko, jeśli twierdzisz, że tylko ci się wydaje, to czy w duszy jeszcze mieszka ta dawna miłość? Jeśli w ogóle była miłością prawdziwą, a nie zauroczeniem tylko.

Nastia słuchała tego z przykrością. Co ta dobra niewiasta mogła wiedzieć o tajemnicach młodego serca? O tym, jak mocno biło dla polskiego zesłańca? Dla tego człowieka, który wydawał się teraz bardziej nieosiągalny, niż gdyby umarł?

– Nic nie powiesz? – spytała gospodyni, kiedy milczenie się przeciągało.

– A co mogę powiedzieć? Mam takie uczucie, jakbym zupełnie nie zależała od siebie. Los ciska mnie to tu, to tam… Gdyby nie szczęśliwy przypadek, mogłam skończyć w jakimś zakazanym przybytku. Gdybym nie miała odrobiny szczęścia, wcześniej mógłby mnie pohańbić ten stary cap. Tylko dzięki dzielności Andrieja i jego matki nie zostałam przemocą zatrzymana w domu ciotki, wydana na jej łaskę. Zresztą to ojciec, decydując się wysłać mnie do krewniaczki, zapoczątkował to miotanie mną.

– Zrobił to, co uważał za słuszne. Nie możesz go winić za grzechy ciotki.

– Wiem. – Nastia zmęczonym gestem potarła skronie. – Nie mam do niego żalu, bo niby jak? Nie mógł odmówić wyjazdu, nie mógł mnie też zostawić pod kuratelą nie wiadomo kogo. Chociaż nie wiem, czy nie byłabym tam jednak bezpieczniejsza niż u jego własnej siostry.

– Nie mógł wiedzieć, że pani Milunin okaże się tym, kim się okazała.

– Nie mógł – zgodziła się dziewczyna. – Nie widział jej kilka lat, a chociaż zawsze miał o niej nie najlepsze zdanie, ufał w więzy krwi. Zastanawiam się, czy była aż tak zła już dawniej, czy zmieniła się z jakiegoś powodu.

Natasza Michajłowna odłożyła nóż i popatrzyła na dziewczynę.

– Nie mnie sądzić twoją krewną, dziecko. Nie wiem, czy życie ją skrzywdziło, czy sama sobie wyrządziła jakieś zło. Wiem jednak, że gdy przybyła do Riazania, przywlokła się za nią niby tren żałobny niezbyt przychylna opinia. Powiadało się o licznych skandalach z jej udziałem w kręgach stołecznej arystokracji, o kochankach i nagłej niełasce jego wysokości. Jak było naprawdę, nikt nie potrafił powiedzieć. Wprawdzie od razu dała się poznać jako miłośniczka wystawnego życia, ale jej prowadzeniu się nie można było nic zarzucić. W dodatku zajęła się dobroczynnością. Irina usłyszała o niej, dopiero kiedy wyszły na jaw praktyki z podsuwaniem młodych dziewcząt zaprzyjaźnionym wpływowym panom. Ale ja poznałam Nadieżdę Josifowną wcześniej i miałam o niej dobre zdanie. W każdym z nas mieszka i dobro, i zło, miesza się w rozmaitych proporcjach, nie można nikogo osądzać po pozorach i odrzucać tylko dlatego, że ktoś o nim coś złego powie. Lecz później pani Milunin wdała się w bardzo złe układy. Narobiła długów, wystawne życie w Riazaniu może nie jest aż tak kosztowne jak w stolicy, ale też i tutaj nikt nic darmo nie daje. Widać musiała się wykupywać dłużnikom w ten obrzydliwy sposób, podsuwając możnym panom dziewicze młódki. Musiała albo chciała. Teraz to nie ma znaczenia.

Choć temat sprawiał jej ból, Nastia zauważyła:

– Może incydent z generałem zakończy ten proceder.

– Wątpię. – Natasza Michajłowna wróciła do krojenia warzyw. – Jak w przysłowiu, kruk krukowi oka nie wykole. Nie wierzę, żeby Jagudin i jego całe towarzystwo zrezygnowało z usług pani Miluniny. Chyba że na jakiś czas, bo z pewnością, choćby nie wiadomo jak tuszowali sprawę, musiał zrobić się huczek. Ale nic więcej się nie zmieni.

W łóżku Nastia zastanawiała się, jak to możliwe, żeby rodzeństwo, choćby tylko przyrodnie, było aż tak różne. Ojciec prędzej by skoczył ze skały, niż sprzeniewierzył się zasadom. Bywał surowy, lecz zawsze sprawiedliwy. To musieli mu przyznać choćby i najwięksi wrogowie. Nawet Jerzy, choć nienawidził rosyjskich urzędników bardziej niż którykolwiek z zesłańców, nie powiedział nigdy złego słowa o gubernatorze. Wcale nie dlatego, że pokochał jego córkę. Także przedtem, zanim spojrzeli sobie głęboko w oczy i zaiskrzyło uczucie, odnosił się do Jaszyna z niechętnym szacunkiem.

Boże… Co robić? Wołłkowicza zapewne nie zobaczy już nigdy, a życie trzeba sobie jakoś ułożyć. Dlaczego nie przy boku Andrieja? Ojciec mówił, że kiedy pobierał się z mateczką, ani on, ani ona nie mogli uczciwie powiedzieć, że pałają do siebie uczuciem. Przyszło później i było na tyle mocne, by zdrowy, przystojny mężczyzna żył samotnie jeszcze wiele lat po śmierci małżonki.

Gdyby gubernator wrócił, zdałaby się na jego decyzję. Przez te miesiące zmądrzała, a może nie tyle zmądrzała, co spokorniała. Zaczęło do niej docierać, że młodzieńcze zauroczenia, marzenia o wielkiej miłości są coś warte tylko wtedy, kiedy można liczyć na ich spełnienie. A ona pragnęła już tylko spokoju, bezpieczeństwa. Koszmarny wieczór u generała śnił jej się co kilka nocy, budziła się zlana potem, czując wielką ulgę, że to nie dzieje się na jawie. A Andriej był naprawdę wspaniałym mężczyzną i słusznie powiedziała

Natasza Michajłowna, że każda panienka powinna pękać z dumy, jeśli ktoś taki chciałby ją pojąć za żonę. Oczywiście panienka, której zależy przede wszystkim na dobrym, pracowitym mężu, a nie tylko majątku, bo do tego ostatniego Andriej mógł z pewnością dojść z latami, jednak teraz był może nie ubogi, ale z pewnością daleko mu było do miana krezusa.

Co robić? Tatku, wrócisz?

Poczuła się, jakby z powrotem była małą dziewczynką, która czekała, aż ojczulek przyjdzie do pokoju powiedzieć jej dobranoc, ale nie przychodził, gdyż pochłaniały go pilne sprawy. Nieraz zasypiała, pogniewana na cały świat, obiecywała sobie, że nazajutrz da odczuć ojcu swoje rozdrażnienie, ale rano witała go z radością.

To wspomnienie sprawiło, że uśmiechnęła się i poczuła, jak ciepłą falą nadciąga wreszcie senne marzenie.

Major Rokicki z ciekawością oglądał rewolwer Maximiliena. W podziemnej sali było jasno, może nie jak w dzień, ale na pewno niczym w zamożnym domu podczas uroczystej biesiady. Intruzi kazali nanieść ognia, kaganki zostały rozmieszczone gęsto, w kunach tkwiły pochodnie. Zrobiło się nawet na tyle duszo, że Strogan kazał otworzyć drzwi, aby był jakiś przewiew.

Szmit w obu rękach dzierżył pistolety, z wyraźną przyjemnością trzymając jeńców na muszce.

Dwóch osiłków również celowało w trójkę przyjaciół, ale wydawali się tym raczej znudzeni niż podekscytowani.

Jaszyn przyglądał się wszystkim po kolei, najdłużej zatrzymując wzrok na Wołłkowiczu. Powinien czuć niechęć do tego człowieka, przez którego spotkało go tyle przykrości i kłopotów, lecz jakoś nie mógł. Z chęcią natomiast udusiłby Strogana, który właśnie wyjmował ze skrytki szkatułkę, zamkniętą na solidną kłódkę. Wydawała się absurdalnie duża w porównaniu z rozmiarami zdobionej skrzyneczki.

Stroganowi przyglądali się wszyscy trzej uczestnicy francuskiej wyprawy. Maximilien trącił Wołłkowicza w bok.

– To on – powiedział cicho. – Ten tajemniczy gość ze statku. Widać naprawdę miał nas śledzić.

– I śledzić, i dopilnować, żebyście dotarli na miejsce. – Pułkownik miał doskonały słuch. A potem przeszedł na płynny francuski, bez najmniejszego śladu obcego akcentu. – I, jak widać, dopilnowałem was należycie, mój panie. Jesteście tu i zrobiliście to, co chciałem, abyście zrobili.

– No to się za bardzo nie wysiliłeś. – Jerzy zaśmiał się z przymusem. – Po drodze o mały włos byliby nas utłukli partyzanci.

– Mówisz o uroczej bandzie Temuriego? – Strogan wyprostował się, spojrzał z góry na szkatułkę, jakby się zastanawiał, czy jej nie kopnąć w kąt. – Wystaw sobie, panie Polak, że posiadam pełną wiedzę na temat waszego tam pobytu. Mieli was opóźnić przynajmniej o dzień. I opóźnili, prawda?

– Co za kraj – powiedział Maximilien dziwnym głosem, w którym oburzenie mieszało się z zachwytem. – Macie na usługach nawet rebeliantów?

– Wystarczy jeden taki w oddziale, byle znajdował się odpowiednio wysoko w hierarchii, aby mieć wpływ na decyzje i pozyskiwać wiarygodne informacje.

– Rozumiem – powiedział powoli Jerzy. – Tym kimś nie jest Temuri.

– Oczywiście, że nie. Temuri to tylko osiołek, przed którym ktoś niesie na kiju marchew.

Wołłkowicz pokiwał głową.

– A zatem to ten jego zastępca, Krótki?

– Jaka to różnica kto? – odparł Strogan. – Nieważne. Najważniejsze, że dotarliście tutaj i zdołaliście odnaleźć dla nas to coś. – Trącił butem szkatułkę.

– Zaraz, zaraz – wymamrotał Rusłan. – Furtian znał hasło i odzew. Tak samo brat bibliotekarz. Zdrada w zakonie?

– Jeśli już musisz wiedzieć – Rokicki schował rewolwer Maximiliena do torby przewieszonej przez ramię – to przy furcie stał on. – Wskazał jednego z osiłków. – A bibliotekarza chyba poznasz, bo także jest tutaj.

Rusłan pokiwał głową. Dopiero teraz zdał sobie sprawę, że ten kapitan z pistoletami był przedtem ich przewodnikiem. Jednak wyglądał wówczas zupełnie inaczej, przybrany w duchowną sukienkę i z narzuconym na głowę kapturem. Twarz wydawała się zupełnie inna. No i mundur sprawił, że jego postawa się zmieniła.

– Jak zmusiliście ich do mówienia?

– To nie było trudne – zaczął Strogan, ale przerwał mu głuchy głos Jaszyna.

– Nie chcecie tego wiedzieć. Zapewniam, że nie chcecie.

– Proszę się nie wtrącać, gubernatorze – upomniał go pułkownik. – Mamy was, mamy tę skrzynkę, nie ma nad czym deliberować. Klucza, jak przypuszczam, żaden z was nie ma?

Nie czekając na odpowiedź, podszedł do jednego z osiłków.

– Daj szablę.

– Szkoda ostrza – zaprotestował żołnierz. – Z pistoletu odstrzelę…

Zamilkł, kiedy klasnął siarczysty policzek.

– Ty baranie! Wyobrażasz sobie, co się stanie, jak kula zacznie się tutaj odbijać od podłogi i ścian?! Może od razu łeb ci odstrzelę?! Dawaj natychmiast szablę!

Potem podszedł do szkatułki i uważnie obejrzał mocowanie skobla.

– Tę kłódę trzeba by rozwalić z armaty. Po co ktoś to w ogóle tak zabezpieczał?

– Może przeciwko różnym szczurom – rzucił zgryźliwie Rusłan. – Albo robakom.

Strogan spojrzał na niego, a oczy zalśniły mu groźnie, nie odpowiedział jednak. Zamiast tego nagle, bez zamachu, z nadgarstka, rąbnął szablą w skobel. Zabrzęczał metal, a zamknięta wciąż kłódka upadła na kamienną podłogę.

– Mógłbym to oczywiście otworzyć którymś z licznych wytrychów – rzekł pułkownik – ale wolę tak. Szybko, bez zbędnej dłubaniny. I proszę, gotowe! Co my tu mamy?

Sięgnąwszy do szkatułki, wyjął kartki, związane ciemną, aksamitną wstążką.

– Wygląda mi to na listy. Ciekawe. Listy, które mają wstrząsnąć imperium? To całkiem możliwe. Zajrzymy? – Spojrzał po wszystkich obecnych niczym aktor, który robi dramatyczną pauzę, aby tym mocniej wybrzmiała kolejna kwestia.

– Kabotyn – mruknął Jaszyn pod nosem, ale tak, żeby go usłyszeli.

– Może i kabotyn – odparł pogodnie Strogan – ale pan zdaje się nie doceniać efektu odpowiedniego poprowadzenia tragedii. Nie wolno się śpieszyć. Nie wolno też zanadto przeciągać. Wszystko powinno mieć swoją miarę.

– Okrucieństwo też?

– Gubernatorze, nie czas teraz na takie rozważania. W tej chwili zamierzam się zapoznać z treścią tej korespondencji. Proszę nie przeszkadzać.

Jaszyn wzruszył ramionami, przysiadł w pobliżu jeńców na występie skalnym, a może celowo wykutej małej ławeczce. A pułkownik nieśpiesznie rozwiązał pakiet, zaczął rozkładać i przeglądać papiery.

– Ciekawe – mruknął, czytając kolejny list. – Arcyciekawe...

– Podzieli się pan z nami odkryciem czy zostawi je tylko dla siebie? – spytał major Rokicki. – Proszę pamiętać o umowie między naszymi zwierzchnikami.

– Pamiętam, pamiętam – rzucił niecierpliwie Strogan. – Ale poczytamy to sobie jeszcze później, wspólnie. A zresztą... Co mi szkodzi przedstawić wam kilka smacznych fragmentów? To, wyobraźcie sobie, korespondencja cesarzowej Marii Fiodorowny z kochankiem.

– Kochankiem?! Carycy matki?!

Zdumiony był nie tylko Rokicki. Wszyscy wytrzeszczyli oczy na Strogana. Powszechnie wiadomo było, że Maria Fiodorowna, żona cara Pawła, ojca obecnego władcy, słynęła z absolutnej wierności. Nikt z jej współczesnych tego nie pojmował, bo była piękną kobietą, a jej królewski małżonek aparycją, jak powiadano, przypominał złośliwego pawiana, usposobieniem zresztą również. Mogła mieć każdego szlachcica z otoczenia monarchy, wielu z chęcią weszłoby do jej łoża chociaż na jedną noc. Lecz ona opierała się wszelkim pokusom. Naprawdę pokochała męża, a on także okazywał jej wielkie przywiązanie, choć sam nie stronił od romansów.

Strogan przeglądał listy, mrucząc coś pod nosem. Dopiero po długiej chwili podniósł wzrok znad kartek, spojrzał na Wołłkowicza.

– No cóż, panie Polak. To faktycznie jest coś, co mogłoby zachwiać w posadach niejednym mocarstwem. Z tych listów bowiem jasno wynika, że nasz ukochany ojczulek i dobrodziej Wszechrusi, car Mikołaj może pochodzić z nieprawego łoża. Posłuchajcie tego:

Miły mój, owoc naszej skrytej, choć tak pięknej miłości dojrzewa we mnie i sprawia, iż kocham Cię jeszcze mocniej, choć ledwie miesiąc temu zdawało się to niemożliwe. Czasami zda mi się, jakby owo uczucie miało się ze mnie wyrwać i zalać cały świat, krzycząc tak głośno, by usłyszała je nie tylko Ziemia, ale i sam Bóg.

– To jeszcze nie świadczy o nieprawym pochodzeniu jego wysokości – zauważył Jaszyn trzeźwo. – Nawet gdyby Maria Fiodorowna miała kochanka…

– Świadczy, świadczy – przerwał mu Strogan. – Na piśmie mamy datę, siódmy stycznia tysiąc siedemset dziewięćdziesiąt sześć. A jak wiemy, przyszły cesarz urodził się w lipcu tego roku. Zresztą, jest tutaj także odpowiedź księcia Stołpynina:

Najdroższa memu sercu Mario. Nie wiesz nawet, jak jestem szczęśliwy, wiedząc, iż nasza miłość znalazła tak cudowne spełnienie. I choć wiem, iż nie dane mi będzie wziąć owego spełnienia na ręce, oficjalnie uznać w nim siebie samego, choć będzie się chował jako kolejna gałąź rodu Twego cesarskiego małżonka, świadomość tego, iż jest w istocie rzeczy nasz i tylko nasz, sprawia, że mam chęć unieść się w powietrze i zaśpiewać ptakom pieśń o miłości.

– Żeby nie było wątpliwości – dodał pułkownik – list datowano na osiemnastego stycznia. A przy tym, jak widać, kochankowie byli od początku do końca świadomi, czyim naprawdę synem jest przyszły car. Nie uważają panowie, że to naprawdę niezwykle interesujące znalezisko?

– Interesujące?! – Jaszyn zerwał się z kamienia, wytrzeszczył oczy na pułkownika. – Co pan wygaduje? Przecież to by była katastrofa, gdyby takie dokumenty wypłynęły.

Nie rozumiem, jak pan może przy tylu osobach czytać te listy? Należałoby schować je głęboko, a najlepiej zniszczyć!

– Wierny poddany jego cesarskiej mości. – Strogan teatralnym gestem wskazał gubernatora. – Tak wygląda człowiek na wskroś uczciwy, moi panowie. Chyba nawet nasz drogi były kapitan lansjerów nie ma w sobie tyle szlachetności, prawda? Nie mówię o wierności dla domu panującego, bo trudno od Polaka wymagać miłości do dynastii Romanowów, ale czy byłby w stanie postępować tak jak nasz gubernator? Zresztą człowiek, który nie zaprzecza bzdurnej legendzie, jakoby oszczędziły go wilki, nie może być bez skazy. Pan Jerzy nie potrafi sobie racjonalnie wytłumaczyć tego zdarzenia, wie, iż coś jest nie tak, ale nie zaprzecza...

Mówił z taką pewnością siebie, że Wołłkowicz nagle zdał sobie sprawę, iż ten człowiek zna go doskonale. Lepiej niż powinien.

– To ty. – Nagle zrozumiał. – Wszystko to twoja sprawka, moskiewski sługusie! To za twoją sprawą podano mi na zsyłce truciznę, która nie miała zabić, lecz przestraszyć. To ty śledziłeś mnie przez cały czas. Ty nasłałeś na mnie zbirów w Paryżu i pilnowałeś, by wróżka nie dała mi spokoju. Przypuszczam, że to twoi ludzie przegnali wówczas wilki znad mojego na wpół martwego ciała i sprowadzili chłopów, którzy mnie uratowali.

– Tak, to ja – odparł z zadowoleniem Strogan. – Na mojej szachownicy byłeś figurą, ale z chwilą wydobycia tego skarbu straciłeś znaczenie i stałeś się zwyczajnym pionem. Co się zaś robi z pionami, nie muszę chyba długo tłumaczyć.

– Właśnie, panie gubernatorze – Jerzy zwrócił się do Jaszyna. – Dlatego nasz główny aktor tak śmiało sobie poczyna. My trzej jesteśmy skazani na zagładę. Tych dwóch osiłków z pewnością też. – Z zadowoleniem ujrzał, jak byczki spoglądają na siebie niepewnie. – Zostaniecie z tajemnicą we czterech. Jeżeli kapitan też nie jest przeznaczony do odstrzału. A co z listami? Zastanawiał się pan?

– Brawo – powiedział Strogan. – Cóż za przenikliwość. Co prawda jednego nie bierzesz pod uwagę, Wołłkowicz. Te listy – pułkownik wrzucił kartki do szkatuły – są, jak powiedziałem, niezwykle interesujące, ale…

– Przecież to coś, co może pozbawić głowy dom panujący! – wtrącił się Rokicki. – Chyba nazbyt lekko pan do tego podchodzi.

– Jeśli dacie mi skończyć, wyjaśnię wszystko – oznajmił spokojnie Strogan. – To, co wam się wydaje trzęsieniem ziemi, tak naprawdę jest zaledwie drobnym tąpnięciem. Bo wyobraźcie teraz sobie, że nasi przyjaciele z Francji wchodzą w posiadanie tych listów. Załóżmy, że ktoś jest tak głupi, aby ogłosić ich treść.

– Głupi? – spytał z niedowierzaniem Szmit. – Przecież to by było dla nich jak uśmiech fortuny.

– Pozornie – powiedział Jerzy. Zorientował się już, do czego zmierza pułkownik. – Gdyby listy ujrzały światło dzienne, rosyjska dyplomacja natychmiast ogłosiłaby, że są fałszywe, i oskarżyła o spisek zarówno polskich emigrantów, jak i rząd Francji. Zapewne zrobiłby się huczek, ludzie uwielbiają skandale, lecz trzeba by udowodnić, że dokumenty są prawdziwe, a to trwałoby lata, jeżeli w ogóle by się udało.

– Brawo! – zawołał Strogan. – Znakomicie, panie Polak. Gdyby zdarzyło się coś podobnego, zaprzeczymy stanowczo. Francja nie może sobie pozwolić na konflikt zbrojny z Rosją, więc jej rząd najwyżej trochę pokrzyczy, a potem porzuci awanturników, pozostawi ich samych sobie. Lecz umiejętnie użyte te materiały mogłyby posłużyć dobrej sprawie…

Dobrej sprawie? Jaszyn spojrzał na pułkownika z niedowierzaniem. W jego ustach brzmiało to jak drwina. Po tym, co gubernator zobaczył do tej pory, Strogan był ostatnią osobą, której najgorszy złodziej zarzuciłby uczciwość.

– Widzicie sami, drodzy goście – Strogan skłonił się lekko Jerzemu, Rusłanowi i Maximilienowi – że uganialiście się za mirażem. Te listy, rzecz jasna, mogą zaszkodzić sprawom Rosji, ale zdajecie się o czymś zapominać albo nie wiedzieć. Otóż pochodzenie cara Pawła, ojca jaśnie nam panującego władcy, także było podawane w wątpliwość. I nie bez racji. Katarzyna Wielka nie zwykła bowiem oglądać się na konwenanse i zafundowała sobie potomka z jakimś zdrowym chłopem, jako że Piotr Fiodorowicz w łożnicy sprawował się, delikatnie rzecz ujmując, raczej słabo. Poza tym, gdyby przyjrzeć się dziejom którejkolwiek dynastii, okazałoby się, że prawowitych następców tronu w ogóle nie ma.

Rusłan z rozczarowaniem wpatrywał się w wypełnioną papierami szkatułę. Kiedy Strogan odczytywał głośno list, serce Czerkiesa zabiło mocniej, zdawało mu się, że zagarnięcie tych dokumentów przez carskiego sługusa jest niepowetowaną stratą. Teraz jednak, słysząc argumentację, ale przede wszystkim to, co powiedział Wołłkowicz, oklapł zupełnie. Tyle sił, tyle energii tylko po to, aby znaleźć coś, co na dobrą sprawę nie mogło się przydać.

– Dość tego dobrego. – Do rozmowy włączył się Rokicki. – Listy spalić, a tych tutaj albo do piachu, albo do tiurmy i przed sąd.

– Dlaczego chcesz palić te listy? – zainteresował się łagodnym tonem Strogan. Ten łagodny ton przywodził na myśl węża przyczajonego pośród listowia, gładkiego i pozornie niegroźnego.

– Generał Kriabin to przewidział – odparł z pewną

dumą major. – Rozkazał, aby, jeśli rzecz okaże się w jakiś sposób kompromitująca dla jego cesarskiej mości, wszelkie dokumenty zniszczyć, ślady zatrzeć.

Strogan pokiwał głową.

– Na szczęście generał Kriabin jest tylko generałem, a nad nim znajduje się minister spraw wewnętrznych, któremu podlegam osobiście, i to jego rozkazy są wiążące. A on nakazał wszystko dostarczyć sobie.

Rokicki nachmurzył się, jego czoło przecięła głęboka pionowa zmarszczka.

– To generał Kriabin czuwa nad tą operacją, pułkowniku. Otrzymał pełnomocnictwa od samego najjaśniejszego pana.

Strogan zaśmiał się zjadliwie.

– Nie opowiadaj bajek, majorze! Gdyby car wiedział o naszych poczynaniach, wszyscy wylądowalibyśmy na północnych rubieżach. Jedni jako więźniowie, drudzy jako ich strażnicy. Tam to zasadniczo na jedno wychodzi. Wiem, że Kriabin jest wierniejszy od psa, ale i wierność powinna mieć swoje granice. A mianowicie granice wyznaczane przez zdrowy rozsądek. Dlatego zabierzemy listy i przekażemy je zgodnie z wolą ministra do jego gabinetu. To znaczy ja je przekażę.

– Obawiam się, że widzę tutaj pewien problem – oświadczył spokojnie Rokicki. – Nie mam żadnych dowodów na to, że działasz z ramienia ministra spraw wewnętrznych, Strogan.

– Podobnie jak nie mamy twardych dowodów na to, że twoim mocodawcą jest ten bufon Kriabin. Ale obaj wiemy, jak jest. Nikt przy zdrowych zmysłach na taką wyprawę nie wozi zbędnych papierów.

– W takim razie wyjaśnij mi, po co ministrowi te listy!

– Nie twoja rzecz, Rokicki.

– Pewnie, że nie moja. Ale rad bym się dowiedzieć. Czyżby pan minister spraw wewnętrznych chciał prowadzić rozgrywkę z samym najjaśniejszym panem? To by mnie nie zdziwiło.

– Nie twoja rzecz, mówię! – Tym razem Strogan warknął jak wściekły lew. Rokicki powinien się zastanowić, czy ciągnąć dyskusję. – Zabieraj tych ludzi na zewnątrz, a ja biorę listy. Jeśli chcesz, przedstawisz sprawozdanie swojemu generałowi, nie ciekawi mnie, co mu powiesz.

Maximilien pojął teraz to, co dla innych stało się jasne już dobrą chwilę wcześniej. Z początku wyglądało na to, że są dwie grupy zainteresowanych zawartością szkatułki – Rosjanie i francuska wyprawa. Lecz teraz okazało się, że wśród Rosjan istnieją dwie najwyraźniej przeciwne sobie frakcje. W dodatku wyglądało na to, że listy stanowią o wiele bardziej łakomy kąsek dla poddanych cara niż dla jego wrogów. Miał słuszność ten pułkownik, że Polakom i innym przeciwnikom caratu wyjawienie prawdy o nieprawym pochodzeniu rosyjskiego monarchy mogłoby może i przynieść jakieś doraźne korzyści, ale nic więcej. W każdym razie na pewno nie teraz, kiedy wróg został ostrzeżony. A poza tym, o czym tu w ogóle mówić, skoro ci, którzy mogliby listy przekazać bieglejszym od siebie w prowadzeniu polityki, znajdowali się w saku, bez możliwości uwolnienia się. Dla wyższych urzędników rosyjskich zaś takie dokumenty byłyby niewątpliwie o wiele bardziej przydatne, chociażby dla wywierania nacisków na władcę. Bo przecież gdyby ujawnili je sami Rosjanie, dynastia Romanowów musiałaby się skończyć.

Rokicki przyglądał się Stroganowi przez dłuższą chwilę.

– Dobrze – sapnął. – Chcę ci coś pokazać.

Nieśpiesznie rozpiął torbę, włożył do niej rękę. I wtedy huknął strzał. Rokicki ze zdumieniem spojrzał na swoją prawą rękę, prawie odstrzeloną w łokciu, a potem osunął się na ziemię.

– Myślisz, że nie zauważyłem, jak chowasz tam tę zabawkę naszego francuskiego gościa? – spytał drwiąco pułkownik. W jego ręku dymił pistolet. Natychmiast wydobył zza pasa drugi.

Lecz nie zdążył już zrobić nic więcej. Potężna pięść wylądowała na jego szczęce, mocna dłoń wyłuskała samopał z garści. Huknęły kolejne wystrzały, kiedy dwóch osiłków i Szmit zorientowali się, że więźniowie skorzystali z chwili ich nieuwagi i zamieszania.

Komuś nieobytemu ze śmiercią mogłoby się wydawać, że gdy się człowiekowi przebije serce, pada bez ducha i nieruchomieje. Nic bardziej błędnego. To znaczy tak oczywiście też może się zdarzyć, jednak śmierć przecież nie następuje natychmiast. Szczególnie jeśli w sercu tkwi cienkie ostrze sztyletu. Wówczas najcenniejszy mięsień ludzkiego ciała zdaje się owijać wokół tego kawałka stali, otulać go, zupełnie jak to robi perłopław, gdy pod twardą muszlę dostanie się ziarenko piasku. Lecz w przypadku tego mięczaka rzecz kończy się powstaniem pięknej perły, po śmierci ciało zwierzęcia kryje kosztowną zawartość, a ostrze sztyletu pozostawia tylko śmierć. Pustą śmierć i puste ciało. Nie ma w tym nic romantycznego, choćby nie wiadomo jak wspaniale opisywali chwilę odejścia poeci.

Umieranie może być niekończącą się męczarnią. Dla kogoś z boku trwa sekundy, może minuty, ale ten, kto kona, przeżywa w istocie rzeczy drugie życie – życie w bólu. Piersi pragną tchu, lecz choć mogą wciągnąć powietrze, nie są w stanie ożywić konającego serca. Usta chciałyby wypowiedzieć ostatnie słowa, lecz brak sił, aby wydobyć głos, wargi stać najwyżej na wysilony szept. Serce pragnie bić, lecz stal sprawia, iż nieruchomieje, staje się kawałkiem martwej materii. W głowie rozlega się szum, mdląca gula podchodzi do gardła. I zanim umierający się spostrzeże, leży na ziemi, wstrząsany drgawkami, nogi kopią, jakby chciały pomóc sercu, na próżno jednak.

Gdy wreszcie następuje zgon, udręczone ciało odczuwa ulgę, otulone chłodnym aksamitem śmierci. Wraz z ostatnim oddechem odchodzą troski i zmartwienia, wszystko traci znaczenie. Wszystko, poza jednym, ostatnim pytaniem:

– Dlaczego?

– Zbyt dużo wiesz!

W oczach ofiary pojawia się błysk zrozumienia. I znowu szept:

– Krótki, ty zdrajco.

Szpakowaty mężczyzna wzrusza ramionami. Zdrada to nieodłączna towarzyszka wierności. Nie byłoby jednej bez drugiej, tak jak nie byłoby śmierci bez życia ani życia bez śmierci.

– Byłeś głupi, Temuri, i głupcem umrzesz. Twój honor to zbyt mało, abyś zasłużył na coś więcej niż skrytobójczy nóż. Za dużo usłyszałeś, nie daj Bóg jeszcze byś coś z tego zrozumiał albo spotkał kiedyś któregoś z tych ludzi, którzy na pewno już wiedzą, jaka była moja rola w tym wszystkim. Przejmę oddział. I uczynię to, czego oczekują ode mnie ci, którym służę.

– Zdechniesz jak pies…

– Może i zdechnę. – Krótki wyszarpnął sztylet z piersi Gruzina. – Może i mnie ktoś wsadzi żelazo między żebra. Tego nie wiem, nikt nie wie. Może nakażą mnie zgładzić ci, którzy uczynili mnie tym, kim się stałem.

– Ale dlaczego, powiedz! – Ostatni spazm szarpnął

umierającym, ciało przetoczyło się w stronę urwiska, ale znieruchomiało, nim osiągnęło krawędź półki skalnej.

– Dlaczego zdradziłem? – Twarz Krótkiego, stężała do tej pory w masce drwiny, złagodniała, pojawił się na niej smutek. – Tacy jak my, Temuri, straceńcy i desperaci, nie powinni mieć nikogo bliskiego.

W oczach Temuriego błysnęło zrozumienie, poruszył ustami, aby coś jeszcze powiedzieć, ale nie zdołał. A Krótki mówił dalej, choć wiedział, że towarzysz broni już go nie słyszy.

– Zabrali mi go… Rozumiesz, człowieku? Zabrali moje oczko w głowie, mojego Nodara! Zabili wszystkich w domu, gdzie go ukryłem. Wszystkich! Myślisz, Temuri, że służę z miłości do tego psa Mikołaja albo dla pieniędzy? Pluję na wszystkie pieniądze świata! Ale mają mi oddać synka, kiedy tylko wykonam wszystko, czego ode mnie oczekują. – Usiadł ciężko obok trupa, ukrył twarz w dłoniach. – I wiesz, co wtedy zrobię, Temuri? – Głos Krótkiego brzmiał głucho, martwo. – Ukryję synka tak, żeby nikt go już nigdy nie znalazł. Wywiozę daleko, znajdę mu dom, a całe złoto, które otrzymałem za zdradę, przeznaczę na jego wychowanie. A potem znajdę tego, co nam to wszystko uczynił. Znajdę i zabiję. Będzie umierał powoli, w męczarniach, przeklinając każdą chwilę! – Oderwał dłonie od twarzy, spojrzał w martwe oczy Temuriego, zamknął je delikatnym, prawie czułym gestem. – Kiedy zaś już dokonam zemsty, pójdę w góry wysoko, jak najwyżej, i rzucę się w największą przepaść. Wiem, że zostanę przeklęty jako samobójca. Lecz już jestem przeklęty jako zdrajca! Co mi tam jedno przekleństwo więcej! Nie ma gorszej zbrodni niż zdrada. Ale też nie ma większego bólu niż krzywda własnego dziecka. Może są ludzie dość twardzi, by to znieść, poświęcić dla sprawy własną krew. Lecz nie ja… W godzinie próby nie zdołałem wytrwać. A teraz muszę dokończyć, co zacząłem. – Krótki wstał, podłożył ręce pod ciało Temuriego, przetoczył je, zepchnął na dół. – Ludzie będą myśleli, że po prostu spadłeś. A ja dokończę dzieło, zanim uczynię to, co powinienem uczynić... Co muszę uczynić. Ciekaw też jestem, ilu jeszcze szpiegów umieszczono wśród naszych ludzi. Wśród moich ludzi – poprawił się.

Patrzył suchymi oczami w ciemność w dole. Wiedział, że ciało nieszczęśnika leży tam zmasakrowane na ostrych skałach zalegających pod urwiskiem. Nikt nie znajdzie teraz rany zadanej sztyletem. Nikt zresztą nie będzie jej przecież szukał.

Rozpętało się prawdziwe piekło. Strogan zatoczył się po ciosie w szczękę, ledwie uniknął potężnego cięcia szablą, którą porzucił po otworzeniu szkatułki. Dopadł do niej Rusłan, rąbnął z dołu, podnosząc broń z ziemi. Pułkownik odskoczył, wypalił z drugiego pistoletu, lecz spudłował, bo ostrze spadło na lufę w chwili, kiedy oddawał strzał. Kula trafiła w otwartą skrytkę, załomotała, odbijając się od jej ścianek, zanim wypadła na zewnątrz, już bezsilna, zupełnie zniekształcona. Strogan odskoczył, wydobył szpadę, natychmiast wykonał wypad, celując w twarz przeciwnika. Nie pchnął jednak, lecz tylko zamarkował sztych, w istocie rzeczy prowadząc cięcie z nadgarstka. Uderzenie to wyćwiczył do perfekcji; nie spotkał jeszcze przeciwnika, którego nie zdezorientowałby błysk stali. W zasadzie nikt nie zaczynał walki od tak wysokiego cięcia. W wypadku szpady walczący rzadko rozpoczynał starcie cięciem. Rusłan odskoczył w ostatniej chwili, odchylił głowę. Dzięki temu ostrze szpady nie zmasakrowało mu twarzy, jedynie sam koniec sztychu drasnął policzek. Ktoś inny na jego miejscu zapewne zatrzymałby się chociaż na mgnienie oka, ale doświadczony podoficer nie zamierzał się przejmować tak drobną raną. Nawet o wiele poważniejsza kontuzja nie powstrzymałaby go przed działaniem. Kikutem zablokował wracające cięcie. Miało tak niewielką siłę, że nie przecięło nawet rękawa skórzanej kurty. Pożałował teraz wyjątkowo mocno, że nie ma lewej dłoni, którą mógłby przejąć ostrze przeciwnika, przygiąć je i nadziać kanalię na szablę albo oszczędnym cięciem rozpłatać gardło. Dostrzegł jednak z satysfakcją, że pułkownik zachwiał się lekko, wytrącony z równowagi, źle ustawił stopy. Więcej nie było potrzeba silnemu Czerkiesowi. Zrobił krok naprzód, ściągając w dół szpadę wroga – kikut zatrzymał się przy gardzie, zyskując punkt oparcia – po czym rąbnął Strogana między oczy kabłąkiem osłaniającym dłoń. Rosjanin osunął się bezwładnie, znieruchomiał. Rusłan na wszelki wypadek kopnął go jeszcze w głowę, a następnie odwrócił się, aby skoczyć na pomoc towarzyszom. Lecz tam było już po wszystkim. Dwóch osiłków może doskonale radziło sobie w roli pomocników kata, ale o prawdziwej walce nie mieli większego pojęcia. Zanim, zaskoczeni, zdołali oddać celne strzały, Jerzy i Maximilien już przy nich byli. Kule przeszły obok, jedna drasnęła tylko małego Francuza w ramię. Jerzy uderzył swojego przeciwnika najpierw w splot słoneczny, potem wyprostował go potężnym kopniakiem w twarz i w ten sposób wykluczył z walki. Maximilien z kolei zaatakował niżej, dzięki czemu nie musiał nawet wyprowadzać drugiego ciosu. Żołnierz, który jemu przypadł w udziale, osunął się na kolana z rękami przyciśniętymi do podbrzusza. Francuz rzucił się natychmiast do zwijającego się Rokickiego, wyrwał mu torbę i wydobył rewolwer.

Szmit nie mógł wypalić, gdyż obawiał się że w panującym chaosie trafi któregoś ze swoich. Wodził lufami pistoletów za biegającymi ludźmi i spokojnie czekał na okazję, przyczajony jak wąż. Ale kiedy już wszystko zaczęło się uspokajać i w końcu wziął na cel Polaka, huknął strzał, a on poczuł uderzenie w pierś. Spojrzał najpierw na niewielką dziurkę w kurtce mundurowej, a potem na Maximiliena. Podniósł pistolet, wymierzył. Tymczasem Francuz ze spokojem odciągnął kurek, bębenek obrócił się, podstawiając pod iglicę kolejny nabój, i następna kula weszła Rosjaninowi w czoło tuż nad oczami.

Jerzy odwrócił się powoli w stronę Jaszyna. Rzucając się do walki, widział, że gubernator zastygł, ale teraz Wołłkowicz się spodziewał, że spojrzy prosto w otwór lufy pistoletu. Ku swojemu ogromnemu zdziwieniu stwierdził jednak, że Roman Fiodorowicz nie sięgnął po broń, lecz patrzył na pobojowisko szeroko otwartymi oczami. Wołłkowicz nie rozumiał jego zachowania. Z całą pewnością gubernator nie przeląkł się walki. Był dzielnym człowiekiem, miał też za sobą służbę w wojsku, powąchał prochu i krwi. A jednak nie zamierzał się mieszać w wydarzenia.

– Możesz mnie teraz zastrzelić, jeżeli chcesz, panie Wołłkowicz – powiedział. – Albo ty, panie Francuzie – zwrócił się do Maximiliena. – Wasz towarzysz może mnie też zarąbać szablą, jeśli taka wola.

– Dlaczego mielibyśmy pana zabijać? – Jerzy pokręcił głową. – Nie jesteśmy mordercami.

Osiłek kopnięty w twarz zaczął dawać znaki życia, więc Polak podszedł do niego, chwycił za włosy i uderzył mocno potylicą o podłoże. Francuz swojego rąbnął kolbą rewolweru w kark. Rusłan z kolei stał nad Stroganem. Po chwili namysłu włożył szablę pod pachę, chwycił nieprzytomnego za kołnierz, przywlókł go do rozmawiających. Rokicki zemdlał już w chwili, kiedy Maximilien wyrwał mu torbę, przyprawiając go o potworny ból w odstrzelonej ręce. Leżał w powiększającej się kałuży krwi.

– Trzeba by go opatrzyć, a przynajmniej podwiązać ramię – mruknął Jerzy, ale się nie ruszył. – Może pan, gubernatorze? Mnie się jakoś nie bardzo chce.

– Mnie tym bardziej – odparł Jaszyn, patrząc obojętnie na Rokickiego.

Maximilien z ciężkim westchnieniem podszedł do rannego, odpiął z torby rzemień, zacisnął go mocno powyżej łokcia rannego.

– Amputacja jak nic – poinformował pozostałych. – Dostał prościutko w staw, ręka wisi tylko na skórze. W sumie można by ją obciąć.

– Zostaw. – Jerzy machnął ręką. – Braciszkowie o niego zadbają.

Potem znów popatrzył na Jaszyna.

– Pan nie jest z nimi, gubernatorze, prawda?

– Co masz na myśli, młody człowieku? – Gubernator zmarszczył brwi.

– Przybył pan z nimi, ale to nie jest pańska misja. Został pan do niej zmuszony. To nie pana walka… – W tym momencie Jerzy przestał panować nad sobą, przyskoczył do Jaszyna, chwycił go za wyłogi szynela. – Co z nią?! Mów natychmiast! Skrzywdzili ją?! Mów, człowieku!

Roman Fiodorowicz nie bronił się, kiedy Wołłkowicz go szarpał. A Jerzy uspokoił się dopiero, kiedy poczuł na ramieniu silną dłoń Rusłana.

– Zostaw, tak się niczego nie dowiesz.

Kapitan odstąpił o krok.

– Proszę wybaczyć, gubernatorze. Na samą myśl, że mogłaby jej się stać krzywda, krew mnie zalewa. Myślałem, że jest z panem, może znalazł jej pan już jakąś partię… To bym przeżył, to bym zrozumiał, nie wolno nikomu zawiązywać życia na supeł. Ale jeśli coś jej się stało...

– Oszalałeś? – Jaszyn starał się mówić spokojnie, choć nagłe wzruszenie odbierało mu głos. Ten Polak naprawdę kochał jego córkę. Bo jak inaczej nazwać uczucie, kiedy pragnie się szczęścia kogoś drugiego? Kiedy w zamian za jego spokój człowiek nie waha się poświęcić własnego? Zapłacić bólem za powodzenie kochanej. – Oszalałeś? – powtórzył już pewniej. – Gdyby coś jej się miało stać, nie byłoby mnie tutaj.

– Miałem zatem rację, mówiąc, że to nie pana walka? Jaszyn spojrzał na szkatułkę z listami.

– Teraz sam już nie wiem. Wszystko bardzo się skomplikowało.

Jerzy podążył za jego wzrokiem.

– Tak, ma pan rację. Myślałem, że chodzi o coś innego. Może o dowody zdrady w najwyższych kręgach władzy, korupcji ministrów chociażby. Coś, co spowodowałoby jeśli nie rozpad, to przynajmniej zapaść administracji monarchii. A może... Nie wiem. Ale na pewno nie coś takiego. Wspaniała, słynąca z wierności Maria Fiodorowna okazała się wiarołomna. A miłościwie panujący car nie ma w sobie nawet kropli krwi dynastii, którą reprezentuje. Tylko co z tego wynika dla uciemiężonych narodów? Jedynymi, którzy mogą się paść na tych tajemnicach, są dyplomaci. I ci, którzy w zaciszu gabinetów rozgrywają własne partie szachów. Tacy jak jakiś Kriabin czy minister spraw wewnętrznych oraz ich koterie.

Gubernator popatrzył Jerzemu prosto w oczy.

– A jednak, gdyby ujawnić te listy, mogłoby się zdarzyć coś, co by zachwiało imperium. Chociażby zmiana na tronie.

– I kto by na nim zasiadł? – zaśmiał się ponuro Jerzy. – Jeszcze gorszy tyran? W kolejce do tronu nie ma aniołów, jeno sami szatani. Ani Kaukaz, ani Polska nic tutaj nie zyskają. A jeśli ostanie się obecny władca, nie omieszka podziękować naszym narodom tak, że w pięty nam pójdzie. O wiele lepszy byłby zamęt na szczytach władzy, rozgrywki, skrytobójstwa i samobójstwa skompromitowanych. Wówczas łatwiej coś uzyskać. Skandal obyczajowy to stanowczo za mało.

– Nie panu o tym stanowić – rzucił ostro Maximilien. – Nie wysłano pana po to, żebyś dokonał oceny, ale dostarczył te dokumenty komu trzeba.

– Nie wtrącaj się! – warknął Rusłan. – Nie twoja rzecz. Swojemu Vidocqowi opowiesz, co widziałeś, po to tu jesteś, nie żeby nam mówić, co mamy robić.

– Jeszcze wy się między sobą pobijcie – burknął Jaszyn. – Będziemy tu mieli więcej trupów niż w *Hamlecie*.

– Bez obaw. Ci dwaj nie potrafią inaczej rozmawiać – zaśmiał się krótko Jerzy, ale zaraz spoważniał. – Maximilienie, to naprawdę nie twoja sprawa. Pozwól nam działać tak, jak uważamy za stosowne. Mimo wszystko honor w naszych czasach chyba jeszcze coś znaczy, nie wszystko jest dozwolone, aby osiągnąć cel.

– Jemu powinien pan to powiedzieć – powiedział gorzko Jaszyn, wskazując Strogana. – Im wszystkim zresztą. Dla nich honor i godność to puste słowa.

– Cokolwiek postanowimy, musimy się zastanowić, jak stąd wyjść – zauważył trzeźwo Rusłan. – Jeśli dobrze zgaduję, tam na górze znajduje się całkiem sporo żołnierzy, prawda, panie gubernatorze?

Jaszyn pokręcił głową.

– Absolutnie. Klasztor nie jest otoczony. Przybyliśmy tutaj w sześciu. To tajna misja. Tyle że jeśli nie wrócimy do jutra rana do Mcchety, przybędzie tutaj wojsko. A tam czeka tylko Siemion Siemionowicz, nasz woźnica. Ale z jednym człowiekiem chyba sobie poradzicie?

– Przynamniej tyle – odetchnął z ulgą Rusłan. – Jakoś mi się nie uśmiecha leźć znowu pod kule i ostrza.

– Trzeba coś postanowić – rzekł Jerzy. – Nie możemy tu zostać. Co z jeńcami?

– Trzeba ich zostawić i niech czekają na swoich pod opieką braciszków. Ruszyć się żaden stąd nie ruszy.

Maximilien przeszedł się wśród leżących.

– Jak to się nie ruszy? – spytał Jerzy. – Wszyscy mają sprawne nogi. Ledwie się pozbierają, to zaraz...

Ale Rusłan już pojął myśl Francuza. Z paskudnym wyrazem twarzy ujął pistolet za lufę, zbliżył się do pierwszego osiłka, pochylił się i wziąwszy krótki zamach, trzasnął go w kolano. Żołnierz wrzasnął, ale Maximilien uciszył go jednym ciosem w głowę.

– I tak po kolei – mruknął Rusłan, przechodząc do drugiego.

Ale kiedy zbliżył się do Strogana, Francuz go powstrzymał.

– Tego nie trzeba.

– Zwariowałeś? – oburzył się Czerkies. – Ten właśnie jest najbardziej niebezpieczny.

– Wiem.

A potem, zupełnie bez ostrzeżenia, strzelił pułkownikowi prosto w głowę.

Jerzy spojrzał na Jaszyna, gotów go chwycić, gdyby chciał pomścić zamordowanie rodaka. Ale gubernator z nieruchomą twarzą patrzył na trupa Strogana.

– Zasłużył na śmierć. Zasłużył jak nikt! Szkoda tylko, że przyszła mu tak lekko... – wychrypiał.

– Teraz możemy się zbierać – stwierdził Maximilien.

– A co z listami? – Rusłan wskazał szkatułkę.

Zupełnie zapomnieli o tym, co było celem wyprawy i przyczyną jatki, jaka się tutaj odbyła.

– A jak myślisz? – odpowiedział Jerzy pytaniem na pytanie.

– Nie wiem. Teraz to już zupełnie nie wiem.

– To zupełnie jak ja.

Wpatrzyli się w fatalną skrzyneczkę.

Słowacki siedział nad rękopisem, lecz praca szła mu niesporo. Ułożył dzisiaj wszystkiego ledwie trzy wersy dramatu i zamiast skupić się na znalezieniu dobrego rymu, odleciał myślami bardzo daleko. Przez ostatnie tygodnie oddawał się tworzeniu, nie pamiętał o Wołłkowiczu. Lecz dziś jakoś mu nieszczęśliwy Jerzy przyszedł na myśl. Skąd tak nagle? Dlaczego? Czyżby to jakieś przeczucie? Lecz jakie i dlaczego?

Nagle pomyślał z przerażeniem, że Wołłkowiczowi coś się stało i jego umykająca dusza otarła się o umysł poety. Tak się ponoć czasem zdarzało. Lecz czy także tym razem? A może przeciwnie, wszystko się powiodło i wrażliwego serca artysty dotknęła radość zwycięzcy?

Jakkolwiek sprawy się miały, nie było dzisiaj mowy o owocnej pracy. Słowacki sięgnął po tom własnych utworów, otworzył na chybił trafił i przeczytał półgłosem:

> *Anioł ognisty – mój anioł lewy*
> *Poruszył dawną miłości strunę.*
> *Z tobą! o! z tobą – gdzie białe mewy,*
> *Z tobą – w podśnieżną sybirską trunę,*
> *Gdzie wiatry wyją tak jak hyjeny,*
> *Tam, gdzie ty pasasz na grobach reny.*

Z grobowca mego rosną lilije,
Grób jako biała czara prześliczna,
Światło po nocy spod wieka bije
I dzwoni cicha dusza – muzyczna.
Ty każesz światłom onym zagasnąć,
Muzykom ustać – duchowi zasnąć...

Ty sama jedna na szafir święty
Modlisz się głośno – a z twego włosa,
Jedna za drugą – jak dyjamenty
Gwiazdy modlitwy – lecą w niebiosa.

Jakże dziwnie zrządził los, że padło właśnie na ten wiersz. Miał wrażenie, jakby napisał go dla Jerzego właśnie, choć przecież nie mógł go wówczas znać.

– Powodzenia, kapitanie Wołłkowicz – szepnął Juliusz. – Jeśli jeszcze cię gdzieś tam nie zabili, wracaj w zdrowiu... albo żyj szczęśliwie w miejscu, które sobie wybierzesz. – Odłożył tomik, spojrzał na kartę ledwie zapisaną na samej górze. I w tej chwili przyszły mu do głowy kolejne wersy. – To dla ciebie, krewniaku.

Pisanie pochłonęło go bez reszty.

– Mamy jeszcze kilka godzin do świtu – powiedział Rusłan, patrząc w niebo. – Zanim dowódca garnizonu uzna, że należy wysłać patrol do monastyru, zanim żołnierze wrócą z wieściami i wyruszy za nami pościg, może zejść nawet do południa.

Jerzy pokręcił głową.

– Ale musimy się śpieszyć. Kto wie, ilu braciszków pozostaje na usługach władz rosyjskich? Strzelaniny mogli nie dosłyszeć na górze, to prawda, ale na pewno ktoś poza igumenem zwrócił uwagę, że z lochów wyszli nie ci, co powinni, w dodatku trzymając pod lufą jego wielmożność gubernatora.

– Racja – przytaknął Jaszyn. – Pośpiech jest bardzo ważny. Im prędzej się stąd oddalicie, tym lepiej dla was.

Igumen z wyraźną ulgą przyjął fakt, że przybysze z Francji zdołali uniknąć śmierci albo jeszcze gorszego losu. Na wieść, jaki widok czeka go w podziemiach, spochmurniał, ale nic nie powiedział. Pożegnał ich nawet znakiem krzyża.

Jerzy z podziwem patrzył na Romana Fiodorowicza. Gubernator potrafił się opanować, uporać ze złymi emocjami. Przecież miał naprzeciwko siebie wrogów – ludzi, którzy planowali dokonać wielkich spustoszeń w gmachu imperium, którego był ważną częścią. Znienawidzony Polak, Czerkies z wiecznie zbuntowanego Kaukazu i podstępny Francuz – tak musiał ich postrzegać. Poza tym widział przecież, jak potrafią zabijać. A mimo to koniec końców stanął po ich stronie, kierując się nie obowiązkiem, lecz poczuciem sprawiedliwości.

I na dobitkę było jeszcze coś. Kiedy wyszli na dziedziniec, natknęli się na wóz, przy którym, mimo nocnej pory, krzątał się Siemion Siemionowicz. Na ich widok nie okazał nawet śladu zdziwienia.

– Witaj, nieznajomy – odezwał się do niego niespodziewanie Maximilien. – Wciąż jeszcze wozisz skóry z Wołogdy?

– Witaj, stary przyjacielu – odparł Siemion. – W Wołogdzie już dawno skór brakło. – I natychmiast dodał: – Zostanę tutaj, zobaczę, co się będzie działo, ale musicie mnie przynajmniej związać.

Jaszyn zacisnął wargi. Nie mógł się zdecydować, czy jest bardziej zdumiony czy bardziej wściekły. Od razu stało się jasne, dlaczego woźnica wydawał się czasem taki dziwny. Nie można grać tępawego żartownisia bez chwili przerwy.

– Widać nie tylko nasi szpiedzy zabezpieczają się na wszystkie strony.

– Taki fach – podsumował Maximilien, biorąc z wozu gruby na palec postronek.

Odjechali od Dżwari już dobre dziesięć wiorst, ominęli Mcchetę i skierowali się na północ. Kiedy znaleźli się na górskim szlaku prowadzącym ku stromym zboczom, Jaszyn kazał się zatrzymać.

– Musimy się tutaj rozstać – oświadczył. – Wy pojedziecie, dokąd wola, ale ja muszę wracać do swoich.

– Czy to rozsądne? Nie obawia się pan, co z panem zrobią? – spytał Maximilien.

– A co mają zrobić? – Jaszyn wzruszył ramionami. – Jedyne, co mnie czeka, to utrata stanowiska, może zsyłka. Ale nie zamierzam uciekać z wami. Nie porzucę kraju i… – przełknął ślinę, aby opanować nagłe drżenie głosu – …i dziecka.

Wołłkowicz odetchnął głęboko, zanim powiedział:

– Jadę po nią, panie gubernatorze.

Jaszyn drgnął, popatrzył na Jerzego.

– Co ty mówisz, chłopcze?

– Czy to się panu podoba czy nie, jadę! Odnajdę ją, choćbym miał przemierzyć całą Ruś!

– Nie wiesz nawet, gdzie przebywa, człowieku! – Jaszyn porzucił oficjalną formę. – Jak chcesz ją odnaleźć?

– Jeśli pan mi nie powie, gdzie szukać, wrócę zaraz do monastyru i rozmówię się z Rokickim. Z tego, co wyrozumiałem, on powinien mieć na ten temat wiarygodne informacje.

Rusłan, słysząc to, przetarł twarz dłonią, a potem rzekł z rezygnacją:

– Jadę z tobą, kapitanie. Nie zostawię cię samego.

Maximilien postukał się palcem w czoło.

– Jesteście szaleni.

– Wiem. – Jerzy wzruszył ramionami. – Ale już dawno zrozumiałem, że bez niej nie ma dla mnie życia. Ciebie nikt nie zatrzymuje. Jedź do Poti, statek na pewno już czeka.

– I tak zrobię. Co innego najbardziej choćby niebezpieczna wyprawa, a co innego pchać łeb prosto w pętlę! Jeśli wrócicie, natkniecie się na odsiecz z garnizonu!

Jerzy zawrócił konia.

– Nie ma na co czekać. Im szybciej ruszymy, tym mniejsze niebezpieczeństwo, że trafimy na wroga.

Rusłan stanął strzemię w strzemię z Wołłkowiczem. Po chwili dołączył do nich Maximilien.

– Niech was diabli – mruknął. – Vidocq by mi nie darował, gdybym was teraz opuścił.

– Vidocq? – Rusłan uśmiechnął się krzywo.

– A Vidocq! Zresztą sam też bym sobie nie darował – dodał ciszej po chwili mały Francuz.

Jaszyn słuchał ich z niedowierzaniem.

– Głupcy – oświadczył uroczyście. – Jesteście głupcami, wiecie?

– Wiemy, wiemy – odrzekł Wołłkowicz. – Taka nasza polsko-czerkiesko-francuska przypadłość widać.

– A wasza misja? Te listy?

– A tak, właśnie.

Jerzy zawrócił, podjechał do gubernatora.

– Jestem oficerem – powiedział. – Wprawdzie wy, Moskale, pozbawiliście mnie wojskowej godności, wprawdzie dla was jestem tylko przestępcą i wrogiem cara, ale to nie sprawia, żem stracił honor.

Wydobył z sakwy przy siodle listy, owinięte w bawełnianą chustę i natłuszczoną skórę, która miała je chronić przed wilgocią.

– Proszę je wziąć. – Podał pakiet gubernatorowi.

Ten wytrzeszczył oczy.

– Co ci przyszło do głowy, młodzieńcze? Toż to wasza cenna zdobycz.

– Może cenna, a może szkodliwa. Strogan był, jak sam pan powiedział, złym człowiekiem, ale w tej sprawie miał słuszność. Nie wiadomo, czy ujawnienie tych pism będzie błogosławieństwem czy przekleństwem. A już na pewno nie przyniesie wolności uciemiężonym narodom. Lepiej niech trafią w ręce człowieka na wskroś uczciwego, który zdecyduje, co z nimi uczynić.

Jaszyn poczuł nagły zawrót głowy. Oto przekazano mu coś, co mogło stanowić o losach domu panującego. Coś, co pułkownik z ministrem, a pewnie i Rokicki z generałem, pragnęli wykorzystać do własnych celów.

– Jesteś pewien? – spytali razem gubernator i Rusłan.

– Chcesz to wykorzystać? Naprawdę chcesz? – spytał Jerzy Czerkiesa.

– Nie zamierzam o tym rozmyślać – uciekł od odpowiedzi Rusłan. – To nie na moją głowę.

Jerzy zwrócił się do gubernatora:

– A pan by chciał, aby trafiło to w niepowołane ręce? Szczerze mówiąc, nie mogę ręczyć za rozsądek moich rodaków na emigracji. Stracili łączność z krajem, wydaje im się, że świat kręci się wokół Polski. A tak nie jest.

Jaszyn milczał, zresztą Wołłkowicz nie oczekiwał odpowiedzi. Podjął już decyzję.

– Gubernatorze, zrobi pan z tym, co zechce. Jak siebie znam, w pewnej chwili i tak wyrzuciłbym wszystko za burtę. Skandalem nie dobijemy się wolności, do tego jest potrzebny wielki wysiłek, a nie taki paskudny cud.

Roman Fiodorowicz poczuł, jakby ocknął się w innym świecie. Ten Polak po raz kolejny potrafił go zaskoczyć. Nie tym wcale, że zachował się szlachetnie, to było jak najbardziej dla niego charakterystyczne. Zaskoczył doświadczonego urzędnika zrozumieniem problemu i wszelkich jego implikacji. Polaków nazywano gorącymi głowami, lecz ten młody człowiek rozważył wszystko na chłodno, nie dał się ponieść sławnej ułańskiej fantazji.

– Wiesz, chłopcze, że jeśli przyjmę te dokumenty, nie będę miał czasu odwiedzić Anastazji? Nie mówiąc już o zabraniu jej ze sobą.

– Wiem. Musi pan zdążyć dostarczyć to carowi Mikołajowi, zanim ci w monastyrze pozbierają się i podejmą swoją grę, zawiadomią swoich przełożonych.

– I wiesz także, że z Petersburga mogę już nie wrócić? Jerzy nie odpowiedział. Po co? Obaj doskonale wiedzieli, że batiuszka car może za ostrzeżenie podziękować Jaszynowi bądź obsypując go złotem, bądź odsyłając na Sybir. Nidy nie wiadomo, co zrobi taki okrutnik.

– Sprytny jesteś – powiedział gubernator. – Rozegrałeś to niczym mistrzowską partię szachów. Liczysz na to, że powiem ci teraz, gdzie jest Nastia, i będziesz mógł do niej pojechać z moim błogosławieństwem?

Jerzy nadal milczał, nie patrzył nawet na Jaszyna. Gubernator odczekał chwilę, a potem oznajmił:

– Dobrze, powiem ci, gdzie jest. Znajdź ją, sprawdź, jak się miewa, wspomóż, jeśli tego potrzebuje. Lecz nie spodziewaj się, że otrzymasz ode mnie coś więcej niż dobre słowo na drogę. Nie jesteś dla niej ani ona dla ciebie. Pochodzicie z różnych światów, z wrogich sobie krain. Nic nie będzie z waszego związku.

Wołłkowicz zaciął usta w upartym grymasie.